TESS GERRITSEN

Docteur en médecine, Tess Gerritsen a longtemps exercé dans ce domaine avant de commencer à écrire lors d'un congé maternité. À partir de 1987 elle publie des livres romantiques à suspense avant de mettre à profit son expérience et de se lancer dans les thrillers médicaux qui vont marquer ses débuts sur la liste des best-sellers du *New York Times*, notamment *Chimère* (2000) – en cours d'adaptation pour le grand écran –, *Le chirurgien* (2004), *L'apprenti* (2005), *Mauvais sang* (2006), *La Reine des Morts* (2007), *Lien fatal* (2008) ou encore *Au bout de la nuit* (2009), tous parus aux Presses de la Cité.
Tess Gerritsen vit actuellement dans le Maine avec sa famille.

LIEN FATAL

DU MÊME AUTEUR
CHEZ POCKET

LE CHIRURGIEN
L'APPRENTI
MAUVAIS SANG
LA REINE DES MORTS
LIEN FATAL

TESS GERRITSEN

LIEN FATAL

Traduit de l'anglais (États-Unis)
par Jacques Martinache

PRESSES DE LA CITÉ

Titre original :
BODY DOUBLE
Publié par Ballantine Books, New York

Le papier de cet ouvrage est composé de fibres naturelles, renouvelables, recyclables et fabriquées à partir de bois provenant de forêts plantées et cultivées durablement pour la fabrication du papier.

ISBN : 978-2-266-19190-6

À Adam et Danielle

Prologue

Elijah la regardait encore.

Alice Rose, quatorze ans, s'efforçait de se concentrer sur les dix questions du contrôle d'anglais posé sur son bureau, mais elle avait la tête ailleurs. Elle sentait le regard du garçon peser sur elle, tel un rayon braqué sur son visage, elle sentait sa chaleur sur sa joue et se savait en train de rougir.

Concentre-toi, Alice !

La question suivante était floue, sur la feuille polycopiée, et Alice dut plisser les yeux pour déchiffrer les mots.

Charles Dickens choisit souvent pour ses personnages des noms correspondant à leurs traits de caractère. Donnez des exemples et dites pourquoi ces noms conviennent aux personnages.

Elle mâchonnait son stylo en tentant d'exhumer une réponse de sa mémoire. Mais elle était incapable de réfléchir alors qu'*il* était assis au bureau voisin du sien, si proche qu'elle respirait son odeur de savon au pin et de feu de bois. Une odeur d'homme. Dickens ! Elle se moquait bien de Dickens, de Nicolas Nickleby et de l'examen d'anglais quand Elijah Lank la regardait ! Il était si beau, avec ses cheveux noirs et ses yeux bleus. Les yeux de Tony Curtis. La première fois qu'elle avait vu Elijah, c'était ce qu'elle avait pensé : il était le portrait craché de Tony Curtis, dont le visage magnifique rayonnait sur les pages de ses magazines préférés, *Modern Screen* et *Photoplay*.

Elle se pencha et ses cheveux tombèrent devant son visage. Elle coula un regard furtif à travers le rideau de mèches blondes, sentit son cœur faire un bond quand elle eut la confirmation espérée : Elijah l'observait, et pas à la façon dédaigneuse de tous les autres garçons du lycée, ces garçons cruels qui lui donnaient l'impression d'être lourde et bête. Elle n'entendait pas les commentaires qu'ils faisaient sur son passage, parce qu'ils parlaient trop bas, mais elle était sûre qu'ils se moquaient d'elle, à leur façon de la regarder. C'étaient ces mêmes garçons qui avaient scotché la photo d'une vache sur son casier, qui meuglaient quand elle les frôlait par hasard dans le couloir. Mais Elijah... Elijah la regardait d'une tout autre manière. Avec des yeux de braise. Des yeux de star.

Lentement, elle releva la tête et le fixa à son tour, non plus à travers le rideau protecteur de ses cheveux, mais en lui rendant franchement son regard. Il avait déjà fini de répondre aux questions du contrôle, avait rangé son stylo dans son bureau. Il réservait toute son attention à Alice, qui parvenait à peine à respirer sous le feu de ses yeux.

Je lui plais. Je le sais. Je lui plais.

Elle porta une main à sa gorge, au dernier bouton de son chemisier, pensa au regard de lave de Tony Curtis sur Lana Turner, un regard capable de rendre une fille muette et chancelante. Le regard qui précédait l'inévitable baiser. Le moment où l'image se troublait toujours sur l'écran. Pourquoi devenait-elle toujours floue au moment où on aurait tellement voulu voir ?

— C'est terminé ! Rendez vos feuilles, s'il vous plaît.

Les pensées d'Alice revinrent au polycopié, où la moitié des questions restaient sans réponse. Oh non ! Elle les connaissait, ces réponses, elle n'avait besoin que de quelques minutes de plus…

— Alice. Alice !

Elle leva les yeux, vit la main tendue de Mme Meriweather.

— Tu n'as pas entendu ? C'est terminé, je ramasse les feuilles.

— Mais je…

— Pas d'excuses. Il faudrait que tu te décides à écouter, Alice.

Mme Meriweather prit la feuille de la main d'Alice et continua à descendre l'allée. Bien qu'Alice pût à peine entendre leurs murmures, elle savait que les filles assises derrière parlaient d'elle. Elle se retourna, vit leurs têtes rapprochées, leurs mains cachant leurs bouches, étouffant des gloussements. *Alice sait lire sur les lèvres, ne lui montrons pas qu'on parle d'elle.*

Plusieurs garçons riaient aussi maintenant en la désignant. Qu'y avait-il de drôle ?

Alice baissa les yeux, s'aperçut avec horreur qu'un bouton de son chemisier avait sauté et que le tissu béait.

La cloche annonça la fin de la journée.

Alice sortit précipitamment de la salle de classe, tête baissée, sans regarder personne, sa sacoche serrée sur la poitrine, la gorge nouée par les sanglots. Elle courut aux toilettes, s'enferma dans une cabine. Tandis que d'autres filles entraient, s'admiraient dans la glace en riant, Alice resta cachée derrière la porte. Ces filles superbes, avec leurs ensembles tout neufs. Elles ne perdaient jamais de boutons, elles ; elles ne venaient jamais au collège avec des fripes et des chaussures aux semelles en carton.

Partez. Partez toutes, s'il vous plaît.

La porte des toilettes s'ouvrit et se referma à nouveau.

Alice tendit l'oreille pour savoir s'il restait quelqu'un. Regardant par une fente, elle ne vit personne devant le miroir. Elle sortit lentement.

Le couloir aussi était désert, tout le monde était parti. Il n'y avait personne pour la tourmenter. Les épaules voûtées comme pour se protéger, elle passa devant les casiers cabossés, les affiches annonçant la boum de Halloween, deux semaines plus tard. Elle n'irait pas à cette boum. L'humiliation de celle de la semaine passée lui cuisait encore. Deux heures plantée seule contre le mur, à attendre qu'on l'invite. Quand un garçon s'était enfin approché d'elle, ça n'avait pas été pour danser. Il s'était soudain plié en deux et avait vomi sur les chaussures d'Alice. Plus de boums pour elle. Elle n'habitait cette ville que depuis deux mois et souhaitait déjà que sa mère redéménage, les emmène quelque part où elles prendraient un nouveau départ. Où les choses changeraient enfin.

Sauf qu'elles ne changeaient jamais.

Elle sortit du collège, s'avança sous le soleil d'automne. Accroupie près de sa bicyclette pour ouvrir l'antivol, elle n'entendit pas les bruits de pas et ne se rendit compte qu'Elijah se tenait près d'elle que lorsqu'une ombre tomba sur son visage.

— Salut, Alice.

Elle se releva si brusquement que son vélo tomba. Quelle gourde ! Comment pouvait-elle être aussi empotée ?

— Il était dur, ce contrôle, hein ?

Elijah parlait lentement, distinctement. C'était une chose de plus qu'elle aimait en lui. Sa voix n'était jamais confuse comme celle des autres garçons et il lui laissait toujours voir ses lèvres. Il connaît mon secret, pensa-t-elle. Et il veut quand même être mon ami.

— T'as répondu à tout ? lui demanda-t-il.

Elle se pencha pour remettre son vélo d'aplomb.

— Je connaissais les réponses mais j'ai pas eu assez de temps.

En se redressant, elle remarqua qu'il regardait son chemisier. Le trou laissé par le bouton manquant. Écarlate, elle croisa les bras sur sa poitrine.

— J'ai une épingle, dit-il.

— Quoi ?

Il tira une épingle de nourrice de sa poche.

— Moi aussi, j'arrête pas de perdre des boutons. C'est gênant. Attends, laisse-moi arranger ça.

Elle bloqua sa respiration quand il tendit la main vers son chemisier, retint avec peine un tremblement lorsque le doigt d'Elijah se glissa sous le tissu pour fermer l'épingle. Est-ce qu'il sent mon cœur battre ? se demanda-t-elle. Est-ce qu'il sait que j'ai la tête qui tourne ?

Quand il recula, elle baissa les yeux et constata que l'épingle fermait maintenant pudiquement le chemisier.

— C'est mieux ? s'enquit-il.

— Oh oui.

Elle garda le silence le temps de se ressaisir puis dit, avec une dignité de reine :

— Merci, Elijah. C'est vraiment gentil.

Des corbeaux croassèrent dans le silence qui suivit. Au-dessus de leurs têtes, les feuilles d'automne enveloppaient les branches des arbres de flammes brillantes.

— Alice, je me demandais si tu pourrais m'aider ?

— T'aider à quoi ?

Quelle idiote ! Tu aurais simplement dû répondre oui. Oui, je ferais n'importe quoi pour toi, Elijah !

— Je prépare un dossier en bio. J'ai besoin de quelqu'un pour me donner un coup de main et je ne sais pas à qui d'autre m'adresser.

— Quel dossier ?

— Je te montrerai. Il faut qu'on aille chez moi.

Chez lui. Elle n'avait jamais été chez un garçon.

— Je dépose d'abord ma sacoche, osa-t-elle.

Il prit son vélo, qui était presque aussi moche que celui d'Alice, avec ses garde-boue rouillés, le vinyle de la selle craquelé. Ce vieux clou le rendait encore plus attirant aux yeux d'Alice. On fait la paire, pensa-t-elle, Tony Curtis et moi.

Ils passèrent chez Alice, mais elle ne l'invita pas à entrer : elle aurait eu honte des meubles minables, de la peinture des murs qui s'écaillait. Elle posa sa sacoche sur la table de la cuisine et ressortit aussitôt.

Malheureusement, Buddy, le chien de son frère, en fit autant. Au moment où elle franchissait le seuil, il se faufila dehors, éclair blanc et noir.

— Buddy ! cria-t-elle. Rentre tout de suite !

— Il a pas l'air très obéissant, fit observer Elijah.

— Parce qu'il est bête. Buddy !

Le chien tourna la tête, remua la queue et partit sur la route en gambadant.

— Oh, tant pis, dit Alice. Il rentrera quand il en aura envie.

Elle grimpa sur son vélo.

— Où tu habites ?

— Sur Skyline Road. Tu es déjà montée là-haut ?

— Non.

— Pas facile, à vélo. Tu crois que t'y arriveras ?

Elle hocha la tête. Je ferais n'importe quoi pour toi.

Ils s'éloignèrent de la maison d'Alice en pédalant.

Pourvu qu'il tourne dans la grand-rue, se dit-elle. Ils passeraient devant le milk-bar où les élèves traînaient toujours après les cours, écoutaient le juke-box en sirotant leur soda. On nous verra ensemble, pensait-elle, les filles auront de quoi faire marcher leur langue : Alice et Elijah-les-yeux-bleus !

Mais, au lieu de la grand-rue, il prit Locust Lane, où il n'y avait presque pas de maisons, rien que l'arrière de quelques commerces et le parking de la conserverie Neptune's Bounty. Bon, elle faisait du vélo avec lui, non ? Assez près pour voir ses cuisses monter et descendre, son derrière perché sur la selle.

Il se retourna et ses cheveux noirs dansèrent dans le vent.

— Ça va, Alice ?

— Ça va.

À la vérité, elle haletait parce qu'ils avaient quitté le village et commençaient à gravir la colline. Elijah devait grimper Skyline Road à vélo tous les jours, il avait l'habitude ; il semblait à peine essoufflé, ses jambes pompaient comme des pistons. Mais Alice, hors d'haleine, peinait à monter la côte. Une boule de poils attira son attention. Tournant la tête, elle vit que

Buddy les avait suivis. La langue pendante, il courait pour rester à leur hauteur.

— Rentre à la maison !

— Qu'est-ce que tu dis ?

— C'est... encore... cet imbécile de chien, répondit-elle, pantelante. S'il nous suit, il va... se perdre.

Elle lança à Buddy un regard furieux, mais il continuait à trottiner près d'elle, joyeux et stupide. Vas-y, pensa-t-elle, épuise-toi, je m'en fiche.

Ils avançaient lentement sur la route qui montait en lacets. Entre les arbres, elle apercevait par moments Fox Harbor, en bas, dont l'eau ressemblait à du cuivre martelé sous le soleil de l'après-midi. Puis le bois devint plus dense et elle ne vit plus que les arbres, habillés de rouge et d'orange vifs. La chaussée jonchée de feuilles s'incurvait devant eux.

Quand Elijah s'arrêta enfin, Alice avait les jambes si fatiguées qu'elle tenait à peine debout. Buddy avait disparu. Elle espérait qu'il retrouverait seul le chemin de la maison parce qu'elle n'avait pas l'intention de le chercher. Pas maintenant, avec Elijah près d'elle, souriant. Il appuya son vélo contre un arbre, accrocha son sac à son épaule.

— Elle est où, ta maison ? demanda Alice.

— Au bout de ce chemin.

Il tendit le bras vers une boîte aux lettres rouillée accrochée à un poteau, un peu plus bas au bord de la route.

— On n'y va pas ?

— Non, vaut mieux pas. Ma cousine est malade, elle a vomi toute la nuit. De toute façon, ce que je veux te montrer est dans le bois. Laisse ton vélo, on va y aller à pied.

Alice déposa son vélo près de celui du garçon et le suivit, les jambes encore flageolantes. Ils s'engagèrent à pas lents dans le bois au sol recouvert d'un épais tapis de feuilles mortes. Elle suivait vaillamment, chassant de la main les moustiques.

— Ta cousine vit avec vous ?

— Ouais, elle est venue habiter chez nous l'année dernière. Je crois que c'est définitif, maintenant. Elle a nulle part où aller.

— Ça ne gêne pas tes parents ?

— Y a que mon père. Ma mère est morte.

— Oh.

Ne sachant trop quoi dire, elle murmura un vague « Je suis désolée », mais il ne parut pas l'entendre.

Les ronces égratignaient ses jambes nues, s'accrochaient à sa jupe. Elle avait peine à le suivre.

— Elijah !

Il ne répondit pas, continua à avancer comme un hardi explorateur, le sac sur l'épaule.

— Attends !

— Tu veux voir ou pas ?

— Oui, mais…

— Alors, *viens*.

Son ton impatient la fit sursauter. Arrêté quelques mètres devant elle, il la regardait et elle remarqua qu'il serrait les poings.

— C'est bon, dit-elle docilement. Je viens.

Quelques mètres plus loin, le bois s'ouvrit soudain sur une clairière. Alice avisa de vieilles fondations en pierre, les ruines d'une bâtisse écroulée depuis longtemps. Elijah tourna vers elle un visage marbré par la lumière du jour et annonça :

— C'est ici.

— Quoi ?

Il se pencha, écarta deux planches, révélant un trou profond.

— Regarde, j'ai mis trois semaines à le creuser…

Alice s'approcha prudemment. Les rayons obliques du soleil, derrière les arbres, laissaient la fosse dans l'ombre. Elle distingua une litière de feuilles mortes qui s'étaient accumulées au fond. Une corde en montait et s'enroulait sur elle-même, sur le côté.

— Tu veux attraper un ours ?

— Pourquoi pas. Si je camouflais l'ouverture avec des branches, je pourrais prendre un tas de choses. Un cerf, même.

Elijah pointa l'index vers le fond.

— Regarde. Tu vois ?

Elle se pencha un peu plus. Quelque chose luisait faiblement dans l'obscurité, des éclats blancs qui se détachaient de la couche de feuilles.

— Qu'est-ce que c'est ?

— Le sujet de mon dossier.

Il prit l'extrémité de la corde et tira.

Au fond du trou, des feuilles bruissèrent, se soulevèrent. Alice vit la corde se tendre. Un panier apparut. Elijah le hissa, le posa par terre et fit tomber des feuilles, découvrant ce qu'Alice avait vu luire.

Un petit crâne.

Quand il eut ôté les dernières feuilles, elle vit des lambeaux de fourrure noire, des côtes grêles. Une colonne vertébrale noueuse. Des os de patte, aussi délicats que des brindilles.

— Tu te rends compte ? dit-il. Il ne sent même plus. Ça fait près de sept mois qu'il est là, au fond. La dernière fois que je l'ai remonté, il y avait encore un peu de chair dessus. Il a commencé à pourrir vraiment vite, au mois de mai, quand il s'est mis à faire chaud.

— Qu'est-ce que c'est ?

— Tu reconnais pas ?

— Non.

Il prit le crâne, le tordit pour le détacher de l'épine dorsale. Alice sursauta lorsqu'il l'approcha soudain d'elle.

— Non ! cria-t-elle.

— Miaou !

— Elijah !

— Tu m'as demandé ce que c'était.

Elle examina les orbites vides.

— Un chat ?

Il tira un sac en plastique de sa besace et entreprit d'y mettre les os.

— Qu'est-ce que tu vas en faire ?

— C'est mon dossier de bio. Du chaton au squelette en sept mois.

— Tu l'as eu où, ce chat ?

— Je l'ai trouvé.

— T'as trouvé un chat mort ?

Il leva la tête et la regarda. Ses yeux souriaient, mais ce n'étaient plus les yeux de Tony Curtis. Elle eut peur.

— Qui te dit qu'il était mort ?

Le cœur battant, Alice fit un pas en arrière.

— Il faut que je rentre, maintenant, dit-elle.

— Pourquoi ?

— Des devoirs. J'ai des devoirs à faire.

Elijah s'était relevé d'un bond, sans effort. Le sourire avait disparu, remplacé par une expression d'attente tranquille.

— On… on se revoit demain au bahut, bredouilla Alice.

Elle recula en regardant autour d'elle : le bois offrait le même aspect dans toutes les directions. Par où étaient-ils venus ? Par où devait-elle repartir ?

— Mais tu viens d'arriver, Alice, argua Elijah.

Il tenait quelque chose dans une main et ce fut seulement quand il leva le bras au-dessus de sa tête qu'elle vit ce que c'était.

Une pierre.

Le coup la fit tomber à genoux, à moitié aveuglée, les membres paralysés. Elle ne sentait aucune douleur, elle n'arrivait simplement pas à croire qu'il l'avait frappée. Elle se mit à ramper, il lui empoigna les chevilles et la tira en arrière. Elle battit des pieds pour se libérer et tenta d'appeler, mais sa bouche s'emplissait de terre et de brindilles tandis qu'il la traînait vers la fosse. Au moment où ses jambes basculaient dans le trou, elle saisit une jeune pousse et s'y accrocha.

— Lâche ça, lui ordonna-t-il.

— Remonte-moi ! Remonte-moi !

— Lâche ça, j'ai dit.

Il abattit la pierre sur la main d'Alice.

Elle hurla, lâcha prise. Glissa dans le trou les pieds en avant, atterrit sur le lit de feuilles mortes.

— Alice. Hé ! Alice !

Étourdie par sa chute, elle leva les yeux vers le cercle de lumière, au-dessus d'elle, vit la tête d'Elijah, qui se détachait sur le ciel, se pencher vers elle.

— Pourquoi tu fais ça ? gémit-elle dans un sanglot. *Pourquoi ?*

— J'ai rien contre toi, personnellement. Je veux juste savoir combien de temps ça prend. Sept mois pour un petit chat. Combien pour toi, à ton avis ?

— Tu peux pas faire ça !

— Bye-bye, Alice.

— Elijah ! *Elijah !*

Les planches glissèrent sur l'ouverture, éclipsant le cercle de lumière. Le dernier pan de ciel disparut.

Il plaisante, se dit-elle, il veut juste me faire peur. Il va me laisser dans ce trou quelques minutes et il reviendra me chercher. Bien sûr qu'il reviendra.

Elle entendit quelque chose heurter les planches qui couvraient la fosse.

Des pierres. Il empile des pierres par-dessus.

Alice se releva et essaya de grimper. S'agrippa à une longue racine desséchée, qui se rompit aussitôt dans ses mains. Elle enfonça ses ongles dans la terre mais ne trouva aucune prise, ne parvint qu'à s'élever de quelques centimètres avant de retomber. Ses cris percèrent l'obscurité.

— Elijah !

Seul lui répondit le bruit sourd des pierres sur le bois.

1

Pensez le matin que vous n'irez
peut-être pas jusqu'au soir,
Et le soir que vous n'irez
peut-être pas jusqu'au matin

Plaque gravée des catacombes de Paris

Une rangée de crânes luisait en haut d'un mur de fémurs et de tibias étroitement imbriqués. Bien qu'on fût en juin et que le soleil brillât dans les rues de Paris, vingt mètres au-dessus d'elle, le Dr Maura Isles frissonna en suivant l'étroite galerie aux murs tapissés jusqu'au plafond de restes humains. Elle avait avec la mort des rapports familiers, presque intimes ; elle avait affronté son visage d'innombrables fois sur sa table d'autopsie, mais elle était sidérée par l'ampleur de cet étalage, par la quantité d'ossements conservés dans ces boyaux qui déroulaient leurs circonvolutions sous la Ville lumière. Le parcours, long d'un kilomètre, ne laissait entrevoir qu'une petite partie des catacombes. De nombreuses galeries latérales interdites au public ouvraient leur bouche sombre, aguichante, derrière des grilles verrouillées. Là gisaient les ossements de six millions de Parisiens dont le soleil avait jadis caressé la peau, qui avaient eu faim et soif, qui avaient aimé, senti leur cœur battre dans leur poitrine. Comment auraient-ils pu imaginer qu'un jour leurs dépouilles seraient exhumées de leur cimetière et placées dans ce lugubre ossuaire dans les entrailles de la ville ?

Qu'un jour ils seraient exposés aux regards curieux de hordes de touristes…

Un siècle et demi plus tôt, pour faire de la place au flot régulier de morts dans les cimetières bondés de Paris, on avait déterré les squelettes, on les avait transportés dans les anciennes carrières s'étendant sous la ville. Les hommes de peine qui les avaient portés ne les avaient pas jetés n'importe comment mais avaient accompli leur tâche macabre avec art, les entassant méticuleusement jusqu'à former des motifs. Tels des tailleurs de pierre minutieux, ils avaient édifié de hauts murs décorés de couches alternées de crânes et d'os longs, transformant ces restes mortuaires en un manifeste artistique. Et ils avaient accroché des plaques où étaient gravées de sombres inscriptions rappelant à tous ceux qui arpentaient ces galeries que la Mort n'épargne personne.

L'une de ces plaques retint l'attention de Maura et elle s'arrêta pour la lire, laissant les autres touristes continuer. Tandis qu'elle s'efforçait de traduire le texte en faisant appel à ses maigres connaissances scolaires de français, elle entendit des rires incongrus d'enfants résonner dans les galeries, l'accent nasillard d'un Texan marmonnant à sa femme : « C'est pas croyable, cet endroit, Sherry. Ça me flanque la trouille… »

Le couple d'Américains s'éloigna, leurs voix moururent. Maura se retrouva seule dans la salle, respirant la poussière des siècles. À la faible lumière des galeries, on pouvait voir que de la moisissure s'était formée sur une grappe de têtes de mort, les recouvrant d'une pellicule verdâtre. Un trou percé par une balle dans le front d'un crâne lui faisait comme un troisième œil.

Toi, je sais comment tu es mort…

Le froid des catacombes s'insinuait dans les os de Maura mais elle demeurait immobile, résolue à traduire cette inscription, dans l'espoir que cet exercice cérébral inhabituel lui permettrait de dominer l'horreur qui la pétrifiait. Allez, Maura. Trois années de français au lycée et tu n'arrives pas à résoudre cette énigme ? C'était devenu un défi personnel, qui chassait temporairement de son esprit toute pensée morbide. Les mots finirent par prendre un sens :

Heureux celui qui affronte constamment
l'heure de sa mort
Et se prépare à cette fin chaque jour

Soudain, elle fut frappée par le silence. Plus de voix, plus de bruit de pas. Elle se retourna et quitta la salle. Comment avait-elle pu laisser les autres s'éloigner ? Elle se retrouvait seule dans cette galerie, seule avec les morts. Elle imagina aussitôt une coupure de courant inattendue, une longue errance dans les ténèbres. Elle avait entendu parler d'ouvriers parisiens qui s'étaient égarés, un siècle plus tôt, dans les catacombes et y étaient morts de faim. Elle pressa le pas pour rattraper le groupe, retrouver la compagnie des vivants. Elle sentait la Mort bien trop proche dans ces tunnels. Les crânes semblaient la fixer avec rancœur, six millions de morts lui reprochant sa curiosité malsaine.

Nous étions vivants comme toi, autrefois. Tu crois pouvoir échapper à l'avenir que tu vois ici ?

Lorsqu'elle émergea enfin du monde souterrain des catacombes pour retrouver le soleil de la rue Rémy-Dumoncel, Maura inspira de longues goulées d'air. Pour une fois, elle se réjouit du vacarme de la circulation, de la bousculade de la foule, comme si on venait de lui accorder un sursis, une deuxième chance. Les couleurs semblaient plus vives, les visages plus amicaux.

Ma dernière journée à Paris et c'est seulement maintenant que j'apprécie la beauté de cette ville, songea-t-elle.

Elle avait passé la majeure partie de la semaine enfermée dans des salles de réunion pour le Congrès international de médecine légale. Les participants avaient eu très peu de temps pour admirer la ville, et même les visites prévues par les organisateurs étaient liées à la mort et à la maladie : le musée d'Histoire de la médecine, le vieil amphithéâtre où l'on pratiquait les opérations.

Les catacombes.

De tous les souvenirs qu'elle rapporterait de Paris, le plus vif serait celui de restes humains : quelle ironie !

Ce n'est pas sain, se dit-elle, assise à une terrasse de café, savourant un dernier espresso et une tartelette aux fraises. Dans deux jours, je serai de retour dans ma salle d'autopsie, entourée d'acier inoxydable, privée de la lumière du jour, ne respirant que l'air froid et filtré soufflé par la climatisation. Cette journée m'apparaîtra comme un souvenir du paradis.

Elle prit le temps d'en graver les détails dans sa mémoire : l'arôme du café, le goût de la pâtisserie au beurre. Les hommes d'affaires élégants qui passaient, le portable vissé à l'oreille, les foulards savamment drapés autour de la gorge des femmes.

Maura caressait ce fantasme qui traînait sûrement dans la tête de tout Américain visitant Paris : Et si je manquais l'avion ? Si je restais à flâner ici, dans cette ville superbe, jusqu'à la fin de mes jours ?

Finalement, elle se leva et héla un taxi qui la conduirait à l'aéroport. Elle tournait le dos à son fantasme, à Paris, mais en se promettant d'y revenir un jour.

Son vol avait trois heures de retard.

Trois heures que j'aurais pu passer à marcher sur les quais de la Seine, se dit-elle, maussade, à l'aéroport Charles-de-Gaulle. Trois heures à me promener dans le Marais, à fureter aux Halles. Au lieu de quoi, elle était bloquée dans un hall si bondé qu'elle ne trouvait même pas un endroit où s'asseoir. Lorsqu'elle embarqua enfin, elle était fatiguée et de méchante humeur. Un seul verre de vin servi avec le repas dans l'avion d'Air France suffit à la faire sombrer dans un sommeil profond et sans rêves.

L'appareil entamait sa descente vers Boston lorsqu'elle se réveilla. Elle avait mal à la tête et le soleil couchant lui blessait les yeux. Sa migraine persista dans la zone de récupération des bagages tandis qu'elle regardait des valises – jamais la sienne – glisser l'une après l'autre sur la rampe. Elle se transforma en martèlement incessant lorsque, plus tard, elle dut faire la queue pour remplir un formulaire de perte. Quand elle monta enfin dans un taxi avec son seul bagage à main, le soir tombait et Maura ne souhaitait rien d'autre qu'un bain très chaud et une bonne dose d'Advil. Abandonnée contre le dossier de la banquette, elle s'endormit de nouveau.

Un coup de frein brutal la tira de son sommeil.

— Qu'est-ce qui se passe ? entendit-elle le chauffeur grommeler.

Maura s'étira, porta un regard trouble sur les lumières qui clignotaient devant elle. Il lui fallut un moment pour enregistrer ce qu'elle voyait : ils étaient à Brookline, et le taxi avait tourné dans sa rue. Elle se redressa, tout à coup parfaitement réveillée, alarmée par ce qu'elle découvrait. Les rampes lumineuses de quatre voitures de police zébraient l'obscurité.

— On dirait qu'il y a une urgence, dit le chauffeur. C'est votre rue, non ?

— Et c'est ma maison…

— Là où il y a toutes les voitures de police ? Je crois pas qu'ils nous laisseront passer…

Comme pour confirmer ses dires, un policier s'approcha, leur fît signe de faire demi-tour. Le chauffeur passa la tête par la fenêtre et cria :

— J'ai une cliente qui vit dans cette rue, je dois la déposer !

— Désolé. Tout le pâté de maisons est interdit.

Maura se pencha en avant et annonça au chauffeur :

— Je vais descendre ici.

Elle régla la course, prit son sac de voyage et sortit du taxi. Elle monta sur le trottoir et son angoisse s'accrut tandis qu'elle se dirigeait vers le groupe de curieux rassemblés devant chez elle. Était-il arrivé quelque chose à l'un de ses voisins ? Une série de possibilités défila dans son esprit. Meurtre. Suicide. Elle songea à M. Telushkin, l'ingénieur en robotique qui habitait la maison d'à côté. Il lui avait paru particulièrement mélancolique la dernière fois qu'elle l'avait vu, non ? Elle pensa aussi à Lily et Susan, ses autres voisines, deux avocates lesbiennes qui se trouvaient toujours en première ligne des luttes pour les droits des homosexuels. Puis elle les repéra au premier rang de la foule, bien vivantes, et son inquiétude se reporta sur Telushkin, qu'elle ne voyait pas parmi les curieux.

Quand Maura s'avança vers elle, Lily ne lui fit pas signe mais la regarda fixement en silence et donna un coup de coude à sa compagne. Susan pivota, découvrit Maura et ouvrit un four énorme. D'autres voisins tournèrent aussi vers elle des visages stupéfaits.

Pourquoi me lorgnent-ils comme ça ? se demanda Maura. Qu'est-ce que j'ai fait ?

— *Docteur Isles ?* dit un policier de Brookline, l'air abasourdi. C'est... c'est vous ?

Quelle question idiote ! pensa-t-elle.

— Évidemment. Que se passe-t-il ?

L'agent prit une inspiration.

— Euh, je crois qu'il vaut mieux que vous veniez avec moi...

Il la prit par le bras, lui fit traverser la foule. Les voisins s'écartaient solennellement devant elle comme pour faire place à un prisonnier condamné. Dans le silence inquiétant, on n'entendait que le crépitement des radios de la police. Ils arrivèrent à un ruban de plastique jaune tendu entre des piquets dont plusieurs étaient plantés dans le jardin de Telushkin.

Lui qui est si fier de son gazon, il ne sera pas content, telle fut la réflexion inepte qui lui vint immédiatement à l'esprit. Le policier souleva le ruban et Maura passa dessous, pénétrant dans ce qui était à tous les coups une scène de crime, elle s'en rendait compte maintenant.

Elle savait qu'il y avait eu un crime parce qu'elle y avait repéré une silhouette familière. Même de l'autre bout de la pelouse, Maura avait reconnu l'inspecteur Jane Rizzoli. Enceinte de huit mois, elle ressemblait à une poire mûre en tailleur-pantalon. Sa présence constituait un détail déroutant de plus. Que faisait un inspecteur de Boston à Brookline, hors de son secteur habituel ? Rizzoli ne vit pas Maura approcher parce qu'elle regardait une voiture garée le long du trottoir devant chez Telushkin. Elle secouait la tête, l'air bouleversée, faisant danser ses boucles brunes, emmêlées comme à leur habitude.

Ce fut le coéquipier de Rizzoli, l'inspecteur Barry Frost, qui vit Maura le premier. Il détourna les yeux, les ramena soudain sur elle, le visage livide. Sans un mot, il tira sa collègue par la manche.

Rizzoli se figea, les lumières bleues des rampes lumineuses soulignant son expression incrédule. Comme en transe, elle s'avança vers Maura.

— Toubib ? murmura-t-elle. C'est toi ?

— Qui veux-tu que ce soit ? Pourquoi tout le monde me pose-t-il cette question ? Pourquoi me regardez-vous tous comme si j'étais un fantôme ?

— Parce que… commença Rizzoli.

Elle s'interrompit, fit de nouveau rebondir ses boucles désordonnées en secouant la tête.

— Bon Dieu ! Un moment, j'ai bien cru que tu en étais un.

— Quoi ?

Rizzoli se retourna et appela :

— Père Brophy ?

Maura n'avait pas vu le prêtre, qui se tenait à l'écart. Il sortit de l'obscurité, le cou barré par l'entaille blanche de son col. Ses traits habituellement séduisants étaient tirés, son expression interdite.

Daniel ? Mais qu'est-ce qu'il fait là ? se demanda Maura. On ne fait généralement venir un prêtre sur le lieu d'un crime que pour soutenir la famille de la victime. Or, Telushkin n'était pas catholique mais juif. Il n'avait aucune raison de demander l'assistance d'un prêtre…

— Vous pouvez l'emmener à l'intérieur, mon père ? sollicita Rizzoli.

Maura s'impatienta :

— Enfin, quelqu'un va me dire ce qui se passe ?

— Entre, Maura. S'il te plaît. On va t'expliquer…

Maura sentit autour de sa taille le bras de Brophy, dont la fermeté lui fit clairement comprendre que ce n'était pas le moment de résister. Elle se laissa guider vers sa porte, consciente de la chaleur de son corps contre le sien, de l'émoi secret provoqué par ce contact. Elle était si troublée qu'elle eut le plus grand mal à tourner sa clef dans la serrure. Ils étaient amis depuis des mois mais elle n'avait jamais invité Daniel chez elle, et la façon dont elle réagissait à sa présence lui rappelait pourquoi elle avait veillé à maintenir une distance entre eux. Ils entrèrent, passèrent dans la salle de séjour, où une minuterie avait allumé la lumière à la tombée du jour. Elle demeura un moment plantée près du canapé sans savoir quoi faire.

Le père Brophy prit la direction des opérations :

— Asseyez-vous, dit-il. Je vais vous chercher quelque chose à boire.

— Vous êtes chez moi, c'est moi qui devrais vous proposer un verre, fit-elle observer.

— Pas étant donné les circonstances.

— Je ne sais même pas de quelles circonstances vous parlez.

— L'inspecteur Rizzoli va vous le dire.

Il quitta la pièce et revint avec un verre d'eau : pas précisément ce qu'elle aurait voulu boire en cet instant, mais il ne lui aurait pas semblé convenable de demander à un prêtre de lui apporter la bouteille de vodka. Elle but une gorgée, mal à l'aise. Il s'assit dans un fauteuil, en la regardant comme s'il craignait de la voir disparaître.

Enfin, elle entendit Rizzoli et Frost entrer, et discuter à voix basse dans le vestibule avec une troisième personne dont elle ne reconnut pas la voix. Qu'est-ce que c'est que ces messes basses ? pensa-t-elle. Pourquoi toutes ces cachotteries ? Qu'est-ce qu'on ne veut pas me dire ?

Elle leva les yeux quand les deux inspecteurs pénétrèrent dans le séjour. Ils étaient accompagnés d'un homme qui se présenta comme l'inspecteur Eckert, de Brookline, un nom qu'elle aurait probablement oublié cinq minutes plus tard. Maura concentrait son attention sur Rizzoli, avec qui elle avait travaillé. Une femme pour qui elle avait de l'amitié et de l'estime.

Les policiers prirent place, Rizzoli et Frost face à Maura, de l'autre côté de la table basse. Elle sentait quatre paires d'yeux rivées sur elle. Frost tira de sa poche calepin et stylo. Pourquoi prendrait-il des notes ? Pourquoi tout cela ressemblait-il au début d'un interrogatoire ?

— Comment ça va, toubib ? s'enquit Rizzoli d'une voix douce et inquiète.

La banalité de la question fit s'esclaffer Maura.

— J'irais beaucoup mieux si je savais ce qui se passe.

— Tu peux nous dire où tu étais ce soir ?

— Je reviens de l'aéroport.

— Que faisais-tu là-bas ?

— J'arrive de Paris, aéroport Charles-de-Gaulle. Le vol a été long, je ne suis pas vraiment d'humeur à répondre à des ques…

— Combien de temps as-tu passé à Paris ?

— Une semaine. Je suis arrivée là-bas mercredi dernier.

Maura crut déceler une pointe d'accusation dans les questions de Rizzoli et son agacement vira à la colère :

— Si tu ne me crois pas, demande à Louise, ma secrétaire. C'est elle qui a réservé le billet pour moi. J'ai participé…

— Au Congrès international de médecine légale. Exact ?

— Tu le savais déjà ? s'étonna Maura.

— Louise nous l'a dit.

Ils l'ont interrogée à mon sujet. Avant même mon retour, ils ont interrogé ma secrétaire.

— D'après elle, ton avion aurait dû atterrir à Logan à dix-sept heures, poursuivit Rizzoli. Il est près de vingt-deux heures. Qu'est-ce que tu as fait ?

— Le vol a été retardé. Une histoire de contrôles de sécurité. Les responsables des lignes aériennes deviennent complètement paranos, on a eu de la chance de décoller avec seulement trois heures de retard.

— Le départ a été retardé de trois heures ?

— Je viens de te le dire.

— À quelle heure es-tu arrivée ?

— Je ne sais pas. Vers huit heures et demie…

— Il t'a fallu une heure et demie pour venir de Logan ?

— Ma valise s'est perdue, j'ai dû remplir une déclaration de perte auprès de la compagnie…

Maura s'interrompit, soudain au bord de l'explosion.

— Enfin, qu'est-ce qui se passe ? Avant de continuer à répondre à tes questions, j'ai le droit de savoir, non ? Je suis accusée de quelque chose ?

— Non, toubib. Tu n'es accusée de rien. On essaie simplement de reconstituer ton emploi du temps.

— Mon emploi du temps quand ?

— Avez-vous reçu des menaces, docteur Isles ? demanda Frost.

— Quoi ? fit-elle, ahurie.

— Connaissez-vous quelqu'un qui aurait des raisons de vous en vouloir ?

— N… non.

— Vous en êtes sûre ?

— Est-ce qu'on est jamais sûr de quoi que ce soit ? répondit Maura avec un rire.

— Il doit bien y avoir quelques personnes à qui ton témoignage au tribunal a coûté cher, fit observer Rizzoli. Tu t'es fait des ennemis. Des criminels que tu as contribué à faire condamner…

— Toi aussi, Jane, j'en suis certaine. Dans le cadre de ton boulot.

— As-tu reçu des menaces récemment ? Lettres ou coups de téléphone…

— Mon numéro est sur liste rouge. Et Louise ne communique jamais mes coordonnées.

— Des lettres que tu aurais reçues au service de médecine légale ?

— Des lettres de dingues, à l'occasion. On en reçoit tous.

— De dingues ?

— De gens qui nous révèlent la présence d'extraterrestres, ou l'existence de complots mondiaux… Ou qui nous accusent de cacher la vérité à propos d'une autopsie. On classe leur courrier dans le dossier « Cinglés ». À moins qu'il ne contienne une menace ouverte, auquel cas on le transmet à la police.

Maura vit Frost griffonner sur son calepin et se demanda ce qu'il avait bien pu noter. Elle était maintenant si furieuse qu'elle eut envie de lui arracher le carnet des mains.

— Toubib, reprit Rizzoli, tu as une sœur ?

La question désarçonna la légiste qui, oubliant sa colère, écarquilla les yeux.

— Pardon ?

— Tu as une sœur ?

— Pourquoi tu me demandes ça ?

— J'ai besoin de le savoir.

Maura inspira profondément.

— Non, je n'ai pas de sœur. Et j'ai été adoptée, tu le sais peut-être. Bon, tu vas te décider à m'expliquer ce qui se passe ?

Rizzoli et Frost échangèrent un regard. Il referma son calepin et dit :

— Je crois qu'il faut lui montrer, maintenant.

Rizzoli sortit la première. Maura la suivit dans la nuit chaude éclairée par les rampes lumineuses des voitures de patrouille. Son corps fonctionnait encore à l'heure de Paris, où il était quatre heures du matin. Épuisée, elle voyait à travers un brouillard. Comme dans un mauvais rêve, tout lui semblait irréel. À l'instant où elle franchit la porte, tous les regards se tournèrent vers elle. Regroupés de l'autre côté de la rue, ses voisins la dévisageaient par-dessus le ruban de plastique jaune. Son métier de médecin légiste l'avait habituée à être sur le devant de la scène, sous les feux des projecteurs de la police comme des médias, mais l'attention dont elle était l'objet ce soir était différente. Plus importune. Effrayante, même. Elle se félicita d'avoir Rizzoli et Frost pour escorte, comme pour la protéger des regards tandis qu'ils descendaient le trottoir en direction de la Ford Taurus sombre garée devant la maison de Telushkin.

Maura ne connaissait pas cette voiture, mais elle reconnut le barbu qui se tenait à côté, les mains gantées de latex. C'était le Dr Abe Bristol, un collègue du service de médecine légale. Abe avait un solide appétit et sa bedaine imposante reflétait son goût pour les nourritures riches.

— Bon Dieu, c'est incroyable ! dit-il en l'observant. J'aurais pu m'y laisser prendre.

D'un signe de tête, il désigna la voiture et ajouta :

— J'espère que tu es prête à voir ça.

Voir quoi ?

Elle regarda la Taurus. Et vit, dans la débauche de lumière des rampes qui l'éclairaient par-derrière, la silhouette d'un corps affalé sur le volant. Des taches sombres étoilaient le pare-brise. Du sang.

Rizzoli braqua sa torche sur la portière côté passager. Maura ne comprit pas tout de suite ce qu'elle était censée regarder. Son attention demeurait fixée sur le pare-brise éclaboussé de sang et la forme assise sur le siège du conducteur. Puis elle vit ce qui brillait dans le faisceau de la lampe. Juste au-dessous de la poignée de la portière, trois rayures parallèles, profondes, dans la peinture de la Taurus.

— On dirait un coup de griffes, commenta Rizzoli, les doigts recourbés comme pour expliquer la balafre.

Maura examina les marques. Pas des griffes, pensa-t-elle, parcourue d'un frisson. Des serres de rapace.

— Viens voir côté chauffeur, lui enjoignit Rizzoli.

Maura fit le tour de la voiture sans poser de questions.

— Immatriculée dans le Massachusetts, signala Rizzoli, balayant de sa torche le pare-chocs arrière.

Mais ce n'était qu'un détail mentionné au passage ; elle continua vers la portière du conducteur.

— Ce qui nous a tous secoués, c'est ça…

Elle braqua sa torche à l'intérieur de la Taurus.

Le faisceau tomba sur le visage d'une femme à la joue droite appuyée contre le volant, les yeux grands ouverts.

Incapable de parler, Maura contemplait la peau ivoire, les cheveux noirs, les lèvres pleines, légèrement écartées, comme sous l'effet de la surprise. Elle vacilla, les jambes soudain molles, et bascula en arrière, avec l'impression qu'elle flottait, que son corps n'était plus rattaché à la terre. Une main lui saisit le bras, la redressa. C'était celle du père Brophy, qui se trouvait juste derrière elle. Elle n'avait pas remarqué qu'il les avait suivis.

Elle comprenait maintenant pourquoi son arrivée avait stupéfié tout le monde. Elle regarda de nouveau le cadavre assis dans la voiture, le visage éclairé par la torche de Rizzoli.

C'est moi. Cette femme, c'est moi.

2

Assise sur le canapé, elle buvait lentement une vodka-soda dont les glaçons tintaient contre le verre. Oubliée, l'eau : le choc réclamait un remède plus efficace, et le père Brophy s'était montré assez compréhensif pour lui préparer quelque chose de fort qu'il lui avait tendu sans commentaire. Ce n'est pas tous les jours qu'on se voit mort. Ce n'est pas tous les jours qu'on se rend sur une scène de crime et qu'on y découvre son double, sans vie.

— Ce n'est qu'une coïncidence, murmura-t-elle. Cette femme me ressemble, c'est tout. Je ne suis pas la seule à avoir des cheveux noirs. Quant à son visage… Tu as vraiment pu le voir, toi, dans cette voiture ?

— Je ne sais pas, toubib, dit Rizzoli. Moi, je trouve cette ressemblance plutôt effrayante.

Elle s'assit dans le fauteuil, grogna quand son corps alourdi par la grossesse s'enfonça dans les coussins. Pauvre Rizzoli ! pensa Maura. À huit mois de grossesse, on ne devrait pas avoir à se traîner sur une scène de crime.

— Sa coiffure est différente, objecta Maura.

— Un peu plus longue, c'est tout.

— J'ai une frange, pas elle.

— Franchement, tu pinailles. Tu as vu son visage ? Tu pourrais être sa sœur.

— Attends de le voir à la lumière du jour. Elle ne me ressemblera peut-être plus du tout.

— La ressemblance est réelle, Maura, intervint le père Brophy. Nous l'avons tous constatée. Cette femme est votre portrait craché.

— En plus, on la retrouve dans une voiture garée dans ton quartier, argua Rizzoli. Quasiment devant ta porte, en fait. Avec ça sur la banquette arrière…

Elle montra un sac à indices. À travers le plastique, Maura vit qu'il contenait un article découpé dans le *Boston Globe*. Le titre était assez gros pour qu'elle puisse le lire, même de l'autre côté de la table basse :

LE BÉBÉ DES RAWLINS ÉTAIT MALTRAITÉ,

SELON LE MÉDECIN LÉGISTE

— C'est une photo de toi, poursuivit l'inspecteur. Avec cette légende : « Le Dr Maura Isles, légiste, quitte le palais de justice après avoir témoigné au procès Rawlins. » La victime avait ça dans sa voiture.

— Pourquoi ?

— C'est ce qu'on se demande.

— Le procès Rawlins… C'est tout récent, deux semaines à peine…

— Tu te rappelles avoir vu cette femme dans la salle d'audience ?

— Non. Je ne l'avais jamais vue.

— Elle, elle t'avait vue. Dans le journal, au moins. Et elle est venue ici. Pour te chercher ? Te traquer ?

Maura baissa les yeux vers sa vodka. L'alcool lui tournait la tête.

Pas plus tard qu'hier, je me promenais dans les rues de Paris, pensait-elle. Je profitais du soleil aux terrasses des cafés. Où ai-je pris un mauvais virage pour me retrouver dans ce cauchemar ?

— Tu as une arme à feu, toubib ? fit Rizzoli.

Elle se raidit.

— Qu'est-ce que c'est que cette question ?

— Je ne t'accuse de rien. Je veux simplement savoir si tu as de quoi te défendre.

— Je n'ai pas d'arme à feu. J'ai vu les dégâts que cela peut faire à un corps humain, je n'en veux pas dans ma maison.

— D'accord, je demandais juste comme ça.

Maura but une autre gorgée, comme si elle espérait trouver du courage dans l'alcool, avant de poser elle-même une question :

— Que savez-vous de la victime ?

Frost prit son carnet, le feuilleta tel un gratte-papier pointilleux.

— D'après le permis de conduire trouvé dans son sac, elle s'appelle Anna Jessop, quarante ans, domiciliée à Brighton. La voiture est immatriculée au même nom.

Maura releva la tête.

— C'est à quelques kilomètres d'ici.

— Elle vivait dans un immeuble. Ses voisins ne savent pas grand-chose à son sujet. On essaie de trouver le propriétaire pour qu'il nous fasse entrer dans l'appartement.

— Jessop, ça te dit quelque chose ? demanda Rizzoli.

— Inconnue au bataillon, répondit Maura.

— Tu connais quelqu'un dans le Maine ?

— Pourquoi cette question ?

— On a trouvé un P-V pour excès de vitesse dans son sac. Apparemment, elle se serait fait pincer il y a deux jours sur l'autoroute du Maine, en direction du sud.

— Je ne connais personne dans le Maine.

Maura prit sa respiration avant de demander :

— Qui l'a trouvée ?

— Ton voisin, M. Telushkin. Il a aussitôt prévenu la police. Il promenait son chien quand il a remarqué la Taurus garée le long du trottoir.

— À quelle heure ?

— Vers huit heures.

Bien sûr, pensa Maura. Telushkin sort son chien à cette heure-là tous les soirs. Les ingénieurs sont comme ça, précis et prévisibles. Sauf que, ce soir-là, il était tombé sur un sacré imprévu.

— Il n'a rien entendu ?

— Il dit avoir entendu ce qu'il a pris pour un bruit de pot d'échappement, une dizaine de minutes avant. Mais personne n'a vu quoi que ce soit. Après avoir découvert le corps, il a appelé la police, il a déclaré que quelqu'un venait de tuer sa voisine, le Dr Isles. La police de Brookline a été la première sur les lieux, en la personne de l'inspecteur Eckert. Frost et moi, on est arrivés vers neuf heures.

— Pourquoi ?

Maura posait enfin la question qui lui avait traversé l'esprit quand elle avait repéré Rizzoli dans le jardin.

— Qu'est-ce que vous faites à Brookline ? Ce n'est pas votre secteur.

Rizzoli se tourna vers Eckert, qui annonça d'un air penaud :

— Vous savez, on n'a eu qu'un seul meurtre l'année dernière, à Brookline. On a pensé que, vu les circonstances, c'était logique d'appeler Boston…

Logique, oui, acquiesça intérieurement Maura. Brookline n'était qu'une ville-dortoir enchâssée dans Boston. L'année précédente, la police de Boston avait enquêté sur soixante meurtres. La perfection venait de la pratique, pour les enquêtes criminelles comme pour le reste.

— On serait intervenus de toute façon, dit Rizzoli. Après avoir appris qui était la victime. Qui elle semblait être.

Elle marqua une pause, poursuivit :

— Je dois reconnaître que pas une seconde je n'ai pensé que ça pouvait ne pas être toi. J'ai regardé la victime et j'ai présumé…

— Tout le monde l'a présumé, renchérit Frost.

Il y eut un silence.

— On savait que tu devais rentrer de Paris ce soir, reprit Rizzoli. Ta secrétaire nous en avait informés. Le seul détail qui clochait, c'était la voiture. Qu'est-ce que tu fichais dans la voiture d'une autre femme ?

Maura finit son verre, le posa sur la table basse. Un verre, c'était tout ce qu'elle était capable de supporter ce soir. Elle avait déjà du mal à se concentrer. La pièce devenait floue, dans la chaude lumière des lampes. Rien de tout ça n'est vrai, pensa-t-elle. Je suis endormie dans l'avion quelque part au-dessus de l'Atlantique, je vais découvrir en me réveillant qu'on vient d'atterrir. Qu'il n'est rien arrivé du tout.

— On ne sait rien encore sur Anna Jessop, continuait Rizzoli. Si ce n'est qu'elle te ressemble à s'y méprendre.

Elle a peut-être les cheveux un peu plus longs. Avec quelques petites différences ici et là. Mais on s'y est tous trompés. Et on te *connaît*. Tu vois où je veux en venir ?

Oui, Maura le voyait parfaitement, mais elle ne voulait pas le dire. Elle gardait le silence, les yeux rivés sur le verre posé sur la table. Les glaçons en train de fondre.

— Si on s'est laissé abuser par la ressemblance, n'importe qui d'autre a pu l'être, raisonna Rizzoli. Y compris la personne qui lui a tiré cette balle dans la tête. Il était presque huit heures quand ton voisin a cru entendre un bruit de pot d'échappement. Il commençait à faire noir. Et cette femme était là, assise dans une voiture garée à quelques mètres de ton allée. N'importe qui l'aurait prise pour toi.

— Vous pensez que j'étais la vraie cible… conclut Maura.

— Ça paraît logique, non ?

— Rien dans cette histoire ne paraît logique.

— Ton boulot te place sous les projecteurs : tu es amenée à témoigner au tribunal, les journaux parlent de toi. La Reine des Morts…

— Ne m'appelle pas comme ça.

— C'est le surnom que te donnent tous les flics. La presse aussi. Tu le sais bien.

— Ça ne veut pas dire que je l'aime. Je ne le supporte pas, en fait.

— Mais ça signifie qu'on te remarque. Pas seulement à cause de ce que tu fais mais aussi à cause de ton allure. Tu sais que les hommes te remarquent. Il faudrait être aveugle pour ne pas le voir. Une jolie femme attire toujours leur attention. N'est-ce pas, Frost ?

Ne s'attendant pas à être mis sur la sellette, en tout cas pas de cette manière, ledit Frost sursauta, ses joues s'empourprèrent. Pauvre Frost, avec ses rougeurs de vierge effarouchée…

— C'est la… la nature humaine, bredouilla-t-il.

Maura tourna les yeux vers le père Brophy, qui ne lui rendit pas son regard. Elle se demanda s'il était lui aussi soumis aux lois de l'attraction. Elle le souhaitait. Elle avait envie de croire qu'il n'était pas immunisé contre les pensées qui traversaient son esprit.

Rizzoli poursuivait sa démonstration :

— Une jolie femme sous les feux de l'actualité… suivie et abattue devant chez elle. C'est déjà arrivé. Comment s'appelait cette actrice de L.A. ? Celle qui s'est fait assassiner…

— Rebecca Schaefer, dit Frost.

— Exact. Et puis on a eu l'affaire Lori Hwang, ici. Tu t'en souviens, toubib ?

Oui, Maura s'en souvenait, d'autant mieux que c'était elle qui avait pratiqué l'autopsie. Lori Hwang présentait le journal de la 6 depuis un an seulement quand elle avait été tuée, devant les studios. Elle ne s'était pas rendu compte qu'on la suivait. Le meurtrier – un fan – l'avait regardée régulièrement à la télévision, il lui avait écrit plusieurs lettres délirantes. Un jour, il l'avait attendue à la porte des studios. Au moment où elle se dirigeait vers sa voiture, il lui avait tiré une balle dans la tête.

— Ce sont les risques du métier, dit Rizzoli. On ne sait jamais qui nous regarde, sur tous ces téléviseurs. On ne sait jamais qui se trouve dans la voiture qui roule derrière la nôtre quand on rentre du boulot le soir. On n'y pense même pas, à ça, au fait que quelqu'un pourrait nous suivre, fantasmer sur nous…

Après un silence, elle murmura :

— Je suis passée par là. Je sais ce que c'est d'être en butte à l'obsession de quelqu'un. Je ne suis pas particulièrement belle, mais ça m'est arrivé.

Elle tendit les bras pour montrer les cicatrices de ses paumes, rappels permanents de son combat contre l'homme qui avait par deux fois tenté de la tuer. Un homme qui vivait encore, bien qu'enfermé dans un corps de tétraplégique.

— Voilà pourquoi je t'ai demandé si tu avais reçu des lettres de dingues. Je pensais à elle. Lori Hwang.

— Le meurtrier a été arrêté, rappela le père Brophy.

— En effet.

— Tu ne suggères donc pas qu'il s'agit du même homme…

— Non, je souligne simplement les points communs. Une balle dans la tête. Des femmes que leur travail expose à l'attention du public. Ça donne à réfléchir, non ?

Rizzoli dut faire un effort pour s'extraire du fauteuil et se lever. Frost s'empressa de lui offrir son bras mais elle l'ignora. Grossesse avancée ou non, elle n'était pas du genre à se faire assister. Elle passa son sac à son épaule et lança à Maura Isles un regard interrogateur.

— Tu ne préférerais pas dormir ailleurs cette nuit ?

— Je suis chez moi. Pourquoi j'irais ailleurs ?

— Je posais simplement la question. Inutile de te recommander de verrouiller ta porte, je suppose.

— Je le fais toujours.

Rizzoli regarda Eckert.

— La police de Brookline peut surveiller la maison ?

— Je m'arrangerai pour qu'une voiture passe de temps en temps, répondit-il.

— C'est vraiment gentil, dit Maura. Merci.

Elle raccompagna les trois inspecteurs à la porte et les regarda regagner leurs voitures. Il était minuit passé. Dehors, la rue était redevenue la rue tranquille qu'elle connaissait. Les voitures de patrouille de la police de Brookline avaient disparu ; la Taurus avait été remorquée jusqu'au labo. Même le ruban de plastique jaune avait été enlevé. Demain matin, en me réveillant, je me demanderai si je n'ai pas imaginé toute cette histoire, pensa-t-elle.

Elle se tourna vers le père Brophy, qui était encore dans le vestibule. Jamais sa présence ne l'avait mise aussi mal à l'aise : tous les deux seuls dans sa maison... Diverses possibilités tournoyaient probablement dans leurs têtes.

Ou seulement dans la mienne ? Tard dans la nuit, allongé dans ton lit, t'arrive-t-il de penser à moi comme moi je pense à toi, Daniel ?

Il fit un pas vers la porte.

— Qui vous a demandé de venir, Daniel ? lui demanda-t-elle. Qui vous a prévenu ?

— L'inspecteur Rizzoli. Elle m'a dit...

Un silence, puis :

— Vous savez, je reçois ce genre de coup de fil tout le temps. Un mort dans la famille, on a besoin d'un prêtre. Je suis toujours disposé à répondre favorablement. Mais cette fois...

Nouveau silence.

— Enfermez-vous bien, Maura. Je n'ai pas envie de passer une autre nuit comme celle-ci.

Elle le suivit des yeux tandis qu'il sortait et montait dans sa voiture. Il ne démarra pas tout de suite, attendit qu'elle soit rentrée, à l'abri pour la nuit.

Elle ferma la porte, poussa le verrou.

Par la fenêtre du salon, elle regarda la voiture s'éloigner. Un moment, elle fixa la chaussée déserte en se sentant abandonnée. Songea à rappeler Daniel. Que se passerait-il ? Que voulait-elle qu'il se passe exntre eux ?

Il vaut mieux garder hors de portée certaines tentations, se dit-elle.

Après avoir scruté une dernière fois la rue obscure, elle s'écarta de la fenêtre, consciente que sa silhouette se découpait dans la lumière du séjour. Elle ferma les rideaux et passa de pièce en pièce pour vérifier portes et fenêtres. Par cette chaleur, elle aurait normalement dormi la fenêtre ouverte, mais, là, elle ferma partout et mit la climatisation en marche.

Elle se réveilla au petit matin, frissonnante dans l'air froid sortant par la ventilation. Elle avait rêvé de Paris : elle se promenait sous un ciel bleu, passait devant des boutiques de fleurs, avec leurs seaux de roses et de lis. Un instant, elle se demanda où elle était. Plus à Paris mais dans son lit, se rendit-elle compte. Et il était arrivé quelque chose d'horrible.

Bien qu'il ne fût que cinq heures, elle était incapable de se rendormir. Il est onze heures à Paris, pensa-t-elle. Là-bas, le soleil brille. Elle savait que l'effet du décalage horaire se ferait sentir plus tard dans la journée, que ce sursaut d'énergie aurait disparu dans l'après-midi, mais elle ne tenait plus en place.

Elle se leva, s'habilla.

La rue, devant sa maison, semblait exactement comme d'habitude. Les premières lueurs de l'aube éclairaient le ciel. Maura vit de la lumière s'allumer chez Telushkin. C'était un lève-tôt, il partait travailler généralement une heure avant elle, mais ce matin elle s'était réveillée la première et elle regardait son quartier avec un œil neuf.

Elle vit le système d'arrosage automatique se déclencher de l'autre côté de la rue, projetant des cercles d'eau sifflante sur la pelouse. Vit le jeune livreur de journaux passer sur son vélo, la casquette de base-ball à l'envers, entendit le bruit sourd du *Boston Globe* heurtant le plancher de son porche.

Tout a l'air pareil, mais tout est différent, pensa-t-elle. La Mort a rendu visite à mon quartier et tous ceux qui y vivent s'en souviendront. Ils regarderont par leur fenêtre l'endroit où la Taurus était garée et frissonneront en songeant qu'elle est passée tout près, cette fois.

Des phares apparurent au croisement, une voiture s'engagea dans la rue, s'approcha lentement de la maison. Un véhicule de la police de Brookline.

Non, rien n'est plus pareil, pensa Maura en la regardant passer.

Elle arriva au service de médecine légale avant sa secrétaire. À six heures, assise à son bureau, Maura s'attaquait à la pile de transcriptions et de rapports qui s'étaient accumulés dans sa corbeille pendant sa semaine d'absence. Elle en était déjà au tiers quand elle entendit des pas. Levant la tête, elle découvrit Louise sur le seuil de la porte.

— Déjà là, murmura la secrétaire.

Maura l'accueillit par un sourire.

— *Bonjour*[1] ! Je me suis dit qu'il valait mieux éviter de laisser traîner toute cette paperasse.

Louise la fixa un moment puis entra et s'assit dans le fauteuil placé en face du bureau de Maura, comme si elle n'avait soudain plus la force de rester debout. Bien qu'elle ait dix ans de plus que Maura, Louise semblait toujours avoir deux fois plus d'allant qu'elle. Mais, ce matin-là, elle paraissait épuisée, le visage tiré et jaunâtre sous la lumière des tubes fluorescents.

— Vous allez bien, docteur Isles ? demanda-t-elle à voix basse.

— Très bien. Un peu chamboulée par le décalage horaire.

— Je veux dire… après ce qui est arrivé cette nuit. L'inspecteur Frost était sûr que c'était vous, dans cette voiture…

Le sourire de Maura s'estompa.

— C'était comme dans *La Quatrième Dimension*, Louise. Rentrer pour trouver toutes ces voitures de police devant ma maison…

— Nous avons tous cru… commença la secrétaire.

Elle avala sa salive, baissa les yeux.

— J'ai été tellement soulagée quand le Dr Bristol m'a téléphoné, hier soir. Pour me prévenir que c'était une erreur.

Le silence qui suivit était lourd de reproches. Maura se rendit subitement compte que c'était elle qui aurait dû appeler sa secrétaire. Elle aurait dû penser que

1. En français dans le texte. (*N.d.T.*)

Louise, bouleversée, aurait été rassurée d'entendre sa voix.

Je vis seule et sans liens affectifs depuis si longtemps qu'il ne me vient même pas à l'idée qu'il y a des gens sur terre qui s'inquiètent de ce qui peut m'arriver, pensa-t-elle.

Louise se leva.

— Je suis tellement contente que vous soyez de retour, docteur Isles. Je tenais à vous le dire.

— Louise… Je vous ai rapporté quelque chose de Paris. Je l'avais mis dans ma valise et Air France l'a égarée. Je sais que ça fait un peu excuse bidon…

— Oh ! fit la secrétaire en riant. Si c'est du chocolat, mon tour de hanches n'a pas besoin de ça !

— Non, rien qui fasse grossir, je vous le promets.

Maura regarda la pendule de son bureau et demanda :

— Le Dr Bristol est là ?

— Il vient d'arriver. Je l'ai vu dans le parking.

— Vous savez quand il fera l'autopsie ?

— Laquelle ? Il en a deux, aujourd'hui.

— Celle de la femme tuée par balle, hier soir.

Louise la regarda un long moment avant de répondre :

— Je crois qu'elle vient en second sur son emploi du temps.

— On a du nouveau, sur cette femme ?

— Je ne sais pas. Vous devriez demander au Dr Bristol.

3

Bien qu'elle n'eût pas d'autopsie inscrite sur son agenda ce jour-là, Maura Isles descendit à quatorze heures et passa une tenue blanche. Seule dans le vestiaire des femmes, elle prit son temps pour plier son chemisier et son pantalon de toile, les ranger soigneusement dans son casier. Le tissu lui parut rêche sur sa peau nue, comme des draps revenant de la blanchisserie, et elle puisa un peu de réconfort dans les gestes familiers, nouer le cordon du pantalon, remonter ses cheveux sous le bonnet. Elle se sentait maîtresse d'elle-même et protégée par le coton raide, par le rôle qu'elle endossait en même temps que cet uniforme. Elle s'observa dans le miroir, son reflet aussi froid que celui d'une inconnue, ses sentiments soigneusement caparaçonnés. Elle sortit du vestiaire, emprunta le couloir et entra dans la salle d'autopsie.

Rizzoli et Frost se tenaient déjà près de la table, tous les deux en blouse, leurs dos lui cachant en partie le corps de la victime. Le Dr Bristol fut le premier à voir sa collègue. Il lui faisait face, son corps imposant remplissant une blouse de chirurgien XXL, et il croisa son regard lorsqu'elle pénétra dans la salle. Il haussa les sourcils et elle lut une question dans ses yeux, au-dessus du masque chirurgical.

— J'ai pensé que je pouvais assister à l'autopsie, dit-elle.

Rizzoli se retourna, le front plissé elle aussi.

— Tu es sûre que tu as besoin de voir ça ?

— Tu n'en aurais pas envie, toi, par curiosité ?

— Si, mais je ne sais pas si je le ferais. Compte tenu des circonstances.

— Je suis là uniquement pour regarder. Si tu es d'accord, Abe.

Bristol haussa les épaules.

— Moi aussi, je serais intrigué, je suppose, dit-il. Sois donc des nôtres.

Elle fit le tour de la table pour se placer du côté d'Abe et, lorsqu'elle découvrit le cadavre dans son entier, sa gorge se noua. Elle avait eu sa part d'horreurs dans cette salle, elle avait examiné des chairs à tous les stades de décomposition, des corps tellement abîmés par le feu ou les blessures que les restes pouvaient à peine être qualifiés d'humains. La femme allongée sur la table était, à la lumière de cette expérience, remarquablement intacte. On avait nettoyé le sang, et l'orifice d'entrée de la balle, dans la partie gauche du cuir chevelu, était dissimulé par ses cheveux noirs. Le visage était indemne, la poitrine marquée uniquement par une marbrure secondaire de la peau. Il y avait des traces de piqûres récentes à l'aine et dans le cou, là où Yoshima, l'assistant, avait prélevé du sang pour le faire analyser par le labo, mais le torse était par ailleurs intouché. Le scalpel d'Abe n'avait pas encore fait une seule entaille.

Si la poitrine avait été ouverte, la cavité exposée, le corps aurait moins troublé Maura. Les cadavres ouverts sont anonymes. Le cœur, les poumons, la rate ne sont que des organes, tellement semblables qu'on pourrait les transplanter, comme des pièces de rechange, d'un corps à l'autre. Mais l'intégrité de cette femme était encore parfaite, ses traits demeuraient reconnaissables. La veille, Maura les avait vus uniquement éclairés par la torche électrique de Rizzoli. Ils étaient maintenant sous la lumière crue des lampes d'autopsie et lui paraissaient plus que simplement familiers.

Seigneur Dieu, c'est mon visage, c'est mon corps, là, sur cette table.

Elle seule savait à quel point la ressemblance était frappante. Personne d'autre dans cette salle n'avait vu la forme de ses seins nus, la courbe de ses cuisses. Ils ne connaissaient d'elle que ce qu'elle leur en laissait voir, son visage, ses cheveux. Ils ne pouvaient pas savoir que les similarités entre elle et ce cadavre s'étendaient à des détails aussi intimes que les reflets roux des poils pubiens…

Maura regarda les mains de la morte, les doigts longs et fins, comme les siens. Des doigts de pianiste. On en avait déjà encré l'extrémité. On avait aussi fait des radios du crâne et des dents, deux rangées de dents blanches alignées en un sourire de chat du Cheshire.

Est-ce à cela que mes radios ressembleraient ? s'interrogea Maura. Sommes-nous les mêmes, jusqu'à l'émail de nos dents ?

D'une voix dont le calme lui parut peu naturel, elle demanda :

— Vous avez appris quelque chose sur elle ?

— Nous vérifions encore son identité, répondit Rizzoli. Jusqu'ici, nous n'avons que ce permis de conduire du Massachusetts, délivré il y a quatre mois. D'après ce document, elle a quarante ans. Un mètre soixante-dix, cheveux noirs, yeux verts. Cinquante-quatre kilos.

Elle baissa les yeux vers le corps allongé sur la table.

— Je dirais qu'elle correspond au signalement.

Moi aussi, pensa Maura. J'ai quarante ans, je mesure un mètre soixante-dix. Seul le poids est différent, je pèse cinquante-sept kilos. Mais quelle femme ne triche pas au sujet de son poids sur son permis de conduire ?

Elle regarda en silence Abe Bristol achever les premières constatations. Il notait de temps à autre quelques mots sur le diagramme pré-imprimé d'un corps de femme. *Blessure par balle à la tempe gauche. Marbrure secondaire du bas de la poitrine et des cuisses. Cicatrice d'appendicectomie.* Il alla prendre des lamelles à frottis vaginaux au bout de la table. Tandis que Yoshima et lui faisaient pivoter les cuisses pour exposer le périnée, c'était l'abdomen que Maura fixait. Cette cicatrice, mince ligne blanche sur la peau ivoire…

J'en ai une, moi aussi.

Après les frottis, Abe s'approcha du plateau d'instruments et y prit un scalpel.

La première entaille fut presque insupportable à regarder. Maura porta une main à sa poitrine comme si elle sentait la lame s'enfoncer dans sa chair.

Je n'aurais pas dû venir, se dit-elle tandis qu'Abe terminait l'incision en Y. Je ne sais pas si je suis capable de voir ça.

Elle demeura cependant sans bouger, figée dans une fascination stupéfaite, tandis que son collègue soulevait la peau de la cage thoracique, d'un geste vif, comme s'il écorchait du gibier. Absorbé par sa tâche, il ne se rendait pas compte de l'horreur ressentie par Maura. Un médecin légiste compétent peut réaliser une autopsie sans complications en une heure, et à ce stade Bristol ne perdait pas de temps en chichis. Maura avait toujours trouvé sympathique son penchant pour la nourriture, l'alcool et l'opéra, mais en ce moment précis, avec son ventre proéminent et son cou de taureau, il avait l'air d'un boucher adipeux découpant un quartier de viande.

Les seins de la morte étaient maintenant cachés par la peau rabattue qui exposait les côtes et les muscles. Yoshima se pencha en avant, sectionna les côtes à l'aide d'une cisaille. À chaque craquement, Maura grimaçait. Comme l'os humain est vulnérable ! pensa-t-elle. Nous croyons notre cœur protégé par une cage solide, mais il suffit d'une pression sur un manche, d'un mouvement de lame et, l'une après l'autre, les côtes cèdent sous l'acier trempé. Nous sommes faits d'une matière fragile.

Yoshima rompit le dernier os, Bristol coupa les derniers morceaux de cartilage et de muscle. Ensemble, ils ôtèrent le sternum comme on soulève le couvercle d'une boîte.

Le cœur et les poumons luisaient dans le thorax ouvert. Des organes jeunes, se dit Maura dans un premier temps, puis elle se ravisa : quarante ans, ce n'est pas si jeune que ça. Il lui était pénible de prendre conscience qu'à quarante ans elle en était à la moitié de sa vie et que, tout autant que cette femme allongée sur la table, elle ne pouvait plus prétendre à la jeunesse.

Les organes qu'elle voyait dans la cage thoracique ouverte paraissaient normaux, sans signes visibles d'une quelconque maladie. En quelques rapides coups de scalpel, Abe détacha les poumons et le cœur, les plaça dans une cuvette métallique. Sous les lampes puissantes, il pratiqua quelques incisions pour examiner le parenchyme pulmonaire.

— Elle ne fumait pas, dit-il aux deux inspecteurs. Pas d'œdème. Tissu parfaitement sain.

À ce détail près que la femme était morte.

Il laissa la masse rose des poumons retomber dans la cuvette et prit le cœur, qui tenait aisément dans sa grosse main. Maura s'aperçut tout à coup que son propre cœur cognait dans sa poitrine. Elle eut envie de vomir en imaginant qu'Abe le pressait, le retournait pour examiner les coronaires, comme il le faisait pour celui de cette femme. Quoique, techniquement parlant, le cœur ne soit qu'une pompe, il se trouve au centre même du corps et, en voyant celui de cette inconnue ainsi exposé, Maura eut l'impression d'un vide dans sa propre poitrine. Elle inspira profondément et l'odeur du sang accentua sa nausée. Elle détourna les yeux du cadavre, croisa le regard de Rizzoli. Rizzoli, qui voyait trop de choses. Elles se connaissaient depuis deux ans maintenant, elles avaient travaillé ensemble sur suffisamment d'affaires pour avoir la plus grande estime l'une pour l'autre sur le plan professionnel. Mais cette estime s'accompagnait d'une certaine méfiance. Maura connaissait l'acuité de l'instinct de Rizzoli, qui avait sûrement deviné qu'elle était à deux doigts de quitter précipitamment la pièce. En réponse à la question muette qu'elle lisait dans ses yeux, Maura serra les mâchoires. La Reine des Morts réaffirmait son invincibilité.

Elle se concentra de nouveau sur le cadavre.

Insensible à la tension régnant dans la salle, Abe avait ouvert les cavités cardiaques.

— Les valves paraissent normales, commenta-t-il. Les coronaires sont souples. Bon Dieu, je voudrais bien que mon cœur soit en aussi bon état !

Maura en doutait, connaissant son goût immodéré pour le foie gras et les sauces riches.

Profitons de la vie tant qu'il en est temps, telle était la philosophie d'Abe Bristol. Satisfaisons nos appétits maintenant car nous finirons tous tôt ou tard comme nos amis étendus sur la table. À quoi bon avoir des coronaires impeccables si c'est au prix d'une vie de privations ?

Il reposa le cœur et s'attela au contenu de l'abdomen, enfonçant profondément son scalpel dans le péritoine. Apparurent l'estomac et le foie, la rate, le pancréas. L'odeur de mort, d'organes réfrigérés, était familière à Maura, mais cette fois elle la trouvait très perturbante. Comme si elle assistait à sa première autopsie. Ce n'était plus avec l'œil d'un médecin légiste aguerri qu'elle regardait Abe manier ciseaux et bistouri, et la brutalité de l'opération la consternait. Seigneur, c'est ce que je fais tous les jours, pensa-t-elle, mais quand mon scalpel tranche, c'est dans la chair d'inconnus.

Or, cette femme m'est tout sauf inconnue.

Fatiguée par une nuit agitée, par le décalage horaire, Maura avait l'impression de glisser dans le vide, d'observer les gestes de Bristol à distance, de s'éloigner de ce qui se déroulait sur la table, de battre en retraite vers un poste d'observation plus sûr d'où elle pourrait regarder la scène avec une émotion atténuée. Ce n'était qu'un cadavre sur une table. Quelqu'un qu'elle ne connaissait pas. Abe dégagea l'intestin grêle, dont les anneaux tombèrent dans la cuvette. Avec des ciseaux et un couteau de cuisine, il ouvrit l'abdomen, ne laissant qu'une coquille vide. Puis il porta le récipient, alourdi par les entrailles, vers le plan de travail en acier inoxydable, et là entreprit de soulever les organes un par un pour les examiner de plus près.

Sur la planche à découper, il fendit l'estomac et en vida le contenu dans une cuvette plus petite. L'odeur de nourriture non digérée fit se détourner Rizzoli et Frost avec une grimace de dégoût.

— Les restes du dîner, apparemment, estima Bristol. Une salade de fruits de mer, je dirais. Je vois de la laitue et des tomates, des crevettes, peut-être.

— Elle a pris son dernier repas combien de temps avant sa mort ? demanda Rizzoli d'une voix nasillarde, une main sur la figure pour faire barrage à la puanteur.

— Au moins une heure avant. Je présume qu'elle est allée au restaurant : la salade de fruits de mer n'est pas le genre de plat que je me préparerais à la maison. Vous avez trouvé des récépissés de carte de crédit dans son sac ?

— Non. Elle aurait pu payer en liquide. Nous attendons son relevé bancaire.

— Bon Dieu ! geignit Frost. Je crois que je ne pourrai plus jamais manger de crevettes…

— Hé ! il ne faut pas vous laisser aller pour si peu, le raisonna Abe, qui s'attaquait à présent au pancréas. Au fond, nous sommes tous faits des mêmes éléments de construction : graisse, hydrates de carbone et protéines. Quand vous mangez un steak savoureux, c'est du muscle. Vous croyez que je vais renoncer à la viande parce que c'est ce que je dissèque tous les jours ? Tous les muscles sont constitués des mêmes ingrédients biochimiques, mais certains sentent parfois meilleur que d'autres.

Il tendit la main vers les reins, coupa dans chacun de minces lamelles et plongea les échantillons de tissu dans le formol.

— Jusqu'ici, tout paraît normal, diagnostiqua-t-il. Tu es de mon avis ? demanda-t-il à Maura.

Elle répondit d'un signe de tête machinal, distraite par la nouvelle série de radios du crâne que Yoshima plaçait sur le négatoscope. Sur la vue latérale, on distinguait le contour des tissus mous, tel le fantôme semi-transparent d'un visage de profil.

Maura s'approcha de l'écran lumineux et examina une forme étoilée plus dense, plus éclatante, sur le gris de l'os. Elle s'était logée contre la paroi du crâne. La petitesse trompeuse de l'orifice d'entrée de la balle dans le cuir chevelu ne donnait qu'une faible idée des dégâts que le projectile dévastateur pouvait faire dans un cerveau humain.

— Nom de Dieu ! murmura-t-elle. Une Black Talon.

Abe leva les yeux des organes.

— Ça faisait un moment que je n'en avais pas vu, dit-il. Il faudra faire attention, les pointes de cette étoile sont tranchantes comme un rasoir. Elles vous couperaient votre gant comme un rien.

Il se tourna vers Yoshima, qui travaillait dans le service depuis plus longtemps que tous les médecins légistes actuellement en poste et leur servait de mémoire institutionnalisée.

— C'était quand, la dernière fois qu'on a eu une Black Talon ?

— Il y a deux ans environ, répondit l'assistant.

— C'est si récent ?

— Je me souviens que le Dr Tierney s'en est chargé.

— Vous pouvez demander à Stella de vérifier si l'affaire est classée ? C'est un projectile assez rare pour qu'on s'interroge sur un lien possible.

Yoshima ôta ses gants, alla à l'interphone pour appeler la secrétaire d'Abe.

— Stella ? Le Dr Bristol voudrait avoir des informations sur la dernière victime d'une balle Black Talon. Le Dr Tierney s'en serait occupé…

— J'en ai entendu parler, dit Frost, qui regardait les radios. Première fois que j'en vois une.

— C'est un projectile à pointe creuse, fabriqué par Winchester, dit Abe. Conçu pour éclater et couper les tissus. Quand il pénètre dans la chair, la chemise en cuivre s'ouvre pour former une étoile à six branches dont chaque pointe est acérée comme une griffe.

Il se pencha vers la tête du cadavre, poursuivit :

— On a retiré ces balles du marché en 93, après qu'un dingue s'en est servi à San Francisco pour descendre neuf personnes. Cela a fait une si mauvaise pub à Winchester qu'ils ont décidé d'arrêter la production. De temps en temps, on en retrouve une dans une victime, mais ça devient sacrément rare.

Les yeux rivés à l'étoile blanche létale, Maura songeait à ce qu'Abe venait de dire : « Chaque pointe est acérée comme une griffe. » Cela lui rappela les éraflures sur la voiture de la victime. Des serres de rapace.

Elle retourna à la table au moment où Abe terminait l'incision du cuir chevelu. Pendant les quelques secondes qui s'écoulèrent avant qu'il ne détache la peau, Maura ne put s'empêcher de regarder le visage du cadavre. La mort avait donné aux lèvres une teinte bleu sombre. Les yeux étaient ouverts, les cornées desséchées et opacifiées par l'exposition à l'air. L'éclat de l'œil d'un être vivant n'est dû qu'au reflet de la lumière sur une cornée humide. Quand les paupières ne battent plus, quand la cornée n'est plus baignée de liquide, les yeux deviennent secs et ternes. Ce n'est pas le départ de l'âme qui prive les yeux de leur vie, c'est simplement l'arrêt du réflexe de clignement. L'espace d'un instant, Maura imagina les yeux de cette femme tels qu'ils avaient dû être de son vivant. Ce fut comme un coup d'œil à un miroir. L'idée vertigineuse la traversa soudain que c'était *elle* qu'elle voyait sur cette table. Qu'elle assistait à l'autopsie de son propre cadavre. Les fantômes ne s'attardent-ils pas dans les lieux qu'ils ont fréquentés quand ils étaient encore en vie ?

C'est mon repaire, pensa-t-elle. La salle d'autopsie. C'est ici que je suis condamnée à passer l'éternité.

Abe tira sur le cuir chevelu et le visage se décolla comme un masque en caoutchouc.

Maura frissonna. En détournant les yeux, elle s'aperçut que Rizzoli l'observait de nouveau.

Est-ce moi qu'elle regarde ? Ou mon fantôme ?

Elle eut l'impression que le vrombissement de la scie ébranlait sa moelle épinière. Abe découpa le dôme du crâne dénudé en évitant la partie que la balle avait perforée. Doucement, il détacha et souleva la calotte d'os. La Black Talon tomba du crâne ouvert et tinta dans la cuvette que Yoshima tenait dessous. Elle brillait, ses pointes métalliques ouvertes comme les pétales d'une fleur mortelle.

Le cerveau était maculé de taches sombres.

— Forte hémorragie, dans les deux hémisphères, dit Abe. Exactement ce que les radios laissaient prévoir.

La balle a pénétré par l'os temporal gauche, ici. Elle n'est pas ressortie.

Il indiqua la radio où se détachait le projectile, explosion stellaire au creux de la courbe de l'occipital gauche.

— C'est drôle qu'elle soit restée du côté du crâne où elle est entrée, fit observer Frost.

— Elle a probablement ricoché. Elle a perforé l'os puis a rebondi plusieurs fois à l'intérieur du crâne en traversant le cerveau. Dispersant toute son énergie dans les tissus mous. Comme les lames d'un mixer.

— Docteur Bristol ? fit la voix de Stella, la secrétaire, dans l'interphone.

— Oui ?

— J'ai retrouvé le dernier cas de Black Talon. La victime s'appelait Vassili Titov. C'est le Dr Tierney qui a pratiqué l'autopsie.

— Quel inspecteur s'est occupé de l'affaire ?

— Euh… Ah, voilà : les inspecteurs Vann et Dunleavy.

— Je verrai avec eux, dit Rizzoli.

— Merci, Stella.

Bristol se tourna vers Yoshima, qui se tenait prêt avec l'appareil photo.

— Allez-y, mitraillez.

L'assistant se mit à photographier le cerveau pour garder une trace de son aspect avant que le médecin ne l'extirpe de sa maison d'os. Voilà, se dit Maura en contemplant les replis luisants de la matière grise, où gisent les souvenirs de toute une vie. L'abécédaire de l'enfance. Quatre fois quatre seize. Le premier baiser, le premier amoureux, la première peine de cœur. Tout est déposé là, sortes de colis remplis de messages ARN, dans ce réseau complexe de neurones. La mémoire n'est que de la biochimie, et cependant elle définit chaque être humain en tant qu'individualité.

En quelques coups de scalpel, Abe détacha le cerveau et le porta à deux mains, tel un trésor, sur le plan de travail. Il ne le disséquerait pas aujourd'hui mais le laisserait tremper dans un bain de fixateur pour en faire des coupes plus tard. Il n'avait cependant pas besoin d'un examen au microscope pour déceler la preuve du traumatisme.

— On a donc l'orifice d'entrée ici, dans la tempe gauche, dit Rizzoli.

— Oui, et le trou dans la peau et celui dans le crâne s'alignent parfaitement.

— Ce qui collerait avec une balle tirée directement dans le côté de la tête.

— Probablement par la fenêtre de la voiture. Comme elle était ouverte, il n'y a pas eu de verre pour dévier la trajectoire.

— Elle était assise au volant, reprit Rizzoli. Soirée chaude, vitre baissée. Huit heures, il commence à faire noir. Le meurtrier s'approche de la voiture, vise et tire.

Elle secoua la tête.

— Pourquoi ?

— Il n'a pas pris le sac à main, rappela Bristol.

— Donc le vol n'est pas le mobile, dit Frost.

— Ce qui nous laisse l'hypothèse d'un crime passionnel. Ou l'exécution d'un contrat, conclut Rizzoli.

Elle coula de nouveau un regard à Maura.

Le tueur avait-il touché la bonne cible ?

Abe plaça le cerveau dans un bocal de formol.

— Jusqu'ici, pas de surprise, déclara-t-il avant de commencer à disséquer le cou.

— Vous ferez une recherche de toxiques ? demanda Rizzoli.

Il haussa les épaules.

— On peut toujours, mais je ne pense pas que ce soit nécessaire. La cause de la mort est évidente. Vous avez une raison de vouloir une recherche de substances toxiques ? Les experts de la scientifique ont trouvé des médicaments dans la voiture ?

— Non. Il n'y avait rien dans la voiture. À part le sang.

— Et tout ce sang provient de la victime ?

— Tout est du groupe B^+, en tout cas.

Abe interrogea Yoshima :

— Vous avez déterminé le groupe de notre cliente ?

— Ça correspond. Elle est B^+.

Personne ne regardait Maura. Personne ne la vit lever brusquement le menton, personne ne l'entendit prendre une longue inspiration. Soudain, elle se retourna pour cacher son visage, dénoua son masque chirurgical et l'ôta d'un geste vif. Alors qu'elle se dirigeait vers la poubelle, Abe lui lança :

— Déjà fatiguée de notre compagnie, Maura ?

— Je ressens les effets du décalage horaire, répondit-elle en défaisant sa blouse. Je pense que je vais rentrer de bonne heure. À demain, Abe.

Elle quitta la salle sans un regard en arrière.

Elle effectua le trajet du retour dans un brouillard complet et son cerveau ne se débloqua que lorsqu'elle parvint à la lisière de Brookline. Elle fit un effort sur elle-même pour sortir des pensées obsessionnelles qui tournaient dans sa tête.

Ne pense plus à l'autopsie. Chasse cette idée de ton esprit. Pense au dîner, à n'importe quoi sauf à ce que tu as vu aujourd'hui.

Elle fit un saut à l'épicerie. Son réfrigérateur était vide et si elle voulait manger autre chose que du thon et des petits pois surgelés ce soir, il fallait qu'elle fasse des courses. Ce fut un soulagement de se concentrer sur quelque chose. Elle jetait les articles dans son chariot avec une hâte et une détermination anormales. Il valait beaucoup mieux penser à la nourriture, à ce qu'elle préparerait le reste de la semaine.

Cesse de penser à des éclaboussures de sang, à des organes de femme dans des cuvettes en inox… Il te faut des pamplemousses, des pommes. Et ces aubergines ont l'air bien, non ?

Elle prit un bouquet de basilic et le respira avec avidité, heureuse que son odeur puissante lui fasse oublier, fût-ce temporairement, celles de la salle d'autopsie. Une semaine de cuisine française peu relevée l'avait laissée en manque d'épices. Ce soir, je me fais un curry thaï à m'en arracher la bouche, décida-t-elle.

Une fois chez elle, elle enfila un short et un tee-shirt avant de se mettre à préparer le dîner. But du bordeaux frais en hachant les oignons et l'ail. Une odeur savoureuse de riz au jasmin emplissait la cuisine.

Pas le temps de penser au groupe B^+ et aux femmes aux cheveux noirs, l'huile fume dans la cocotte. C'est le moment de faire sauter les morceaux de poulet, d'ajouter le curry. De verser la boîte de lait de coco.

Elle couvrit la cocotte pour laisser mijoter. Leva les yeux vers la fenêtre de la cuisine, surprit son reflet dans la vitre.

Je lui ressemble. Trait pour trait.

Un frisson la parcourut, comme si son visage dans le carreau n'était pas un reflet mais un fantôme qui lui rendait son regard. Le couvercle de la cocotte se souleva sous la pression de la vapeur. Fantômes tentant de s'échapper. D'attirer son attention.

Elle éteignit le gaz, prit son téléphone, composa le numéro d'un bipeur qu'elle connaissait par cœur.

Un moment plus tard, Jane Rizzoli rappela. Maura entendit en fond sonore une sonnerie de téléphone : Rizzoli se trouvait probablement encore dans son bureau de Schroeder Plaza.

— Désolée de te déranger, commença Maura, j'ai quelque chose à te demander.

— Ça va ?

— Très bien. Je voudrais simplement savoir quelque chose sur elle.

— Sur Anna Jessop ?

— Oui. Vous avez parlé d'un permis de conduire délivré dans le Massachusetts…

— C'est exact.

— Quelle est la date de naissance qui y figure ?

— Pardon ?

— Aujourd'hui, en salle d'autopsie, tu as dit que cette femme avait quarante ans. Quelle est sa date de naissance ?

— Pourquoi ?

— Je t'en prie. J'ai besoin de le savoir.

— D'accord. Ne quitte pas…

Maura entendit un bruit de pages feuilletées puis Rizzoli revint en ligne.

— D'après ce document, elle est née le 25 novembre.

Maura demeura silencieuse.

— Tu es toujours là ? fit Rizzoli. C'est quoi, le problème ?

Maura avala sa salive avant de répondre :

— J'ai un service à te demander, Jane. Ça va te paraître insensé…

— Essaie toujours.

— Je voudrais que le labo compare mon ADN à celui de cette femme.

L'autre téléphone avait enfin cessé de sonner.

— Tu peux répéter ? dit Rizzoli. Parce que j'ai dû mal entendre.

— Je voudrais savoir si mon ADN est le même que celui d'Anna Jessop.

— Écoute, la ressemblance est forte, je suis d'accord…

— Il n'y a pas que ça.

— Que veux-tu dire ?

— Nous avons toutes les deux le même groupe sanguin, B^+.

— Comme beaucoup d'autres, repartit Rizzoli. Dix pour cent de la population, environ.

— Et sa date de naissance. Tu dis qu'elle est née le 25 novembre… Eh bien, moi aussi.

Silence dans le combiné. Puis la voix de Rizzoli :

— D'accord, tu as réussi à me donner la chair de poule…

— Tu comprends pourquoi je veux cette analyse, maintenant ? Tout chez cette femme, son physique, son groupe sanguin, sa date de naissance… Écoute, elle est *moi*. Je veux savoir d'où elle vient. Je veux savoir *qui* est cette femme.

Après un nouveau silence, Rizzoli avoua :

— La réponse à cette question semble beaucoup plus difficile que nous ne l'avions pensé.

— Pourquoi ?

— Nous avons reçu son relevé bancaire cet après-midi. Elle n'avait une MasterCard que depuis six mois.

— Et alors ?

— Son permis de conduire n'a que quatre mois. Sa voiture a été immatriculée il y a trois mois seulement.

— Et son domicile ? Elle avait une adresse à Brighton, non ? Vous avez sûrement interrogé ses voisins.

— Nous avons fini par retrouver sa propriétaire, hier soir. Elle dit qu'elle louait l'appartement à Anna Jessop depuis trois mois. Elle nous a laissés entrer.

— Et ?

— Il est vide, toubib. Pas un meuble, pas une casserole, pas même une brosse à dents. Quelqu'un a payé pour avoir une ligne téléphonique et un abonnement au câble, mais personne n'habitait là.

— Et les voisins ?

— Ils ne l'ont jamais vue. Ils l'appelaient « le fantôme ».

— Elle devait habiter ailleurs avant, avoir un autre compte bancaire…

— Nous avons cherché. Nous n'avons rien trouvé sur cette femme au-delà des six derniers mois.

— Ce qui veut dire ?

— Ce qui veut dire qu'il y a six mois Anna Jessop n'existait pas, répondit Rizzoli.

4

Quand Rizzoli entra au J. P. Doyle's, elle y trouva les spécimens habituels agglutinés autour du comptoir. Des flics, pour la plupart, échangeant les histoires de guerre de la journée, agrémentées de bière et de cacahuètes. Situé au bout de la rue où se trouvait le poste de police de Jamaica Plain, le Doyle's était probablement l'abreuvoir le plus sûr de la ville. Un faux mouvement et une dizaine de flics vous tombaient dessus comme dans une mêlée de football américain. Rizzoli connaissait ces types et ils la connaissaient. Ils s'écartèrent pour laisser passer la dame enceinte et elle repéra quelques sourires lorsqu'elle passa entre eux en se dandinant, son ventre fendant la foule telle une figure de proue.

— Hé ! Rizzoli, tu prends du poids ou quoi ? lança l'un d'eux.

— Ouais, répondit-elle dans un rire. Mais moi, au mois d'août, j'aurai retrouvé la ligne, et je doute que tu puisses en dire autant !

Elle se dirigea vers les inspecteurs Vann et Dunleavy qui lui faisaient signe du comptoir. Sam et Frodon. Le Hobbit grassouillet et son pote maigrichon, coéquipiers depuis si longtemps qu'ils se comportaient comme un vieux couple et passaient probablement plus de temps ensemble qu'avec leurs épouses respectives. Rizzoli les avait rarement vus l'un sans l'autre et elle pensait qu'ils ne tarderaient pas à porter le même costume. Ils la saluèrent en levant des pintes de Guinness identiques.

— Rizzoli… tu es… commença Vann.

— … en retard, enchaîna Dunleavy. On en est déjà à la…

— … deuxième. Tu prends quoi ?

Bon Dieu, ils finissaient même mutuellement leurs phrases.

— C'est trop bruyant, ici, dit-elle. Allons dans l'autre salle.

Ils passèrent dans la partie restaurant et elle s'installa dans son box habituel, sous le drapeau irlandais. Dunleavy et Vann s'assirent sur la banquette en face d'elle. Elle pensa à son propre équipier, Barry Frost, un gentil garçon, un type formidable même, avec qui elle n'avait absolument rien en commun. À la fin de la journée, elle partait de son côté et Frost du sien. Ils s'appréciaient mais elle ne pensait pas pouvoir supporter davantage de complicité. En tout cas, jamais autant que ces deux lascars.

— Alors, tu as écopé d'une Black Talon ? attaqua Dunleavy.

— Hier soir, à Brookline. La première depuis votre affaire. Ça fait quoi ? Deux ans ?

— Ouais, à peu près.

— Vous avez bouclé le meurtrier ?

— Un nommé Antonin Leonov. Un immigré ukrainien, un petit voyou qui se la jouait caïd. La mafia russe l'aurait liquidé si on l'avait pas arrêté avant.

— Un vrai nul, laissa tomber Vann d'un ton méprisant. Il se doutait même pas qu'on le surveillait.

— Et pourquoi vous le surveilliez ?

— Un tuyau qu'on avait eu, comme quoi il attendait une livraison du Tadjikistan, expliqua Dunleavy. De l'héro. Une grosse quantité. On le filait depuis près d'une semaine, il nous avait même pas repérés. On l'a suivi jusque chez son collègue. Vassili Titov. Titov avait dû le foutre en rogne. On voit Leonov entrer chez Titov, on entend des coups de feu, on voit Leonov ressortir…

— On a eu qu'à le cueillir, conclut Vann. Un nul, je te dis.

Dunleavy leva sa Guinness comme pour porter un toast.

— Du tout cuit. Le meurtrier gaulé avec l'arme sur lui. Je sais même pas pourquoi il s'est donné le mal de plaider innocent. Le jury a pas mis une heure pour le condamner.

— Il vous a dit où il s'était procuré les Black Talon ?

— Tu rigoles ? répliqua Vann. Il nous a rien dit du tout. Il parlait à peine anglais, mais « Miranda[1] », ça il connaissait !

— On a fouillé sa maison et sa boutique, continua Dunleavy. On a trouvé huit caisses de Black Talon dans sa remise, tu te rends compte ? Je sais pas comment il avait mis la main sur autant de balles, mais il en avait une cargaison !

Il haussa les épaules.

1. Jugement qui oblige la police à donner lecture de ses droits à une personne appréhendée. (*N.d.T.*)

— Voilà, c'est le scoop sur Leonov. Je vois pas comment il pourrait y avoir un rapport avec ta bonne femme.

— On a eu que deux meurtres par Black Talon ici en cinq ans, souligna Rizzoli. Votre affaire et la mienne.

— Ouais, y a probablement encore quelques Talon qui circulent en douce. Essaie sur eBay. Tout ce que je sais, c'est qu'on a agrafé Leonov, et bien.

Dunleavy vida sa pinte avant d'ajouter :

— C'est forcément quelqu'un d'autre.

Elle était déjà parvenue à la même conclusion. Une dispute entre deux petits voyous ukrainiens ne pouvait avoir de rapport avec Anna Jessop. La piste de la Black Talon était un cul-de-sac.

— Vous pourriez me transmettre le dossier de l'affaire ? sollicita-t-elle. Je vais quand même y jeter un œil.

— Il sera sur ton bureau demain.

— Merci, les gars.

Elle glissa sur la banquette, se mit péniblement debout.

— Alors, c'est pour quand ? demanda Vann.

— Le plus tôt sera le mieux.

— Tu sais qu'on parie, dans le service ? Sur le sexe du gosse.

— Sans blague ?

— Je crois qu'on en est à soixante-dix dollars sur une fille, quarante sur un garçon.

— Et vingt sur « autre chose » ! gloussa Vann.

Rizzoli sentit le bébé lui donner un coup de pied au moment où elle entrait dans son appartement.

Du calme, Junior, pensa-t-elle. Tu m'as traitée comme un punching-ball toute la journée, tu ne vas pas t'y mettre aussi le soir.

Elle ignorait si son enfant était un garçon, une fille… ou « autre chose », tout ce qu'elle savait, c'était que ce gosse était impatient de naître.

Arrête d'essayer de sortir en faisant du kung-fu, d'accord ?

Elle lâcha son sac et ses clefs sur le comptoir de la cuisine, expédia d'une ruade ses chaussures dans un coin, jeta son blazer sur une chaise de la salle à manger. Deux jours plus tôt, son mari, Gabriel, était parti avec une équipe du FBI enquêter sur une cache d'armes d'une organisation paramilitaire du Montana. L'appartement retombait dans la confortable anarchie qui y régnait avant leur mariage. Avant que Gabriel ne vienne y habiter et n'y insuffle un semblant d'ordre. On pouvait faire confiance à un ancien marine pour mettre les gamelles et les bidons en rang.

Dans la chambre, elle aperçut son reflet dans le miroir et se reconnut à peine, avec ses joues rebondies, son ventre tendant le tissu élastique du pantalon de grossesse.

Où ai-je disparu ? se demanda-t-elle. Est-ce que je suis toujours là, cachée quelque part dans ce corps déformé ?

Elle fit face au reflet de cette inconnue en songeant à son ventre plat d'autrefois. Elle n'aimait pas la façon dont son visage s'était rempli, dont ses joues étaient devenues roses comme celles d'un enfant. Le rayonnement de la maternité, affirmait Gabriel, tentant de convaincre sa femme qu'elle ne ressemblait pas à une baleine au nez brillant.

Cette femme n'est pas vraiment moi, se dit-elle. Ce n'est pas le flic capable d'enfoncer les portes à coups de pied et de descendre des criminels…

Elle se laissa tomber sur le dos en travers du lit, bras écartés. Elle sentit l'odeur de Gabriel dans les draps. Tu me manques, ce soir, pensa-t-elle. Ça ne devrait pas être ça, le mariage. Deux carrières, deux obsédés du boulot. Gabriel sur les routes, elle seule dans cet appartement. Elle avait su dès le départ que ce ne serait pas facile, qu'il y aurait trop de soirs comme celui-là, quand le travail de Gabriel, ou le sien, les séparerait.

Elle songea à l'appeler, mais ils s'étaient déjà parlé deux fois le matin et sa facture téléphonique atteignait des sommets.

Oh ! tant pis !

Elle roula sur le flanc, se souleva et tendait la main vers l'appareil posé sur la table de nuit quand il se mit soudain à sonner. Surprise, elle déchiffra le numéro, inconnu. Elle décrocha.

— Allô…

— Inspecteur Rizzoli ? demanda une voix d'homme.

— Oui.

— Je m'excuse d'appeler à une heure aussi tardive. Je viens juste de rentrer…

— Qui est à l'appareil, s'il vous plaît ?

— Inspecteur Ballard, de la police de Newton. Je crois savoir que vous êtes chargée de l'enquête sur le meurtre de cette femme, hier soir à Brookline. Une nommée Anna Jessop.

— C'est exact.

— L'année dernière, j'ai eu une affaire impliquant une certaine Anna Jessop. J'ignore s'il s'agit de la même personne, mais…

— Vous êtes de la police de Newton, vous m'avez dit ?

— Oui.

— Vous pourriez identifier Mlle Jessop ? En voyant le corps ?

Un silence. Puis :

— C'est ce que je voudrais. Je voudrais être sûr que c'est bien elle.

— Et si c'est elle ?

— Alors, je sais qui l'a tuée.

Même si elle n'en avait pas été informée, Rizzoli aurait deviné qu'il était flic. Lorsqu'elle entra dans le hall du bâtiment de médecine légale, l'inspecteur Rick Ballard se leva aussitôt, comme au garde-à-vous. Il avait des yeux d'un bleu franc, des cheveux châtains d'une coupe ultraclassique, et une chemise repassée avec une méticulosité militaire. La même autorité tranquille que Gabriel, le même regard assuré qui semblait dire : « En cas de coup dur, vous pouvez compter sur moi. » Un instant, un instant seulement, Rizzoli aurait voulu être à nouveau mince et séduisante. Tandis qu'elle regardait sa plaque, elle sentit qu'il examinait son visage.

Un flic, aucun doute, pensa-t-elle.

— Vous êtes prêt ? demanda-t-elle.

Quand il eut acquiescé d'un signe de tête, elle se tourna vers la réceptionniste.

— Le Dr Bristol est en bas ?

— Il termine une autopsie. Il a dit que vous pouviez descendre.

Ils prirent l'ascenseur pour le sous-sol, pénétrèrent dans l'antichambre de la morgue, avec ses placards débordant de couvre-chaussures, masques et bonnets en papier. Par la grande baie vitrée, on découvrait la salle d'autopsie où Bristol et Yoshima étaient à l'œuvre sur un homme décharné aux cheveux gris. Le médecin légiste les vit à travers la vitre et les salua de la main.

— Encore dix minutes ! cria-t-il.

— On attend, répondit Rizzoli.

Abe venait de pratiquer l'incision du cuir chevelu et décollait la peau du crâne, provoquant l'effondrement du visage.

— J'ai horreur de ça, murmura Rizzoli. Quand ils touchent aux visages. Le reste, je le supporte à peu près, mais ça…

Ballard ne répondit pas. Elle se tourna vers lui, se rendit compte qu'il avait le dos raide, la figure figée en une grimace stoïque. N'appartenant pas à la Criminelle, il ne se rendait probablement pas très souvent à la morgue et devait être passablement remué par ce qui se passait de l'autre côté de la vitre. Rizzoli se souvint de sa première visite dans ce bâtiment, quand elle était à l'école de police. Elle faisait partie d'un groupe de six élèves, la seule femme parmi cinq costauds qui la dépassaient tous d'une tête. Tout le monde s'attendait à voir cette mauviette détourner les yeux pendant l'autopsie. Mais elle s'était plantée au premier rang et avait assisté à toute l'opération sans broncher. En fait, celui qui avait craqué le premier et s'était traîné vers une chaise, c'était le plus baraqué des hommes. Rizzoli se demanda si Ballard n'allait pas faire la même chose. À la lumière des tubes fluorescents, son teint était devenu cireux.

Dans la salle d'autopsie, Yoshima avait commencé à scier le crâne. Le crissement de la lame sur l'os fut plus que l'inspecteur de Newton n'en pouvait supporter. Il se détourna, fixa des yeux les boîtes de gants rangés par pointures sur l'étagère face à lui. Rizzoli avait un peu pitié de lui : ce devait être humiliant pour un dur comme Ballard de flancher devant un flic femme.

Elle tira un tabouret vers lui, en prit un autre pour elle, poussa un soupir en s'asseyant.

— J'ai du mal à rester debout, ces temps-ci, dit-elle.

Il s'assit lui aussi, visiblement soulagé de pouvoir porter son attention sur autre chose que cette scie bourdonnante. Il indiqua le ventre de Rizzoli.

— C'est votre premier ?

— Ouais.

— Garçon ou fille ?

— Je ne sais pas. On sera contents, de toute façon.

— C'est ce que je me disais avant la naissance de ma fille. Dix doigts, dix orteils, c'est tout ce que je deman…

Ballard s'interrompit et déglutit tandis que la scie forçait dans les aigus.

— Quel âge a votre fille, maintenant ? s'enquit Rizzoli pour le faire penser à autre chose.

— Oh ! quatorze ans, bientôt quinze ! Elle n'est pas commode, en ce moment.

— C'est pas facile, les filles, à cet âge-là.

— Vous voyez les cheveux blancs que je me fais, là ?

Elle eut un rire.

— Ma mère aussi disait ça. Elle me montrait sa tête, « C'est ta faute, tous ces cheveux blancs »… Je dois reconnaître que j'étais pénible à quatorze ans. C'est l'âge.

— On a d'autres problèmes, en plus. Ma femme et moi, on s'est séparés l'année dernière. Katie se sent tiraillée dans des directions différentes. Deux parents qui travaillent, deux maisons…

— Ça doit être compliqué, pour une gamine.

Le bruit de la scie venait de cesser. À travers la vitre, Rizzoli vit Yoshima ôter la calotte crânienne et Bristol dégager le cerveau, le prendre avec précaution dans ses mains en coupe. Ballard continuait à éviter de regarder dans la salle et concentrait son attention sur Rizzoli.

— C'est dur, non ?

— Quoi ? demanda-t-elle.

— Le boulot de flic, dans votre état.

— Au moins, personne n'attend de moi que je défonce des portes, en ce moment.

— Ma femme venait d'entrer dans la police quand elle est tombée enceinte.

— À Newton ?

— À Boston. Ils ont voulu la retirer des patrouilles, elle leur a répondu que sa grossesse était un avantage. Elle disait que les malfrats étaient plus polis avec elle.

— Ils ne l'ont jamais été avec moi, soupira Rizzoli.

Dans la salle, Yoshima refermait le cadavre avec du fil et des agrafes, tel un tailleur macabre recousant un costume de chair. Bristol ôta ses gants, se lava les mains et se dirigea d'un pas lourd vers ses visiteurs.

— Pardon de ce retard, ça a pris plus de temps que je ne pensais. Le type avait des tumeurs plein l'abdomen et n'avait jamais vu un médecin. Du coup, c'est à moi qu'il a eu droit… Bonjour, inspecteur, dit-il en tendant une main charnue, encore humide, à Ballard, qui se raidit. Vous êtes venu jeter un œil à notre victime ?

— C'est l'inspecteur Rizzoli qui me l'a demandé.

— Allons-y, dit Bristol. Elle est dans la chambre froide.

Il leur fit traverser la salle d'autopsie puis franchir une porte menant à la morgue. L'endroit ressemblait à n'importe quelle chambre froide de boucher, avec des cadrans indiquant la température et une porte d'acier massif. Accrochée au mur, près de cette porte, une tablette tenait à jour les livraisons. Le nom du vieillard que Bristol venait d'autopsier figurait sur la feuille, avec ses date et heure d'arrivée, la veille à vingt-trois heures. Ce n'était pas une liste sur laquelle on avait envie d'être couché.

Lorsque Bristol ouvrit la porte, des volutes de condensation s'échappèrent. Ils entrèrent et l'odeur de viande congelée donna à Rizzoli un haut-le-cœur. Depuis qu'elle était enceinte, elle était devenue hypersensible aux odeurs. Un relent de pourriture suffisait à l'envoyer vomir dans l'évier le plus proche. Cette fois, elle parvint à réprimer sa nausée en fixant avec une sombre détermination la rangée de chariots de la chambre froide. Cinq housses enveloppant des corps de plastique blanc.

Bristol s'avança, examina les étiquettes, s'arrêta devant le quatrième chariot.

— Voilà notre jeune femme, dit-il.

Il ouvrit la fermeture à glissière juste assez pour révéler le haut du torse, l'incision en Y refermée par des points de suture. Là encore, l'œuvre de Yoshima.

Rizzoli fit passer son regard de la morte à Rick Ballard. Il contemplait le corps en silence, apparemment fasciné par Anna Jessop.

— Alors ? s'enquit Bristol.

Ballard battit des cils comme au sortir d'une transe et relâcha sa respiration.

— C'est elle, souffla-t-il.

— Vous en êtes absolument sûr ?

Le policier avala sa salive avant de répondre :

— Oui. Que lui est-il arrivé ?

Bristol se tourna vers Rizzoli en attendant son feu vert. Elle le lui accorda d'un signe de tête.

— Balle unique, tempe gauche, récita le légiste en montrant l'orifice d'entrée. Dommages importants au temporal gauche ainsi qu'aux deux lobes pariétaux à la suite de ricochets dans le crâne. Forte hémorragie intracrânienne.

— C'est la seule blessure ?

— Exact. Très rapide, très efficace.

Le regard de Ballard avait dérivé vers le torse de la morte. Sur les seins. Ce n'était pas une réaction surprenante de la part d'un homme devant une jeune femme nue, mais elle n'en perturba pas moins Rizzoli. Morte ou vivante, Anna Jessop avait droit à la dignité. Rizzoli fut soulagée quand, d'un geste détaché, Bristol remonta la fermeture et rendit au corps son intimité.

Ils ressortirent, le médecin refermant la lourde porte de la chambre froide.

— Vous avez les coordonnées de la famille ? demanda-t-il. Quelqu'un à prévenir ?

— Elle n'avait personne, répondit Ballard.

— Vous en êtes certain ?

— Elle n'avait aucune…

Sa voix se brisa. Immobile, il fixait un point à travers la vitre de la salle d'autopsie.

Rizzoli se retourna pour voir ce qui avait causé cette réaction et comprit aussitôt. Maura Isles venait d'entrer, une enveloppe de radiographies en main. Elle s'approcha du négatoscope, y accrocha les clichés, examina les images d'os fracassés sans avoir conscience qu'on l'observait. Trois paires d'yeux la regardaient à travers la vitre.

— C'est qui ? murmura Ballard.

— Une de nos collègues, répondit Bristol. Le Dr Maura Isles.

— La ressemblance est saisissante, non ? dit Rizzoli.

Ballard secoua la tête, interdit.

— Un moment j'ai cru…

— On l'a tous cru en découvrant la victime.

Dans la grande salle, Maura remit les radios dans l'enveloppe et quitta la pièce, sans se douter un instant de l'attention dont elle avait fait l'objet.

Rizzoli se tourna vers Ballard.

— Bon, vous avez vu Anna Jessop, vous avez confirmé que vous la connaissiez. Maintenant, dites-nous qui elle était vraiment.

5

« Le pur-sang des coursiers de l'asphalte… » C'était ce que disaient toutes les publicités, c'était ce que disait Dwayne, et Mattie Purvis conduisait cette puissante machine dans West Central Street. Refoulant ses larmes par des battements de cils, elle se répétait inlassablement : Il faut que tu sois là, Dwayne, il faut que tu sois là, je t'en prie.

Mais elle ne savait pas s'il y serait. Il y avait tant de choses qu'elle ne comprenait plus chez son mari, comme si un inconnu avait pris sa place, un inconnu qui faisait à peine attention à elle. Qui ne la regardait plus.

Je veux retrouver mon mari, mais je ne sais même pas comment je l'ai perdu.

L'enseigne géante *BMW PURVIS* lui faisait signe, juste devant elle. Elle tourna dans le parking, passa devant des rangées de véhicules étincelants et repéra la voiture de Dwayne près de la porte de la salle d'exposition.

Elle se gara sur l'emplacement voisin, arrêta le moteur. Resta un moment immobile, respirant à fond. Pour se purifier, comme on le lui avait appris aux cours d'accouchement sans douleur. Ces cours auxquels Dwayne avait cessé d'assister depuis un mois parce qu'il trouvait qu'il y perdait son temps. « C'est toi qui auras le bébé, pas moi. Je n'ai pas besoin d'être là. »

Oh-oh, trop d'inspirations profondes. Soudain prise de vertige, Mattie bascula en avant contre le volant, pressa le klaxon sans le vouloir et sursauta quand il émit un mugissement sonore. Elle regarda autour d'elle, vit qu'un des mécaniciens l'observait. Qu'il observait cette idiote de bonne femme, la légitime de Dwayne, qui klaxonnait pour rien. Le rouge aux joues, elle ouvrit la portière, parvint à extraire son gros ventre de la voiture et entra dans la salle d'exposition BMW.

Cela sentait le cuir et l'encaustique. Un aphrodisiaque pour hommes, d'après Dwayne, ce bouquet d'odeurs qui, à présent, levait légèrement le cœur de Mattie. Elle demeura un moment parmi les stars affriolantes de la route : les derniers modèles, tout en courbes sensuelles et en chromes, luisant sous les spots. Un homme pouvait perdre son âme dans cette salle. Passer une main sur un flanc métallique, contempler trop longtemps son reflet dans un pare-brise… et croire que ses rêves allaient se réaliser. Imaginer l'homme qu'il serait si seulement il possédait une de ces machines.

— Madame Purvis ?

Mattie se retourna et découvrit Bart Thayer, l'un des vendeurs de son mari.

— Oh ! Bonjour, dit-elle.

— Vous cherchez Dwayne ?

— Oui. Où est-il ?

— Euh, je crois…

Bart jeta un coup d'œil en direction des bureaux du fond.

— Attendez, je vais voir.

— Pas la peine, je le trouverai, répondit-elle.

— *Non !* Enfin, je veux dire, je m'en occupe. Asseyez-vous donc, dans votre état, il ne faut pas rester debout trop longtemps.

Curieux que Bart lui donne ce conseil : il avait un ventre plus gros encore que le sien. Elle réussit à sourire.

— Je suis enceinte, pas infirme.

— À quand le grand jour ?

— Dans deux semaines. D'après nos calculs, du moins. On ne sait jamais.

— Vous pouvez le dire. Mon premier, il ne voulait pas sortir. Il est né avec trois semaines de retard, et depuis il est en retard pour tout. Bon, je vais vous chercher Dwayne.

Elle le regarda se diriger vers les bureaux. Le vit frapper à la porte de celui de Dwayne. Pas de réponse. Il frappa de nouveau. Enfin, la porte s'ouvrit et Dwayne passa la tête dehors, eut l'air étonné quand il repéra Mattie qui lui faisait signe de l'autre bout de la salle.

— Je peux te parler ? lui cria-t-elle.

Il sortit de son bureau, ferma la porte derrière lui et lança d'un ton hargneux :

— Qu'est-ce que tu fais ici ?

Bart fit aller son regard de l'un à l'autre, recula vers la sortie.

— Dwayne, euh… je crois que je vais prendre ma pause-café maintenant.

— Ouais, ouais, grommela Dwayne. Je m'en fous.

Le vendeur s'éclipsa. Mari et femme se regardèrent.

— Je t'ai attendu, dit Mattie.

— Quoi ?

— Mon rendez-vous chez l'obstétricien. Tu avais promis de venir. Le Dr Fishman a attendu vingt minutes, mais il a bien fallu commencer sans toi. Tu as raté l'échographie.

— Oh ! bon Dieu, j'ai oublié !

Il se passa une main sur la tête, lissa ses cheveux bruns. Toujours à mettre de l'ordre dans sa coiffure, dans sa mise. « Quand on propose un produit haut de gamme, il faut avoir l'allure qui va avec », aimait-il répéter.

— Je suis désolé.

Mattie ouvrit son sac, en tira une photo Polaroïd.

— Tu veux quand même la regarder ?

— Qu'est-ce que c'est ?

— Notre fille. Une photo de l'échographie.

Il y jeta un coup d'œil, haussa les épaules.

— On voit pas grand-chose.

— On voit son bras, là, et sa jambe. Si on regarde bien, on voit presque son visage.

— Ouais, cool, dit Dwayne en lui rendant la photo. Je serai un peu en retard ce soir, il y a un type qui vient essayer un modèle à six heures. Je mangerai un morceau quelque part en vitesse.

Elle rangea la photo dans son sac et soupira.

— Dwayne…

Il lui planta un bécot sur le front.

— Je te reconduis à ta voiture. Viens.

— On ne pourrait pas aller prendre un café ?

— J'ai des clients.

— Mais il n'y a personne dans la salle.

— Mattie, je t'en prie. Laisse-moi faire mon travail, d'accord ?

Elle tournait la tête quand la porte du bureau de Dwayne s'ouvrit. Une femme en sortit, une blonde efflanquée qui traversa la salle d'un pas rapide et entra dans un autre bureau.

— Qui est-ce ? demanda Mattie.

— Quoi ?

— La femme qui vient de sortir de ton bureau.

Dwayne s'éclaircit la voix.

— Oh, elle… Une nouvelle. J'ai pensé qu'il nous fallait une vendeuse. Pour diversifier l'équipe, tu vois. Une excellente recrue, d'ailleurs. Elle a vendu plus de voitures que Bart le mois dernier, et ce n'est pas peu dire.

— Comment s'appelle-t-elle ?

— Écoute, il faut vraiment que je retourne bosser…

— Je veux simplement savoir son nom.

Elle vit dans les yeux de son mari une expression de culpabilité, aussi aveuglante qu'une enseigne au néon. Il détourna le regard.

— Nom de Dieu, comme si j'avais besoin de ça, gémit-il.

— Euh, madame Purvis…

C'était Bart, qui appelait de la porte d'entrée.

— Vous savez que vous avez un pneu à plat ? Le mécanicien vient de me le montrer.

Déroutée, elle bredouilla :

— Non, je… je ne savais pas.

— Comment tu peux ne pas remarquer que tu as crevé ! s'exclama Dwayne.

— C'est possible. Je la sentais un peu lourde à conduire, mais…

— J'y crois pas, soupira Dwayne, qui se dirigeait déjà vers la porte.

Il me fuit, comme toujours, pensa-t-elle. Et maintenant, il est furieux. Comment tout a pu soudain devenir ma faute ?

Elle rejoignit son mari qui secouait la tête, accroupi près de la roue arrière droite.

— Elle s'en est même pas rendu compte ! dit-il à Bart. Regarde ce pneu ! Elle l'a bousillé !

— Hé ! ça arrive ! fit le vendeur, adressant à Mattie un regard compréhensif. Je demande à Ed d'en mettre un neuf. Pas de problème.

— Mais regarde ce pneu, insista Dwayne, il est mort ! Combien de kilomètres elle a roulé comme ça ? Comment on peut être aussi bouché ?

— Allez, Dwayne, c'est pas grave, plaida Bart.

— Je ne savais pas, murmura Mattie. Je suis désolée.

— T'es venue de chez le médecin jusqu'ici avec un pneu à plat ?

Dwayne la regarda par-dessus son épaule et la colère qu'elle lut dans ses yeux l'effraya.

— T'es complètement à côté de tes pompes ou quoi ?

— Dwayne, je ne savais pas.

Bart tapota le dos de son patron.

— Vous devriez peut-être décompresser un peu…

— Toi, mêle-toi de tes oignons ! rétorqua Dwayne.

Le vendeur battit en retraite, les bras écartés en un geste fataliste.

— D'accord, d'accord.

Il coula un dernier regard compatissant à Mattie et s'éloigna. Dwayne revint à la charge :

— Ta jante a dû faire des étincelles sur tout le trajet ! Combien de gens t'ont vue rouler comme ça, d'après toi ?

— Quelle importance ?

— Quelle importance ! C'est une BM, merde ! Quand on conduit un engin comme ça, on donne une image. Les gens voient cette voiture, ils s'attendent à ce que le chauffeur soit classe. Toi tu roules sur la jante, ça fout l'image en l'air. Ça donne une mauvaise image de tous les autres conducteurs de BM. Ça donne une mauvaise image de *moi*.

— Ce n'est qu'un pneu…

— Arrête de dire ça.

— Mais c'est vrai.

Dwayne eut un grognement de dégoût et se releva en disant :

— Je renonce.

Mattie ravala ses larmes.

— Ce n'est pas à cause du pneu, n'est-ce pas ?

— Quoi ?

— Cette dispute. C'est de *nous* qu'il s'agit. Il y a quelque chose qui ne va pas entre *nous*.

Le silence de Dwayne ne fit qu'aggraver les choses. Sans répondre, il se tourna vers le mécanicien qui s'approchait d'eux.

— Bart dit que je dois changer un pneu…

— Ouais, occupe-toi de ça, répondit Dwayne.

Il porta son attention sur une Toyota qui venait de se garer dans le parking. Un homme en descendit, fit le tour d'une des BMW, se pencha pour lire l'affichette fixée sur le pare-brise. Dwayne rabattit ses cheveux en arrière, rectifia la position de sa cravate et se dirigea vers le nouveau venu.

— Dwayne ? fit Mattie.

— J'ai un client.

— Mais je suis *ta femme*.

Il fit volte-face, le regard soudain venimeux.

— Me pousse pas à bout, Mattie…

— Qu'est-ce que je dois faire pour que tu t'occupes de moi ? Je dois t'acheter une voiture ? C'est ça que je dois faire ? Parce que je ne vois pas d'autre moyen. Je ne vois pas d'autre moyen, répéta-t-elle d'une voix brisée.

— Alors tu devrais peut-être laisser tomber. Parce que ça ne rime plus à rien.

Elle le regarda s'éloigner. Le vit s'arrêter et redresser les épaules, se fabriquer un sourire. Puis sa voix retentit, chaude et amicale, pour souhaiter la bienvenue au client.

— Madame Purvis ?

Elle cligna des yeux. Se tourna vers le mécanicien.

— J'ai besoin de vos clefs, s'il vous plaît. Pour rentrer la voiture à l'atelier et changer le pneu.

Il tendit une main tachée de graisse.

Sans un mot, elle lui remit le trousseau, se tourna de nouveau vers Dwayne. Mais il l'avait déjà oubliée. C'était comme si elle n'existait pas.

Elle rentra à la maison sans même s'en rendre compte. Se retrouva assise à la table de la cuisine, les clefs de la voiture encore à la main, le courrier posé devant elle. La lettre du dessus, envoyée par leur banque, était adressée à « Monsieur et Madame Dwayne Purvis ». Monsieur et Madame. Elle se rappela la première fois qu'on l'avait appelée « madame Purvis », et la joie qu'elle avait éprouvée. Madame Purvis. Madame Purvis.

Madame Personne, oui !

Les clefs tombèrent par terre. Mattie enfouit sa tête dans ses mains et se mit à pleurer. Elle pleura tandis que le bébé lui donnait des coups de pied, elle pleura jusqu'à ce qu'elle ait mal à la gorge et que le courrier soit mouillé de larmes.

Je veux qu'il redevienne comme avant. Quand il m'aimait.

À travers le bredouillis de ses sanglots, elle entendit une porte grincer. Cela venait du garage. Elle se redressa, la poitrine subitement gonflée d'espoir.

Il est rentré ! Il est venu me dire qu'il regrette.

Elle se leva si brusquement qu'elle renversa sa chaise. Étourdie, elle ouvrit la porte, s'avança dans le garage. S'immobilisa, papillonnant des yeux dans l'obscurité, décontenancée. Il n'y avait pas d'autre voiture que la sienne.

— Dwayne ? appela-t-elle.

Un rai de lumière attira son regard : la porte donnant sur le jardin était entrouverte. Mattie traversa le garage pour aller la fermer. Au moment où elle la poussait, elle entendit des pas derrière elle et se figea, le cœur affolé. Prenant conscience, à cet instant même, qu'elle n'était pas seule.

Elle commença à se retourner et l'obscurité vint à sa rencontre.

6

Maura quitta le soleil de l'après-midi pour la pénombre fraîche de l'église Notre-Dame-de-la-Divine-Lumière. Un moment, elle ne distingua que des ombres, le vague contour des bancs, la silhouette d'une paroissienne assise sur le devant, tête baissée.

Maura se coula le long d'un banc et s'assit elle aussi, laissa le silence l'envelopper tandis que ses yeux s'habituaient à la faible lumière. Sur l'un des vitraux rayonnant de couleurs riches, intenses, une femme à la luxuriante chevelure blonde regardait avec adoration un arbre d'où pendait une pomme rouge sang. Eve au Jardin d'Eden. Portrait de la femme en tentatrice, en séductrice. En destructrice.

Troublée, Maura fit passer son regard au vitrail suivant. Bien qu'élevée par des parents catholiques, elle ne se sentait pas à sa place ici, dans l'église. Elle contempla les images aux tons de pierres précieuses, les saints martyrs encadrés par les fenêtres, et songea que s'ils étaient vénérés comme des saints elle savait qu'ils n'avaient pas pu être irréprochables de leur vivant. Que leur passage sur terre avait probablement été entaché de péchés, de mauvais choix et de désirs mesquins. Maura savait mieux que quiconque que la perfection n'était pas humaine.

Elle se leva, se tourna vers l'allée, s'immobilisa. Le père Brophy se tenait au milieu de l'église, la lumière des vitraux projetant une mosaïque de couleurs sur son visage. Il s'était approché si discrètement qu'elle ne l'avait pas entendu et ils se faisaient maintenant face, ni lui ni elle n'osant rompre le silence.

— J'espère que vous ne partez pas déjà, dit-il enfin.

— Je ne suis venue que pour méditer quelques minutes.

— Alors, je suis heureux de vous avoir rencontrée avant que vous ne repartiez. Vous souhaitez parler ?

Elle regarda les portes d'entrée, comme si elle envisageait de s'échapper, puis soupira :

— Oui.

La femme assise près de l'autel s'était retournée et les observait. Et que voit-elle ? pensa Maura. Le jeune et beau prêtre. Une femme attirante. Echangeant des murmures sous le regard des saints.

Le père Brophy semblait partager la gêne de Maura. Il jeta un coup d'œil à l'autre paroissienne et suggéra :

— Pas forcément ici.

Ils marchèrent dans Jamaica Riverway Park en suivant le sentier bordé d'arbres qui courait le long de l'eau. Par ce chaud après-midi, ils partageaient le parc avec des joggeurs, des cyclistes, des mères poussant leur landau. Dans un lieu aussi fréquenté, un prêtre et une paroissienne tourmentée ne pouvaient guère susciter de commérages.

Cela s'est toujours passé de cette façon entre nous, songea-t-elle tandis qu'ils se baissaient pour passer sous les branches d'un saule. Aucun parfum de scandale, aucun relent de péché. Ce que je veux le plus de lui, c'est ce qu'il ne peut me donner. Pourtant, je suis là.

Nous sommes là tous les deux.

— Je me demandais quand vous viendriez me voir, dit-il.

— J'y songeais depuis un moment, répondit-elle. La semaine a été difficile.

Elle fit halte et contempla la rivière. Le bourdonnement de la circulation sur la route proche couvrait le clapotis de l'eau.

— J'ai conscience d'être mortelle, désormais.

— Vous n'en aviez pas conscience auparavant ?

— Pas comme ça. Quand j'ai assisté à l'autopsie, la semaine dernière…

— Vous en voyez tellement !

— Je ne me contente pas de les voir, Daniel. Je les *pratique*. J'ai le bistouri à la main et je coupe. Je le fais presque tous les jours et cela ne m'avait jamais perturbée. J'avais peut-être perdu le contact avec l'humanité. J'étais tellement détachée que je ne me rendais plus compte que c'était dans de la chair humaine que je tranchais. Mais, l'autre jour, tout est devenu personnel. J'ai regardé cette femme et je me suis vue sur la table. Maintenant, je ne peux plus prendre un scalpel sans penser à elle. À ce que sa vie était peut-être, à ce qu'elle ressentait, à ce qu'elle pensait quand…

Maura se tut, soupira.

— J'ai eu beaucoup de mal à reprendre le travail. C'est tout.

— Vous étiez vraiment obligée de le faire ?

Intriguée par la question du prêtre, elle le dévisagea.

— Est-ce que j'avais le choix ?

— De la servitude sous contrat, à vous entendre.

— C'est mon boulot. C'est ce que je sais faire.

— Ce n'est pas en soi une raison satisfaisante. Alors, pourquoi ?

— Pourquoi êtes-vous prêtre ? rétorqua-t-elle.

Il eut l'air perplexe à son tour et réfléchit un moment, immobile près d'elle, le bleu de ses yeux estompé dans l'ombre projetée par les saules.

— J'ai fait ce choix il y a longtemps, dit-il enfin. Je n'y pense plus beaucoup. Je ne le remets pas en cause non plus.

— Vous deviez avoir la foi.

— Je l'ai toujours.

— Est-ce que ce n'est pas suffisant ?

— Vous pensez vraiment que la foi suffit ?

— Non, bien sûr.

Maura se retourna et se remit à marcher sur le sol marbré d'ombre et de lumière. Elle craignait de croiser le regard de Daniel, elle craignait qu'il n'en ait trop vu dans le sien.

— Parfois, c'est une bonne chose d'être confronté à sa nature mortelle. Cela nous fait reconsidérer notre vie.

— Je ne suis pas sûre que ça me plaise.

— Pourquoi ?

— Je ne suis pas très douée pour l'introspection. Les cours de philo m'agaçaient : toutes ces questions sans réponse… La physique, la chimie, je comprenais. Ces matières me réconfortaient parce qu'elles enseignaient des principes reproductibles et logiques.

Maura s'interrompit pour suivre des yeux une jeune femme sur patins à roulettes promenant un bébé dans une voiture d'enfant.

— Je n'aime pas l'inexplicable.

— Oui, je sais, dit le prêtre. Vous voulez toujours que vos équations mathématiques soient résolues. Voilà pourquoi le meurtre de cette femme vous tourmente.

— C'est une question sans réponse. Tout ce que je déteste.

Elle s'assit sur un banc de bois, face à la rivière. Le jour déclinait, l'eau coulait noire dans l'ombre qui s'épaississait. Il s'assit lui aussi. Leurs corps ne se touchaient pas, mais elle avait tellement conscience de la proximité de Daniel qu'elle pouvait presque sentir sa chaleur sur son bras nu.

— L'inspecteur Rizzoli vous a donné de nouveaux éléments sur l'affaire ?

— Elle ne me tient pas spécialement au courant.

— Vous espériez qu'elle le ferait ?

— Comme flic, non.

— Et comme amie ?

— Justement, je pensais que nous étions amies. Mais elle me dit si peu de choses…

— Vous ne pouvez pas le lui reprocher. On a retrouvé la victime devant chez vous. Elle doit se demander…

— Quoi ? Si je suis suspecte ?

— Si vous étiez visée, plutôt. C'est ce que nous avons tous pensé, ce soir-là. Que c'était vous, dans cette voiture.

Il contempla l'autre rive et poursuivit :

— Vous dites que vous ne pouvez pas vous empêcher de penser à l'autopsie. Moi, je repense sans cesse au moment où j'étais dans votre rue, avec toutes ces voitures de police. Je n'arrivais pas à y croire. Je *refusais* d'y croire.

Ils gardèrent le silence. Devant eux coulait un flot d'eau sombre, derrière eux un flot de voitures.

— Vous voulez dîner avec moi ce soir ? demanda-t-elle tout à trac.

Il ne répondit pas tout de suite et son hésitation la fit rougir de confusion. Quelle question idiote ! Elle aurait voulu pouvoir la retirer, effacer cet instant d'égarement. Elle aurait tellement mieux fait de dire simplement au revoir et de se lever. Mais non, elle avait lâché cette invitation irréfléchie, dont ils savaient tous deux qu'il ne pouvait l'accepter.

— Je suis désolée, murmura-t-elle. Ce n'était pas vraiment une bonne…

— Oui, répondit-il. Avec grand plaisir.

Elle coupait des tomates dans la cuisine, la main crispée sur le couteau. Sur la cuisinière mijotait un coq au vin d'où s'échappaient des bouffées de vapeur parfumées au pinot noir. Un plat facile, familier, qu'elle pouvait préparer sans consulter un livre de recettes, sans avoir à réfléchir. Elle n'était pas en état de faire de la cuisine compliquée ; son esprit était totalement accaparé par l'homme qui était en train de remplir deux verres de vin. Il en posa un près d'elle, sur le comptoir, et demanda :

— Qu'est-ce que je peux faire d'autre ?

— Rien du tout.

— Laver la laitue ? L'assaisonner ?

— Je ne vous ai pas invité pour vous faire travailler. J'ai simplement pensé que vous préféreriez manger ici plutôt qu'au restaurant, devant tout le monde.

— Vous devez en avoir assez d'être toujours sous le regard du public, dit-il.

— Je pensais plutôt à vous.

— Même les prêtres mangent au restaurant, Maura.

— Non, je voulais dire…

Elle se sentit rougir, recommença à couper ses tomates.

— Les gens s'interrogeraient, je suppose, reprit-elle. S'ils nous voyaient ensemble.

Il l'observa un moment et on n'entendit dans la pièce que le grattement du couteau sur la planche à découper. Qu'est-ce qu'on fait d'un prêtre dans une cuisine ? s'interrogea Maura. On lui demande de bénir la nourriture ? Aucun autre homme ne la mettait aussi mal à l'aise. Elle se sentait humaine, imparfaite.

Quels sont tes défauts, Daniel ?

Elle fit glisser les tomates dans un saladier, versa dessus de l'huile d'olive et du vinaigre balsamique.

Ce col blanc te protège-t-il contre la tentation ?

— Laissez-moi au moins couper le concombre, proposa-t-il.

— Vous ne pouvez vraiment pas vous détendre, hein ?

— Je ne sais pas rester sans rien faire pendant que d'autres travaillent.

— Bienvenue au club ! fit Maura.

— Vous parlez du club des incurables drogués du boulot ? J'en suis un membre à temps plein.

Il tira un couteau du bloc en bois et se mit à débiter le concombre en tranches, libérant sa fraîche odeur d'été.

— J'ai eu cinq frères et une sœur. Ça vient sûrement de là.

— Sept enfants ! Vous étiez le numéro combien ?

— Le quatrième. Juste au milieu. Ce qui, selon les psychologues, fait de moi un médiateur-né. Celui qui essaie toujours de maintenir la paix.

Il leva les yeux vers elle avec un sourire, ajouta :

— J'ai aussi appris à prendre une douche en un temps record.

— Et comment ce quatrième enfant est-il devenu prêtre ?

Il reporta son regard sur la planche à découper.

— Comme vous vous en doutez, c'est une longue histoire.

— Dont vous n'avez pas envie de parler ?

— Mes raisons vous paraîtront sûrement illogiques.

— C'est curieux comme les décisions les plus importantes de notre vie sont généralement les moins logiques. La personne qu'on choisit d'épouser, par exemple.

Maura but une gorgée de vin, reposa son verre.

— Je n'invoquerais certainement pas la logique dans le cas de mon mariage, déclara-t-elle.

— Le désir, alors ?

— C'est le mot qui convient. Voilà comment j'ai commis la plus grosse bourde de ma vie. Enfin, jusqu'ici.

Et tu pourrais être la prochaine, Daniel.

Il fit glisser les rondelles de concombre dans le saladier, rinça le couteau. Maura le regarda, penché au-dessus de l'évier, lui tournant le dos. Il avait un corps long et mince de coureur de fond.

Pourquoi je me fourre là-dedans ? se demanda-t-elle. De tous les hommes que je croise, pourquoi faut-il que ce soit celui-là qui m'attire ?

— Vous vouliez savoir pourquoi je suis devenu prêtre…

Il se retourna vers elle.

— Ma sœur avait une leucémie.

Stupéfaite, Maura ne savait plus quoi dire. Rien ne semblait approprié.

— Sophie avait six ans, continua-t-il. C'était la petite dernière… et la seule fille.

Il prit un torchon pour s'essuyer les mains, le remit soigneusement en place, prenant son temps, comme s'il avait besoin de peser ses mots.

— Une lymphocytose aiguë. La bonne leucémie, si on peut dire.

— Celle pour laquelle le pronostic est le meilleur, chez les enfants. Quatre-vingts pour cent de taux de survie.

Un commentaire juste, mais que Maura regretta aussitôt. Le Dr Isles répondant à la tragédie avec sa logique habituelle, statistiques sans cœur. C'était sa façon de réagir aux émotions confuses de ceux qui l'entouraient, en se réfugiant dans son rôle de scientifique. Un ami mourait d'un cancer du poumon ? Un parent restait paralysé après un accident de voiture ? Pour chaque drame, elle pouvait citer une statistique, tirer un réconfort de la froide certitude des chiffres. De la conviction que, derrière toute horreur, il y avait une explication.

Elle se demanda si Daniel la trouvait indifférente, voire cruelle, mais il ne semblait pas choqué. Il se contenta de hocher la tête, acceptant ce pourcentage dans le même esprit qu'elle l'avait avancé : comme un simple fait.

— Les taux de survie n'étaient pas aussi bons, à l'époque, dit-il. Le temps qu'on fasse le diagnostic, l'état de Sophie était devenu très grave. Nous étions tous anéantis. Ma mère, surtout. Sa seule fille. Son bébé. J'avais quatorze ans, alors, et j'étais celui de ses frères qui s'occupait le plus d'elle. Malgré toute l'attention dont nous l'entourions – elle était choyée, vraiment –, elle ne se conduisait jamais en enfant gâtée. Elle n'a jamais cessé d'être la plus adorable petite fille qu'on puisse imaginer.

Il gardait le regard rivé au sol, comme pour cacher la profondeur de sa souffrance.

— Daniel ?

Il prit une longue inspiration, se redressa.

— Je ne sais pas comment raconter cette histoire à une sceptique endurcie comme vous.

— Que s'est-il passé ?

— Son médecin nous a annoncé qu'elle était en phase terminale. En ce temps-là, quand un toubib donnait son avis, on l'acceptait comme parole d'évangile. Le soir, mes parents et mes frères sont allés à l'église. Prier pour un miracle. Moi, je suis resté à l'hôpital afin que Sophie ne soit pas seule. La chimio lui avait fait perdre tous ses cheveux. Je me souviens qu'elle s'était endormie sur mes genoux. Et j'ai prié. Pendant des heures. J'ai fait toutes sortes de promesses insensées à Dieu… Si Sophie était morte, je crois que je n'aurais jamais remis les pieds dans une église.

— Mais elle a survécu, dit Maura à voix basse.

Il la regarda, sourit.

— Oui, elle a survécu. Et j'ai tenu toutes les promesses que j'avais faites. Sans exception. Parce que, ce jour-là, Il m'avait écouté. Je n'en doute absolument pas.

— Qu'est devenue Sophie ?

— Elle est mariée, heureuse, elle vit à Manchester. Deux enfants adoptés.

Il s'assit en face de Maura à la table de cuisine.

— Et me voilà.

— Le père Brophy.

— Maintenant, vous savez pourquoi j'ai fait ce choix.

« Était-ce le bon ? » voulut-elle demander mais elle s'en abstint.

Il remplit leurs verres. Elle coupa des tranches d'un pain français croustillant, remua la salade. Servit un coq au vin fumant. S'attacher le cœur d'un homme en passant par son estomac. Était-ce ce qu'elle était en train de faire ? Était-ce vraiment ce qu'elle voulait ? Le cœur de Daniel Brophy ?

C'est peut-être parce que je ne peux pas l'avoir que je m'autorise à le désirer. Il est hors de portée, il ne peut donc pas me faire du mal. Contrairement à Victor.

Mais lorsqu'elle avait épousé Victor, elle était loin de penser qu'il la ferait souffrir un jour.

Ils venaient de finir leur repas quand la sonnette de la porte d'entrée les fit tous deux sursauter. Ils échangèrent un coup d'œil embarrassé, comme des amants coupables surpris en train de faire l'amour.

Jane Rizzoli se tenait sous le porche, ses boucles brunes formant une masse indisciplinée dans l'air moite. Malgré la chaleur, elle était vêtue d'un de ces tailleurs-pantalons qu'elle portait toujours au travail. Ce n'est pas une visite amicale, pensa Maura en croisant son regard sombre. Elle remarqua que Rizzoli tenait un porte-documents.

— Pardon de te déranger chez toi, toubib, mais il faut qu'on parle. J'ai pensé que ce serait mieux de te voir ici qu'à ton bureau.

— C'est au sujet de l'affaire ?

Rizzoli acquiesça d'un signe de tête. Inutile de préciser : elles savaient toutes deux de quoi il s'agissait. Si elles s'estimaient sur le plan professionnel, elles n'avaient pas encore franchi la ligne qui mène à une amitié confortable, et ce soir elles s'observaient avec une certaine gêne. Il est arrivé quelque chose, se dit Maura. Quelque chose qui la rend méfiante à mon égard.

— Entre, je t'en prie.

Rizzoli fit un pas dans la maison, s'arrêta en sentant les bonnes odeurs de cuisine.

— J'interromps ton dîner ?

— Non, nous venons de finir.

Le « nous » n'échappa pas à Rizzoli et elle gratifia Maura d'un regard interrogateur. Entendant un bruit de pas, elle se retourna pour voir Daniel traverser le couloir, des verres à la main.

— Bonsoir, inspecteur !

— Père Brophy…

Il disparut dans la cuisine et elle revint à Maura. De toute évidence, la présence du prêtre lui donnait à penser.

Oui, ça donne à penser mais il ne s'est rien passé. Un simple dîner, une conversation amicale. Pourquoi me regardes-tu comme ça ?

— Bon, fit Rizzoli.

Un « bon » lourd de sens. Elles entendirent des couverts et des plats tinter : Daniel chargeait le lave-vaisselle.

Un prêtre comme chez lui dans ma cuisine…

— J'aimerais te parler. Seule à seule, dit Rizzoli.

— C'est indispensable ? Le père Brophy est mon ami.

— Ce sera déjà assez difficile comme ça, toubib.

— Je ne peux pas lui demander de partir. Ce ne…

Maura se tut en entendant Daniel sortir de la cuisine.

— Il faut que j'y aille, dit-il.

Il baissa les yeux vers le porte-documents de l'inspecteur et ajouta :

— Apparemment, vous avez à discuter boulot.

— En effet, confirma Rizzoli.

Il sourit à Maura.

— Merci pour le dîner.

— Attendez, Daniel…

Elle sortit avec lui, referma la porte derrière eux.

— Vous n'êtes pas obligé de partir.

— Elle veut vous parler seule à seule.

— Je suis navrée.

— Pourquoi ? Nous avons passé une charmante soirée.

— J'ai l'impression de vous chasser de chez moi.

Il lui pressa le bras d'un geste chaleureux et rassurant.

— N'hésitez pas à m'appeler si vous éprouvez à nouveau le besoin de parler. Quelle que soit l'heure.

Elle le regarda marcher vers sa voiture, son costume noir se fondant dans la nuit d'été. Quand il se retourna pour lui faire signe, elle ne distingua que son col, tache blanche dans l'obscurité.

En rentrant, Maura trouva Rizzoli dans le couloir en train de l'observer. De se poser des questions sur Daniel, bien sûr. Elle n'était pas aveugle, elle avait remarqué qu'il se nouait entre eux autre chose que de l'amitié.

— Tu veux boire quelque chose ? proposa Maura.

— Avec plaisir, mais pas d'alcool, répondit Rizzoli en se tapotant le ventre. Junior est encore trop jeune pour picoler.

Maura se força à jouer l'hôtesse accomplie. Dans la cuisine, elle versa deux jus d'orange, ajoutant un trait de vodka pour elle. En se retournant, elle vit Rizzoli tirer un classeur de son porte-documents et le poser sur la table de la cuisine.

— Qu'est-ce que c'est ?

— Si on s'asseyait d'abord, toubib ? Ce que j'ai à te dire pourrait te remuer.

Maura se laissa tomber sur une chaise, Rizzoli l'imita. Elles se faisaient face par-dessus le classeur. La boîte de Pandore, pensa Maura. Il vaudrait peut-être mieux que je ne sache pas ce qu'il y a dedans.

— Tu te rappelles ce que je t'ai dit la semaine dernière sur Anna Jessop ? Nous n'avons retrouvé aucune trace d'elle antérieure à six mois et la seule adresse que nous ayons est un appartement vide.

— Oui, vous l'avez qualifiée de fantôme.

— En un sens, c'est vrai. Anna Jessop n'existe pas vraiment.

— Comment est-ce possible ?

— Il n'y a jamais eu d'Anna Jessop, c'était un faux nom. En réalité, elle s'appelait Anna Leoni. Il y a six mois environ, elle a fermé tous ses comptes et pris une nouvelle identité. Elle a loué à Brighton un appartement où elle n'avait pas l'intention de vivre. Une fausse piste, au cas où quelqu'un aurait réussi à apprendre son nouveau nom. Puis elle s'est installée dans le Maine. Une petite ville sur la côte. C'est là qu'elle a vécu ces deux derniers mois.

— Comment avez-vous appris tout ça ?

— Par le flic qui l'a aidée.

— Un flic ?

— L'inspecteur Ballard, de Newton.

— Ce pseudonyme… ce n'était donc pas pour échapper à la police ?

— Non. Tu devineras facilement ce qu'elle fuyait. Toujours la même histoire.

— Un homme ?

— Un homme très riche, malheureusement. Le Dr Charles Cassell.

— Connais pas.

— Castle, les produits pharmaceutiques. Il a fondé l'entreprise. Anna y faisait de la recherche. Ils ont eu une liaison, mais au bout de trois ans elle a voulu le quitter.

— Et il ne l'a pas laissée faire.

— Le Dr Cassell est le genre de type qu'on ne plaque pas comme ça. Un soir elle a fini aux urgences de Newton avec un œil au beurre noir. Et puis c'est devenu plus grave. Filatures. Menaces de mort. Jusqu'au cadavre d'un canari dans sa boîte aux lettres.

— Mon Dieu !

— Ouais, le grand amour. Quelquefois, la seule façon d'empêcher un homme de vous faire du mal, c'est de lui tirer dessus… ou de s'enfuir. Elle serait peut-être encore en vie si elle avait opté pour la première solution.

— Il l'a retrouvée ?

— À nous de le prouver. Nous n'avons pas encore interrogé le Dr Cassell. Comme par hasard, il a quitté Boston le lendemain du meurtre. Il était en voyage d'affaires toute la semaine dernière et il ne rentre que demain.

Rizzoli porta le jus d'orange à ses lèvres et le tintement des glaçons irrita Maura. L'inspecteur reposa son verre, garda un moment le silence.

Elle gagne du temps… mais pourquoi ? se demanda Maura.

— Il y a autre chose que tu dois savoir, reprit enfin Rizzoli en montrant le classeur posé sur la table. Jette un œil là-dessus.

Maura ouvrit le classeur, découvrit la photocopie en couleurs d'une photo format portefeuille. Une petite fille aux cheveux noirs et au regard sérieux se tenait entre un homme et une femme âgés dont les bras l'entouraient.

— Ça pourrait être moi, murmura-t-elle.

— Anna avait cette photo dans son sac. Nous pensons que c'est elle à dix ans environ, avec ses parents, Ruth et William Leoni. Ils sont morts tous les deux, maintenant.

— Ce sont ses parents ?

— Oui.

— Mais… ils sont vieux.

— Effectivement. La mère, Ruth, avait soixante-deux ans quand cette photo a été prise.

Après une pause, Rizzoli précisa :

— Anna était leur seul enfant.

Un enfant unique. Des parents âgés.

Je sais où cela mène et j'ai peur de ce que Rizzoli s'apprête à me dire, pensa Maura. Voilà la vraie raison de sa visite. Il ne s'agit pas seulement d'Anna Leoni et de son amant brutal…

Elle leva les yeux vers Rizzoli.

— Anna a été adoptée ?

— Mme Leoni avait cinquante-deux ans l'année où Anna est née.

— Trop âgée pour la plupart des organismes d'adoption, non ?

— Le couple a probablement arrangé une adoption privée par l'intermédiaire d'un avocat.

Maura songea à ses propres parents, décédés à présent. Eux non plus n'étaient plus tout jeunes à l'époque, la quarantaine.

— Que sais-tu de ton adoption, toubib ?

Maura prit une inspiration.

— Après la mort de mon père, j'ai retrouvé les papiers. Tout avait été réglé par un avocat de Boston. Je l'ai appelé il y a quelques années pour voir s'il acceptait de me révéler le nom de ma mère.

— Il l'a fait ?

— Il a prétendu que mon dossier n'était pas consultable. Il a refusé de me fournir la moindre information.

— Tu n'as pas insisté ?

— Non.

— Cet avocat s'appelait Terence Van Gates ?

Maura garda le silence un instant. Inutile de donner la réponse, elle savait que Rizzoli pouvait la lire dans ses yeux stupéfaits.

— Comment le sais-tu ?

— Deux jours avant sa mort, Anna est descendue à l'hôtel Tremont, ici, à Boston. Elle a passé deux coups de fil de sa chambre. L'un à l'inspecteur Ballard, qui était alors en déplacement, l'autre au cabinet de Van Gates. J'ignore pourquoi elle a pris contact avec lui, il ne m'a pas encore rappelée.

Voici maintenant la révélation, pensa Maura. La vraie raison de sa présence ici ce soir, dans ma cuisine.

— Nous savons qu'Anna Leoni a été adoptée. Elle a le même groupe sanguin que toi, la même date de naissance. Et juste avant sa mort, elle a parlé à Van Gates, l'avocat qui s'est occupé de *ton* adoption. Impressionnante série de coïncidences.

— Depuis combien de temps sais-tu tout ça ?

— Quelques jours.

— Et tu ne m'as rien dit !

— Je ne voulais pas te causer un choc si ce n'était pas indispensable.

— Choquée, je le suis, mais que tu aies attendu aussi longtemps me…

— Je n'ai pas pu faire autrement, il me manquait un élément.

Rizzoli marqua une pause. Puis :

— Cet après-midi, j'ai eu une conversation avec le Dr DeGroot, au labo ADN. Quelques jours plus tôt, je l'avais chargé de procéder à l'analyse que tu avais demandée. Il m'a montré les autoradiographies qu'il a obtenues. Il a établi deux empreintes génétiques en fonction du nombre variable de répétitions en tandem. L'une pour Anna Leoni, l'autre pour toi.

Maura se prépara au coup qu'elle allait recevoir.

— Elles correspondent. Les deux profils génétiques sont identiques.

7

La pendule accrochée au mur de la cuisine tictaquait. Les glaçons fondaient lentement dans les verres sur la table. Le temps s'écoulait mais Maura se sentait prise au piège dans cet instant, incapable de s'échapper, les paroles de Rizzoli repassant en boucle dans sa tête.

— Je suis désolée, dit celle-ci. Je ne voyais pas d'autre façon de te l'apprendre. J'ai pensé que tu devais savoir que tu as…

Elle s'interrompit.

Que j'avais, rectifia intérieurement Maura. J'avais une sœur et je ne savais même pas qu'elle existait…

Rizzoli tendit le bras par-dessus la table et prit la main de Maura. Cela ne lui ressemblait pas, elle n'était pas du genre à materner les gens. Pourtant, elle pressait sa main et regardait Maura comme si elle s'attendait à la voir s'effondrer.

— Parle-moi d'elle, fit Maura à voix basse. Dis-moi quelle femme c'était.

— Tu devrais plutôt demander à Ballard.

— À qui ?

— Rick Ballard. Il est de Newton. Il s'est occupé du cas d'Anna quand le Dr Cassell l'a frappée. Je crois qu'il a fini par la connaître assez bien.

— Qu'est-ce qu'il a dit d'elle ?

— Elle a grandi à Concord. Elle s'est mariée à vingt-cinq ans, mais le couple n'a pas tenu. Ils ont divorcé par consentement mutuel, il n'y avait pas de gosses.

— Son ex est suspect ?

— Non, il est remarié, il vit à Londres.

Une divorcée, comme moi. Est-ce qu'il y a un gène qui prédispose aux mariages ratés ?

— Comme je te l'ai dit, elle travaillait pour la firme de Charles Cassell, Castle Pharmaceuticals. Elle était microbiologiste dans leur département recherche.

— Une scientifique…

— Ouais.

Comme moi, pensa Maura en scrutant la photo de sa sœur. Je sais donc qu'elle attachait comme moi une grande importance à la raison et à la logique. Les scientifiques sont gouvernés par l'intellect. On se serait très bien entendues.

— Ça fait beaucoup à encaisser d'un coup, j'imagine, observa Rizzoli. J'essaie de me mettre à ta place. C'est comme si tu découvrais un univers parallèle où aurait vécu une autre version de toi. Apprendre qu'elle était là, tout près, dans cette même ville. Si seulement…

Elle s'interrompit.

Y a-t-il une formule plus vaine que « si seulement » ?

— Je suis désolée.

Maura se redressa pour indiquer qu'elle n'avait pas besoin qu'on lui tienne la main. Qu'elle était capable de faire face. Elle referma le classeur et le tendit à Rizzoli.

— Merci, Jane.

— Non, garde-le. C'est pour toi que j'ai fait cette photocopie.

Les deux femmes se levèrent. Rizzoli tira de sa poche une carte de visite qu'elle plaça sur la table.

— Je te laisse ça aussi. Il a dit que tu pouvais l'appeler pour lui poser toutes les questions que tu voudrais.

Maura se pencha, lut la carte : *RICHARD D. BALLARD, Inspecteur de la police de Newton.*

— C'est à lui que tu devrais t'adresser, répéta Rizzoli.

Maura la raccompagna en s'efforçant de maîtriser son émotion, continuant à jouer son rôle de parfaite hôtesse. Elle resta assez longtemps sous le porche pour adresser un signe d'au revoir à Rizzoli, puis referma la porte et alla dans le séjour. Elle écouta la voiture s'éloigner en laissant derrière elle le silence d'une rue de banlieue résidentielle.

Seule. Je me retrouve de nouveau seule.

Sur une étagère, elle prit un vieil album de photos qu'elle n'avait pas regardé depuis des années, depuis la mort de son père, quand elle avait mis de l'ordre dans la maison paternelle, quelques semaines après l'enterrement. Elle avait trouvé l'album sur sa table de chevet et l'avait imaginé dans son lit, le dernier soir de sa vie, seul dans cette grande bâtisse, regardant les photos de sa fille toute jeune. Les dernières images qu'il avait contemplées avant d'éteindre la lumière étaient celles de visages heureux.

Maura ouvrit l'album et les regarda, ces visages. Les pages étaient cassantes, certaines des photos avaient presque quarante ans. Elle s'attarda sur celle de sa mère souriant à l'objectif, un bébé aux cheveux noirs dans les bras. À l'arrière-plan, une façade dont Maura n'avait aucun souvenir, de style victorien avec des fenêtres en saillie. Sous la photo, Ginny, sa mère, avait noté, de son écriture nette : *L'arrivée de Maura à la maison.*

Pas de photos prises à la maternité, ni de la mère enceinte. Rien que cette image de Ginny au soleil, tenant son bébé tout fait. Maura songea à un autre bébé aux cheveux noirs dans les bras d'une autre mère. Le même jour, peut-être, un père plein de fierté avait pris dans une autre ville la photo de sa fille. Prénommée Anna.

Elle tourna les pages, se vit grandir, devenir une fillette. Ici sur une bicyclette neuve, maintenue en équilibre par la main de son père. Là pour son premier récital de piano, les cheveux retenus par un ruban vert, les doigts sur le clavier.

Elle alla à la dernière page. Noël. Elle à sept ou huit ans, flanquée de ses parents aux bras enlacés en une étreinte pleine d'amour. Derrière eux, un sapin étincelant de décorations. Tout le monde souriait.

Un moment de bonheur parfait, songea Maura. Mais ils ne durent jamais ; ils arrivent puis ils passent, et on ne les retrouve jamais. On ne peut qu'en créer de nouveaux.

Elle referma l'album. Il y en avait d'autres, bien sûr, au moins quatre, chaque volume racontant une tranche de son histoire, chaque événement immortalisé et archivé par ses parents. Mais c'était celui-là que son père gardait près de son lit, celui des photos de sa fille bébé, de Ginny et lui en parents pleins d'énergie, avant que leurs cheveux blanchissent. Avant que le chagrin et la mort de Ginny attristent leurs vies. Maura contemplait le visage de ses parents en songeant : Quelle chance que vous m'ayez choisie ! Vous me manquez. Vous me manquez tellement, tous les deux !

Elle fixa à travers ses larmes la reliure en cuir de l'album.

Si seulement vous étiez là ! Si seulement vous pouviez me dire qui je suis vraiment !

Elle retourna à la cuisine et prit la carte que Rizzoli avait laissée sur la table. Le numéro de téléphone de Rick Ballard à la police de Newton était imprimé au recto. Au verso, il avait ajouté celui de son domicile, avec ces mots : *Appelez-moi quand vous voulez. De jour comme de nuit. R. B.*

Maura décrocha le combiné et composa le numéro. À la troisième sonnerie, une voix annonça « Ballard ». Rien que ce nom, prononcé d'un ton net et clair, efficace.

Celui d'un homme qui va droit au but, se dit-elle. Il ne sera pas ravi de recevoir un coup de téléphone d'une femme en plein effondrement émotionnel.

Elle entendit en fond sonore un spot publicitaire : Ballard se détendait chez lui en regardant la télévision, il n'avait certainement pas envie d'être dérangé.

— Allô ? dit-il, avec une trace d'irritation, à présent.

Elle s'éclaircit la voix.

— Je m'excuse de vous appeler chez vous. L'inspecteur Rizzoli m'a remis votre carte, je suis Maura Isles et je…

Et je quoi ? Je veux que vous m'aidiez à venir à bout de cette nuit ?

— Je m'attendais à votre coup de fil, docteur Isles.

— Je sais que je vous dérange, mais…

— Pas du tout. Vous devez avoir beaucoup de questions à poser.

— Je traverse un moment très difficile. J'ignorais que j'avais une sœur et d'un seul coup…

— Tout est changé pour vous, n'est-ce pas ?

La voix, brusque l'instant d'avant, était devenue si compatissante que Maura en eut les larmes aux yeux.

— Oui, murmura-t-elle.

— Si vous voulez qu'on en parle, on peut se voir la semaine prochaine, n'importe quel jour. Même le soir, si vous préférez.

— Ce soir, ce n'est pas possible ?

— Ma fille est chez moi, je ne peux pas bouger.

Bien sûr, il a une famille, pensa-t-elle. Avec un rire embarrassé, elle répondit :

— Excusez-moi, je n'avais pas réfléchi…

— Pourquoi ne viendriez-vous pas ?

Elle marqua une pause, son pouls lui martelant les tympans, puis demanda :

— Où habitez-vous ?

Il habitait à Newton, une banlieue aisée à l'ouest de Boston, à un peu plus de dix kilomètres de chez elle. La maison de Ballard était comme toutes les autres dans cette rue paisible, sans originalité mais bien entretenue, un cube de plus dans un quartier où aucun bâtiment ne se distinguait des autres. Depuis le porche, elle aperçut la lueur bleutée d'un téléviseur et entendit les pulsations d'un air pop. MTV : pas du tout l'idée que Maura se faisait de ce que regarde un flic.

Elle sonna. La porte s'ouvrit sur une adolescente blonde en jean déchiré et tee-shirt dénudant le nombril. Tenue provocatrice pour une gamine qui ne devait pas avoir plus de quatorze ans, à en juger par ses hanches étroites et ses seins à peine formés. Sans un mot, elle dévisageait Maura d'un air renfrogné, comme pour barrer l'entrée à cette intruse.

— Bonsoir, je suis Maura Isles, je voudrais voir l'inspecteur Ballard.

— Mon père vous attend ?

— Oui.

— Katie, c'est pour moi, fit une voix d'homme.

— Je pensais que c'était maman. Elle devrait être là, à cette heure-ci.

Ballard apparut dans l'entrée, sa fille paraissant toute petite à côté de lui. Maura avait du mal à croire que cet homme, avec sa coupe de cheveux classique et sa chemise Oxford bien repassée, puisse être le père d'une punk à peine pubère. Il tendit la main et serra celle de Maura d'une poigne énergique.

— Rick Ballard. Entrez, docteur Isles.

Tandis que Maura s'avançait dans le hall, la fille retourna dans le séjour, s'affala devant la télé.

— Katie, tu pourrais au moins dire bonsoir…

— Je vais rater mon programme.

— Tu peux quand même prendre deux secondes pour être polie, non ?

Katie soupira, adressa à la visiteuse un hochement de tête réticent.

— Salut, marmonna-t-elle avant de reporter son regard sur le poste.

Ballard considéra un moment sa fille, semblant se demander s'il fallait laisser courir ou la contraindre à un minimum de courtoisie.

— Baisse le son, dit-il enfin. Le Dr Isles et moi avons besoin de parler.

L'adolescente saisit la télécommande, la braqua comme une arme sur le téléviseur. Le volume du son baissa à peine.

Ballard se tourna vers Maura.

— Vous voulez un café ? Un thé ?

— Non, merci.

— Vous voulez simplement que je vous parle d'Anna, constata-t-il.

— Oui.

— J'ai une copie de son dossier dans mon bureau.

Si le bureau reflète l'homme, Rick Ballard était aussi solide et sûr que le meuble en chêne qui trônait dans la pièce. Au lieu de s'installer derrière, il indiqua le canapé à Maura et s'assit en face d'elle dans un fauteuil. Aucune barrière entre eux, juste une table basse sur laquelle était posé un dossier. À travers la porte fermée, ils entendaient encore les basses démentes de MTV.

— Pardon pour la grossièreté de ma fille. Katie connaît une période difficile et je ne sais pas trop comment la prendre. Avec les truands, je me débrouille, mais avec les filles de quatorze ans…

Il eut un rire sans joie.

— J'espère que ma visite n'aggrave pas les choses, dit Maura.

— Ça n'a rien à voir avec vous, croyez-moi. Notre famille passe par une phase pénible, en ce moment. Ma femme et moi nous sommes séparés l'année dernière, et Katie refuse de l'accepter. C'est la source de beaucoup de disputes, de beaucoup de tension…

— J'en suis désolée.

— Un divorce n'est jamais agréable.

— Je suis bien placée pour le savoir…

— Mais vous vous en êtes remise.

Elle songea à Victor, qui avait récemment refait irruption dans sa vie. Et qui, brièvement, l'avait convaincue d'envisager une réconciliation.

— Je ne suis pas sûre qu'on puisse s'en remettre. La personne avec qui on a été marié reste à jamais une partie de notre vie, bonne ou mauvaise. La solution, c'est de se souvenir des bons moments.

— Pas si facile, quelquefois.

Ils gardèrent un moment le silence, assaillis par les pulsations horripilantes du défi adolescent. Puis Ballard se redressa et posa les yeux sur Maura. C'était un regard dont elle ne pouvait se détourner, un regard disant qu'elle était l'unique objet de son attention.

— Vous êtes donc venue pour en savoir plus sur Anna.

— Oui. D'après l'inspecteur Rizzoli, vous la connaissiez. Vous avez tenté de la protéger.

— Je n'ai pas été très efficace, se reprocha-t-il à voix basse.

Elle décela un éclair de souffrance dans son regard avant qu'il baisse les yeux vers le dossier. Il le prit, le lui tendit.

— Ce n'est pas très agréable à regarder, je vous préviens.

Maura ouvrit le dossier, découvrit une photo d'Anna Leoni adossée à un mur blanc et nu, vêtue d'une blouse d'hôpital en papier. Une joue violacée, un œil tuméfié, presque fermé. L'œil intact fixait l'objectif avec une expression abasourdie.

— Elle était comme ça quand je l'ai vue pour la première fois, dit Ballard. Cette photo a été prise aux urgences l'année dernière. Anna venait de quitter Cassell pour s'installer ici, à Newton. Il a sonné à sa porte un soir et a tenté de la convaincre de revenir à Marblehead. Elle lui a ordonné de partir. Or, on ne donne pas d'ordres à Charles Cassell. Voilà ce qui est arrivé.

Entendant de la colère dans la voix du policier, Maura leva les yeux. Remarqua qu'il avait les lèvres pincées.

— Elle a porté plainte, si j'ai bien compris.

— Bon sang, oui. Je lui ai expliqué ce qu'il fallait faire, je l'ai soutenue à chaque pas. Un homme qui tabasse une femme ne comprend qu'une chose : la sanction. Je voulais être sûr que Cassell paie pour ce qu'il avait fait. Je m'occupe souvent de violences conjugales et de tels actes me mettent toujours en rage. C'est comme un déclic qui se fait en moi, je ne pense plus qu'à agrafer le gars. C'est ce que j'ai essayé de faire avec Charles Cassell.

— Que s'est-il passé ?

Ballard secoua la tête d'un air écœuré.

— Il n'a passé qu'une seule nuit en cellule. Quand on a de l'argent, on peut acheter à peu près tout. J'espérais au moins que ce serait fini, qu'il la laisserait tranquille. Mais Cassell n'a pas l'habitude de perdre. Il a continué à téléphoner à Anna, à sonner à sa porte. Elle a déménagé deux fois ; il l'a retrouvée. Finalement, elle a obtenu une injonction de la cour interdisant à Cassell de l'approcher ; ça ne l'a pas empêché de passer devant chez elle en voiture. Et puis, il y a six mois, les menaces ont commencé…

— Des menaces ?

Il indiqua le dossier de la tête.

— Elle a trouvé ça sous sa porte un matin.

Maura passa à la page suivante du classeur, une feuille photocopiée portant en son centre trois mots dactylographiés : *TU ES MORTE.*

Un frisson de peur parcourut le dos de Maura. Elle s'imagina, un matin, ouvrant sa porte pour prendre le journal et découvrant cette feuille de papier blanc par terre…

— Ce n'était que la première. Il y en a eu d'autres.

Maura passa à la feuille suivante : *TU ES MORTE.*

Puis à la troisième, à la quatrième : *TU ES MORTE*, *TU ES MORTE.*

La gorge sèche, elle regarda Ballard.

— Elle ne pouvait rien faire pour l'arrêter ?

— On n'a jamais pu prouver que c'était lui qui les avait écrites. Tout comme on n'a pas pu prouver qu'il avait rayé la voiture et cassé les vitres. Et puis un jour, dans sa boîte aux lettres, Anna a trouvé un canari au cou brisé. C'est à ce moment-là qu'elle a décidé de quitter Boston. De disparaître.

— Et vous l'avez aidée.

— Je n'ai jamais cessé de le faire. C'est moi qu'elle appelait chaque fois que Cassell la harcelait. Je l'ai aidée à obtenir cette injonction. Quand elle a décidé de quitter la ville, je lui ai donné un coup de main. Ce n'est pas facile de disparaître, surtout quand celui qui vous traque dispose des moyens de Cassell. Non seulement elle a changé de nom mais elle s'est fabriqué une fausse adresse sous ce nom. Elle a loué un appartement dans lequel elle ne s'est jamais installée. Uniquement pour brouiller les pistes. Il faut ensuite aller vivre ailleurs et tout payer en liquide. C'est comme ça que ça marche.

— Il l'a quand même retrouvée...

— Je crois que c'est pour ça qu'elle est revenue à Boston. Elle savait qu'elle n'était plus en sécurité là-bas. Elle m'a téléphoné, la veille, vous êtes au courant ?

— Rizzoli l'a mentionné.

— Elle a laissé un message sur mon répondeur pour me dire qu'elle était à l'hôtel Tremont. J'étais parti voir ma sœur à Denver, je n'ai eu son message qu'en rentrant. À ce moment-là, Anna était morte.

Le regard de Ballard croisa celui de Maura.

— Cassell niera tout, bien sûr, poursuivit-il. Mais s'il a réussi à la suivre jusqu'à Fox Harbor, on trouvera quelqu'un qui l'a vu. C'est ce que j'ai l'intention de faire : prouver qu'il est allé là-bas. Dénicher un témoin qui se souviendra de lui.

— Mais elle n'a pas été assassinée dans le Maine. Elle a été tuée devant chez moi !

— Je ne sais pas en quoi vous êtes liée à cette histoire, docteur Isles, mais je pense que vous n'avez rien à voir avec la mort d'Anna.

Ils entendirent la sonnette de la porte d'entrée. Ballard ne bougea pas de son fauteuil, regardant toujours Maura avec une telle intensité qu'elle n'arrivait pas à détourner les yeux. Elle ne pouvait que lui rendre son regard en pensant : J'ai envie de le croire. Je ne supporte pas l'idée d'être responsable, d'une manière ou d'une autre, de la mort d'Anna.

— Je veux que Cassell aille en prison, déclara-t-il. Et je ferai tout ce qui est en mon pouvoir pour aider Rizzoli à le coincer. J'ai suivi cette affaire depuis le début, je savais comment elle finirait. Mais je n'ai rien pu faire. Je dois à Anna d'aller jusqu'au bout, maintenant.

Des éclats de voix furieux attirèrent soudain leur attention. Dans le séjour, MTV s'était tu et une femme criait :

— Mais qu'est-ce que tu crois ?

Ballard se leva.

— Excusez-moi, il faut que j'aille voir ce qui se passe.

Il sortit du bureau et elle l'entendit dire :

— Carmen, qu'est-ce qu'il y a ?

— Pose la question à ta fille, répliqua la femme.

— Maman, laisse tomber. Laisse tomber, putain !

— Explique à ton père ce qui est arrivé aujourd'hui. Vas-y, dis-lui ce qu'on a trouvé dans ton casier au collège.

— C'est pas si grave.

— Dis-lui, Katie.

— Tu fais des histoires pour pas grand-chose !

— Qu'est-ce qui s'est passé, Carmen ? demanda Ballard.

— Le proviseur m'a appelée ce matin, le collège a procédé à une inspection des casiers au hasard, et devine ce qu'on a trouvé dans celui de ta fille… un joint. Qu'est-ce que tu dis de ça ? Ses deux parents sont dans la police, et elle a de la drogue dans son casier ! Une chance qu'il nous laisse régler ça nous-mêmes. Imagine qu'il ait fait un rapport… Je me vois déjà en train d'arrêter ma propre fille !

— Bon Dieu…

— Rick, il faut qu'on se mette d'accord sur la façon de régler cette affaire.

Maura se leva du canapé et s'approcha de la porte sans trop savoir comment s'éclipser poliment. Elle ne voulait pas fourrer son nez dans les problèmes personnels de Ballard, et pourtant elle restait là à écouter une conversation qu'elle n'aurait pas dû entendre.

Je devrais simplement dire au revoir et m'en aller, pensa-t-elle.

Elle s'avança dans le hall, s'arrêta devant la porte du salon. La mère de Katie leva les yeux, étonnée de découvrir une visiteuse inattendue dans la maison. Si la mère donnait une idée de ce que Katie deviendrait un jour, l'adolescente boudeuse était destinée à se transformer en blonde sculpturale, d'une beauté saisissante. Presque aussi grande que Ballard, son ex-femme avait la minceur élancée d'une sportive. Les cheveux coiffés en une queue de cheval désinvolte, elle ne portait aucune trace de maquillage, mais il est vrai qu'une femme dotée de pommettes aussi remarquables n'en avait guère besoin.

— Excusez-moi de vous déranger, murmura Maura.

Ballard se tourna vers elle, eut un rire las.

— Vous ne nous voyez pas sous notre meilleur jour, j'en ai peur. Je vous présente Carmen, la mère de Katie. Le Dr Isles.

— Enchantée. Je dois y aller, maintenant, dit Maura.

— Mais nous n'avons pas eu le temps de parler…

— Une autre fois. Je vous rappellerai. Je comprends que vous ayez d'autres choses en tête. Bonsoir.

— Attendez, je vous raccompagne !

Lorsqu'ils furent sortis de la maison, Ballard poussa un soupir, comme s'il était soulagé d'échapper aux exigences de sa famille.

— Je suis désolée d'avoir fait intrusion dans votre vie privée.

— Et moi je suis désolé que vous ayez assisté à ça.

— Vous avez remarqué que nous n'arrêtons pas de nous présenter des excuses ?

— Vous n'avez pas à vous excuser, Maura.

Parvenus à la voiture, ils gardèrent un instant le silence.

— Je ne vous ai pas dit grand-chose sur votre sœur, remarqua Ballard.

— La prochaine fois, peut-être ?

— La prochaine fois, acquiesça-t-il.

Elle monta dans sa voiture, ferma la portière. Descendit la vitre lorsqu'elle le vit se pencher pour lui parler.

— Je vais vous dire une chose sur Anna…

— Oui ?

— Vous lui ressemblez tellement, c'est stupéfiant.

Elle ne pouvait chasser ces mots de son esprit tandis que, rentrée chez elle, elle étudiait la photo de la petite Anna Leoni avec ses parents.

Toutes ces années tu m'as manqué et je ne m'en suis jamais rendu compte, songeait-elle. Mais je devais le savoir : quelque part, je devais sentir l'absence de ma sœur.

« Vous lui ressemblez tellement, c'est stupéfiant. »

Oui, pensa-t-elle en effleurant la photo d'Anna. Moi aussi, j'en suis sidérée. Anna et elle avaient le même ADN, que partageaient-elles encore ? Anna avait elle aussi choisi une carrière scientifique, un métier gouverné par la raison et la logique. Elle aussi avait dû être brillante en mathématiques. Avait-elle, comme Maura, joué du piano ? Avait-elle aimé les livres, les vins australiens et la chaîne Histoire ?

Il y a tant de choses que je voudrais savoir sur toi !

Il était tard. Maura éteignit la lampe et alla se coucher.

8

Obscurité totale. Mal à la tête. Une odeur de bois, de terre humide… et d'autre chose, qui ne collait pas. Du chocolat. Ça sentait le chocolat.

Mattie Purvis ouvrit grands les yeux, mais elle aurait aussi bien pu les garder fermés, car elle n'y voyait rien. Pas un soupçon de lumière, pas une ombre se détachant dans l'obscurité.

Mon Dieu, je suis aveugle ?

Où suis-je ?

Elle n'était pas dans son lit. Elle était étendue sur une surface dure qui lui faisait mal au dos. Le plancher ? Non, ce n'était pas du bois encaustiqué qu'elle sentait sous elle, mais des planches grossières, poussiéreuses.

Si seulement le martèlement s'arrêtait dans sa tête…

Elle ferma les yeux, réprima un haut-le-cœur. Tenta, malgré la douleur, de se rappeler comment elle était arrivée dans cet endroit étrange et obscur où rien ne lui semblait familier. Dwayne, pensa-t-elle. On s'est disputés et je suis rentrée. Elle fit des efforts pour retrouver les fragments de temps perdus. Elle se souvint du courrier sur la table. De ses larmes tombant sur les enveloppes. Elle s'était levée brusquement, renversant sa chaise.

J'ai entendu un bruit. Je suis allée dans le garage. J'ai entendu un bruit, je suis allée dans le garage et…

Plus rien. Elle ne se souvenait plus de rien après ça.

Elle rouvrit les yeux : toujours l'obscurité.

Oh, ça, c'est mauvais, Mattie, c'est très, très mauvais. Tu as mal à la tête, tu as perdu la mémoire et tu es aveugle.

— Dwayne ? appela-t-elle.

Elle n'entendit que les battements de son pouls.

Il fallait qu'elle se lève. Qu'elle trouve de l'aide, un téléphone, au moins.

Elle roula sur son côté droit pour se redresser et se cogna le visage à un mur. Le choc la renvoya sur le dos, étourdie, un élancement dans le nez. Elle tendit le bras pour toucher le mur, sentit d'autres planches mal rabotées.

D'accord, je vais essayer de l'autre côté.

Elle se tourna vers la gauche… heurta une autre paroi.

Son cœur se mit à battre plus fort, plus vite. Allongée sur le dos, elle se disait : Des murs des deux côtés, ce n'est pas possible. Ce n'est pas réel.

Prenant appui sur le sol, elle se redressa… et se cogna le front. Retomba de nouveau sur le dos.

Non, non, non !

Prise de panique, elle battit des bras, sentit des planches dans toutes les directions. Elle griffa le bois, s'enfonça des échardes dans les doigts. Entendit des cris aigus mais ne reconnut pas sa propre voix. Partout des planches. Elle rua, donna des coups de reins et des coups de poing, sans rien voir, jusqu'à avoir les mains endolories et écorchées, les membres trop las pour bouger. Lentement, ses cris se transformèrent en sanglots. Puis firent place à un silence hébété.

Une caisse. Je suis enfermée dans une caisse.

Prenant une longue inspiration, elle inhala l'odeur de sa sueur, de sa peur. Elle sentit son bébé gigoter en elle, autre prisonnier enfermé dans un espace exigu, et se rappela les poupées russes dont sa grand-mère lui avait fait cadeau. Une poupée dans une poupée dans une poupée.

On va mourir ici. On va mourir ici tous les deux, mon bébé et moi.

Mattie refoula une autre vague de panique. Arrête. Arrête tout de suite. Réfléchis.

Elle tendit une main tremblante vers la droite, tâta les planches. Fit de même à gauche. Combien entre les deux parois ? Un mètre, environ, peut-être plus. Et combien en longueur ? Elle passa un bras derrière sa tête, estima l'espace à une trentaine de centimètres. Pas trop mal, dans cette direction. Ses doigts effleurèrent alors quelque chose de mou. Elle tira dessus, se rendit compte que c'était une couverture. En la déroulant, elle fit tomber un objet lourd sur le sol. Un cylindre métallique froid. Son cœur battit à nouveau follement, plus de panique, cette fois, mais d'espoir.

Une lampe électrique.

Mattie trouva l'interrupteur, le pressa. Poussa un soupir de soulagement quand un faisceau lumineux transperça l'obscurité. Je vois, je vois ! Le rayon glissa sur les murs de sa prison. Elle le braqua vers le haut, constata qu'elle avait assez de place pour s'asseoir si elle gardait la tête baissée.

Alourdie par son gros ventre, elle dut se trémousser pour se mettre en position assise. Elle découvrit alors seulement ce qui se trouvait à ses pieds : un seau en plastique et une cuvette. Deux grands brocs d'eau. Un sac d'épicerie. Elle se tortilla pour s'approcher du sac, regarda à l'intérieur.

Voilà pourquoi j'ai senti du chocolat. Des barres, du bœuf séché, des crackers. Et des piles : trois paquets de piles neuves.

Elle s'adossa à la paroi, s'entendit soudain rire. C'était un rire fou, effrayant, qui ne ressemblait pas au sien. Un rire de démente. C'est formidable. J'ai tout ce qu'il faut pour survivre…

Sauf de l'air.

Son rire mourut. Elle demeura sans bouger, écoutant le bruit de sa respiration. On inspire de l'oxygène, on rejette du gaz carbonique. Respirations purificatrices. Mais on finit par manquer d'oxygène. Dans une caisse, la quantité est forcément limitée. L'air ne sentait-il pas déjà le renfermé ? En plus, elle avait paniqué : tous ces mouvements affolés… Elle avait probablement déjà brûlé la majeure partie de son oxygène.

C'est alors que Mattie sentit le murmure dans ses cheveux. Elle leva les yeux, dirigea la torche juste au-dessus de sa tête, découvrit la grille circulaire. Elle ne mesurait que sept ou huit centimètres de diamètre, mais cela suffisait pour laisser entrer l'air frais de l'extérieur. Hébétée, elle fixait la grille.

Je suis enfermée dans une caisse, pensa-t-elle. J'ai de la nourriture, de l'eau et de l'air.

La personne qui l'avait mise là voulait la garder en vie.

9

Rick Ballard lui avait dit que le Dr Charles Cassell était riche, mais Jane Rizzoli ne s'attendait pas à ça. La propriété de Marblehead était ceinte d'un haut mur de brique et, entre les barreaux de la grille en fer forgé, Frost et elle apercevaient la maison, un vaste bâtiment de style « fédéral[1] » entouré d'un hectare au moins de pelouse émeraude. Au-delà miroitaient les eaux de la baie du Massachusetts.

— Ouah ! s'exclama Frost. Tout ça en vendant des médicaments ?

— Il a commencé en lançant sur le marché un produit amaigrissant, expliqua Rizzoli. En vingt ans, il a développé son entreprise, et voilà le résultat. D'après Ballard, c'est le genre de type qu'il vaut mieux ne pas contrarier… Et ne pas plaquer, quand on est une femme.

Elle baissa sa vitre, appuya sur le bouton de l'interphone. Une voix masculine craqueta dans le haut-parleur :

1. Introduit au XVIIIe siècle aux États-Unis et s'inspirant du style anglais des rois George. (*N.d.T.*)

— Votre nom, s'il vous plaît.

— Inspecteurs Rizzoli et Frost, police de Boston. Nous venons voir le Dr Cassell.

La grille s'ouvrit avec un bourdonnement et ils la franchirent, empruntèrent une allée sinueuse qui les amena devant un portique majestueux. Rizzoli se gara derrière une Ferrari rouge : jamais sans doute sa vieille Subaru ne se trouverait plus près de l'excellence en matière de voitures. La porte de la maison s'ouvrit avant qu'ils aient eu le temps de frapper et un homme de forte carrure apparut, l'expression ni amicale ni hostile. Malgré sa chemise polo et son Dockers beige, il n'y avait rien de décontracté dans la façon dont il les toisait. Il se présenta :

— Je suis Paul, le secrétaire du Dr Cassell.

— Inspecteur Rizzoli.

Elle tendit la main mais il ne lui accorda pas même un regard, comme si elle ne méritait pas son attention.

Il les fit entrer dans une maison qui se révéla tout à fait différente de ce à quoi Rizzoli s'attendait. Si l'extérieur était classique, elle trouva la décoration intérieure d'un modernisme dépouillé, voire froid : une galerie d'art abstrait aux murs blancs. Une sculpture en bronze aux courbes entrecroisées, vaguement sexuelles, dominait le hall.

— Le Dr Cassell est rentré de voyage hier soir, il ne se sent pas très bien à cause du décalage horaire, les avertit Paul. Si vous pouviez être brefs…

— Un voyage d'affaires ? s'enquit Frost.

— Oui. Prévu depuis un mois, au cas où vous vous poseriez la question.

Ce qui ne prouve rien, pensa Rizzoli. Cassell sait peut-être préparer ses coups longtemps à l'avance.

Le secrétaire les introduisit dans un living-room tout en noir et blanc, où seul un vase écarlate faisait contraste. Un téléviseur à écran plat occupait une grande partie d'un mur, près d'un cabinet en verre fumé contenant une panoplie informatique époustouflante. Une vraie baraque de célibataire, se dit Rizzoli. Pas une touche féminine, rien que des trucs de mec. Elle entendit de la musique, supposa qu'elle provenait d'un lecteur de CD. Des accords de piano jazz se mêlant dans une mélancolique descente de la gamme. Pas de mélodie, pas de chanson, rien que des notes se fondant en une lamentation sans paroles. La musique se fit plus forte quand Paul les conduisit à une double porte coulissante. Il l'ouvrit et annonça :

— La police est là, docteur Cassell.

— Merci.

— Vous avez besoin de moi ?

— Non, Paul. Vous pouvez nous laisser.

Rizzoli et Frost s'avancèrent dans la pièce, Paul referma la porte derrière eux. Il faisait si sombre qu'ils distinguaient à peine l'homme assis devant le piano à queue. Ainsi, ce n'était pas un CD qu'elle avait entendu. D'épais doubles rideaux masquaient la fenêtre, ne laissant passer qu'un rai de jour. Cassell alluma une lampe, un simple globe entouré de papier de riz japonais mais qui le fit quand même cligner des yeux. Un verre de ce qui ressemblait à du whisky était posé près de lui sur le piano. Cassell n'était pas rasé et avait les yeux injectés de sang : plus qu'à un requin de l'industrie pharmaceutique, il faisait penser à un homme trop désemparé pour se soucier de son apparence. Même dans cet état, il avait un visage d'une beauté saisissante, au regard si intense que Rizzoli eut l'impression qu'il pénétrait jusqu'au cœur de son cerveau. Elle ne s'attendait pas à un magnat de l'industrie de quarante-cinq, cinquante ans, assez jeune encore pour croire à son invincibilité.

— Docteur Cassell, je suis l'inspecteur Rizzoli, de la police de Boston. Et voici l'inspecteur Frost. Vous connaissez la raison de notre visite ?

— Il vous a tuyauté sur moi, c'est ça ?

— De qui parlez-vous ?

— De Ballard. Un vrai pit-bull, ce type.

— Nous sommes ici parce que vous connaissiez Anna Leoni. La victime.

Il tendit le bras vers son whisky. À en juger par son expression hagarde, ce n'était pas le premier de la journée.

— Laissez-moi vous dire une chose au sujet de Ballard, avant que vous n'avaliez tout ce qu'il raconte. Ce mec est un vrai connard.

Il but le reste de son verre en une seule gorgée. Rizzoli songea à Anna Leoni, à son visage tuméfié.

Le vrai connard, je sais qui c'est.

Cassell reposa son verre vide.

— Dites-moi ce qui s'est passé. J'ai besoin de savoir.

— Nous avons quelques questions à vous poser.

— Dites-moi d'abord ce qui s'est passé.

C'est donc pour ça qu'il a accepté de nous recevoir, pensa-t-elle. Il veut des informations. Il veut avoir une idée de ce que nous savons.

— Si j'ai bien compris, elle a reçu une balle dans la tête, continua-t-il. Et on l'a retrouvée dans une voiture.

— C'est exact.

— Ça, je l'ai appris en lisant le *Boston Globe*. Le meurtrier s'est servi de quel type d'arme ? Quel calibre ?

— Vous savez bien que je ne peux pas vous révéler ces informations.

— C'est arrivé à Brookline ? Qu'est-ce qu'elle faisait là-bas ?

— Je ne peux pas vous le dire non plus.

— Vous ne pouvez pas ou vous n'en savez rien ?

— Nous n'en savons rien.

— Il y avait quelqu'un avec elle ?

— Il n'y a pas d'autre victime.

— Qui est suspect ? À part moi ?

— Nous sommes ici pour poser les questions, docteur Cassell. Pas pour y répondre.

Il se leva en titubant légèrement, alla à un meuble, y prit une bouteille de whisky, remplit son verre. Sans en proposer à ses visiteurs.

— Je vais répondre à la seule question que vous êtes venus me poser, dit-il en se rasseyant sur la banquette du piano. Non, je ne l'ai pas tuée. Je ne l'ai pas vue depuis des mois.

— À quand remonte la dernière fois ? demanda Frost.

— Ça devait être en mars. Je suis passé en voiture devant chez elle, un après-midi. Elle était sur le trottoir, elle prenait son courrier.

— C'était après l'injonction du tribunal ?

— Je ne suis pas descendu de voiture, d'accord ? Je ne lui ai même pas parlé. Elle m'a vu, elle est rentrée dans la maison sans dire un mot.

— Pourquoi étiez-vous passé devant chez elle ? Pour l'intimider ?

— Non.

— Pourquoi, alors ?

— Je voulais la voir, c'est tout. Elle me manquait…

Il marqua une pause, s'éclaircit la voix.

— Elle me manque toujours.

Il va nous sortir qu'il l'aimait.

— Je l'aimais. Pourquoi aurais-je voulu lui faire du mal ?

Il croit vraiment être le premier homme à nous servir ce refrain ? se demanda Rizzoli.

— Comment m'y serais-je pris, d'ailleurs ? Je ne savais pas où elle était. Après son déménagement, le dernier, je n'ai pas réussi à la retrouver.

— Mais vous avez essayé.

— Oui, j'ai essayé.

Nouvelle question de Frost :

— Vous saviez qu'elle vivait dans le Maine ?

Cassell plissa le front, leva les yeux.

— Où, dans le Maine ?

— À Fox Harbor, une petite ville.

— Non, je l'ignorais. Je pensais qu'elle vivait quelque part à Boston.

— Docteur Cassell, ou étiez-vous jeudi soir ? demanda Rizzoli.

— Ici, chez moi.

— Toute la soirée ?

— À partir de cinq heures. Je faisais ma valise.

— Quelqu'un peut en témoigner ?

— Non. Paul avait sa soirée. Je reconnais que je n'ai pas d'alibi. Il n'y avait que moi ici, avec mon piano.

Il frappa le clavier d'où s'éleva un son discordant.

— J'ai pris l'avion le lendemain matin. Northwest Airlines, vous pouvez vérifier.

— Nous n'y manquerons pas.

— Le billet était réservé depuis six semaines. Mes rendez-vous étaient pris.

— Votre secrétaire nous l'a dit.

— Ah ? Eh bien, c'est la vérité.

— Vous avez une arme ?

Cassell se raidit, planta son regard dans celui de Rizzoli.

— Vous croyez vraiment que c'est moi ?

— Répondez à ma question.

— Non, je n'ai pas d'arme. Pas de revolver, pas de carabine, pas même un pistolet à bouchons. Et je n'ai pas tué Anna. Je n'ai pas commis la moitié des choses dont elle m'accusait.

— Vous voulez dire qu'elle a menti à la police ?

— Je veux dire qu'elle a exagéré.

— Nous avons vu une photo d'elle prise aux urgences, le soir où vous lui avez fait un œil au beurre noir. Une de ses exagérations ?

Il baissa les yeux, comme s'il ne supportait pas le regard accusateur de Rizzoli.

— Non, admit-il à voix basse. Je ne nie pas l'avoir frappée. Je le regrette. Mais je ne le nie pas.

— Et vos passages en voiture devant chez elle ? Le détective privé que vous avez engagé pour la faire suivre ? Les fois où vous avez tambouriné à sa porte en exigeant de lui parler ?

— Elle ne répondait pas à mes coups de téléphone… Qu'est-ce que je pouvais faire ?

— Comprendre qu'elle ne voulait plus vous voir, peut-être.

— Je ne reste pas les bras croisés à attendre que les choses arrivent, inspecteur. Je ne l'ai jamais fait. C'est comme ça que je suis devenu propriétaire de cette maison, avec cette vue admirable. Quand je veux vraiment quelque chose, je bosse pour l'obtenir. Et je m'y accroche. Il n'était pas question que je laisse Anna sortir de ma vie.

— Qu'est-ce qu'elle était pour vous, exactement ? Une de vos possessions ?

Cette fois, il tourna vers Rizzoli le regard anéanti de celui qui a tout perdu.

— Anna Leoni était l'amour de ma vie.

La réponse la prit au dépourvu. Cette simple déclaration, faite si calmement, avait un indéniable accent de vérité.

— Vous avez vécu trois ans ensemble, je crois.

— Elle était microbiologiste, elle travaillait dans mon département recherche. C'est comme ça que nous nous sommes connus. Un jour, elle a assisté à une réunion du conseil d'administration pour nous parler des tests sur les antibiotiques. Dès que je l'ai vue, je me suis dit : C'est elle. Vous savez ce que c'est d'aimer quelqu'un à ce point et de le voir partir ?

— Pourquoi est-elle partie ?

— Je ne sais pas.

— Vous devez bien en avoir une idée.

— Non. Regardez ce qu'elle avait ici ! Cette maison, tout ce qu'elle voulait. Je ne crois pas être repoussant. N'importe quelle autre femme se serait sentie comblée.

— Jusqu'à ce que vous vous mettiez à lui taper dessus.

Silence.

— C'est arrivé souvent, docteur Cassell ?

Il soupira.

— J'ai un travail stressant…

— C'est votre explication ? Vous frappiez votre compagne parce que vous aviez eu une journée difficile au bureau ?

Au lieu de répondre, il tendit le bras vers son whisky. Une partie du problème, pensa Rizzoli. Mélangez un P-DG surmené et de l'alcool, vous obtenez une femme avec un coquard.

Il reposa son verre, murmura :

— Je voulais juste qu'elle revienne.

— Et pour la convaincre, vous glissiez des menaces de mort sous sa porte ?

— Je n'ai jamais fait ça.

— Elle a porté plainte plusieurs fois à ce sujet.

— C'est faux !

— L'inspecteur Ballard affirme le contraire.

Cassell eut un reniflement de mépris.

— Ce crétin gobait tout ce qu'elle lui racontait. Il aime jouer au preux chevalier, ça lui donne de l'importance. Vous savez qu'il est venu ici un jour et qu'il a menacé de me démolir si je la touchais encore ? C'était pitoyable.

— Anna vous a accusé d'avoir tailladé les moustiquaires de ses fenêtres.

— Ça aussi, c'est faux.

— Vous dites qu'elle l'a fait elle-même ?

— Je dis que ce n'est pas moi.

— Vous avez endommagé sa voiture ?

— Quoi ?

— Vous avez rayé sa portière ?

— Première nouvelle. C'est arrivé quand ?

— Et le canari mort dans sa boîte aux lettres ?

Cassell partit d'un rire incrédule.

— J'ai l'air d'être capable d'un truc aussi pervers ? Je n'étais même pas à Boston quand c'est arrivé… si c'est vraiment arrivé ! Et qu'est-ce qui vous dit que c'est moi ?

Rizzoli le considéra un moment en pensant : Bien sûr, il nie parce qu'il sait que nous ne pouvons rien prouver. Il ne s'est pas hissé là où il est en étant stupide.

— Pourquoi Anna aurait-elle menti ?

— Je ne sais pas, répondit-il. Mais c'est ce qu'elle a fait.

10

À midi, Maura était sur la route, perdue au milieu des gens qui partaient en week-end, tels des saumons remontant vers le nord, pour fuir une ville dont la chaleur faisait déjà miroiter les rues. Pris dans les embouteillages, les enfants pleurnichant sur la banquette arrière, ils roulaient au pas vers la promesse de plages rafraîchies par la brise marine.

C'était à cette pensée que Maura se raccrochait en considérant la file de voitures qui s'étirait jusqu'à l'horizon. Elle n'était jamais allée dans le Maine. Elle ne le connaissait que comme toile de fond du catalogue de L. L. Bean, où des hommes et des femmes au teint hâlé posaient en parka et chaussures de randonnée tandis que des golden retrievers se prélassaient dans l'herbe à leurs pieds. Dans le monde de L. L. Bean, le Maine était le royaume des forêts et des côtes brumeuses, un lieu mythique, trop beau pour exister.

Je serai déçue, j'en suis sûre, se dit-elle en voyant le soleil se refléter sur le fleuve de véhicules. Mais c'est là-bas que se trouvent les réponses.

Quelques mois plus tôt, Anna Leoni avait fait ce même trajet. Ce devait être au début du printemps, quand il faisait encore froid et que la circulation était sûrement bien moins dense. Au sortir de Boston, elle avait elle aussi traversé le Tobin Bridge et pris la direction du nord par la 95, vers la frontière entre le Massachusetts et le New Hampshire.

Je mets mes pas dans les tiens. J'ai besoin d'apprendre qui tu étais. C'est le seul moyen de savoir qui je suis.

À quatorze heures, Maura passa du New Hampshire dans le Maine, où les embouteillages disparurent comme par magie, comme si l'épreuve imposée jusque-là n'avait été qu'un test et que les portes s'ouvraient à présent pour admettre ceux qui en étaient dignes. Elle fit halte le temps d'acheter un sandwich sur une aire de repos et repartit. À quinze heures, elle avait quitté la route Interstate et roulait sur la 1 en longeant la côte du Maine.

Toi aussi, tu as suivi cette route…

Le paysage s'offrant à Anna avait dû être différent : des champs qui commençaient à reverdir, des arbres encore dénudés. Mais elle était sûrement passée devant cette baraque à homards, elle avait jeté un coup d'œil à cette boutique de brocanteur, avec ses cadres de lit rouillant sur l'herbe, et, comme Maura, elle avait secoué la tête d'un air amusé. Peut-être avait-elle également fait un détour par Rockport pour se dégourdir les jambes et flâner autour de la statue d'André le phoque en contemplant le port. Peut-être avait-elle frissonné au même vent soufflant vers la côte l'air froid de la mer.

Maura remonta en voiture et reprit sa route vers le nord.

Lorsqu'elle eut dépassé la petite ville côtière de Bucksport et tourné vers le sud, pour s'engager dans la péninsule, le soleil commençait déjà à baisser au-dessus des arbres. Un banc de brume venant de la mer roulait vers la côte comme une bête affamée dévorant l'horizon. Au coucher du soleil, il enveloppera ma voiture, pensa-t-elle. Elle n'avait pas réservé de chambre à Fox Harbor, elle avait quitté Boston avec l'idée saugrenue de s'arrêter simplement dans un motel en bord de mer, où elle trouverait bien un lit pour la nuit. Mais les rares motels qu'elle repéra sur cette partie de côte accidentée affichaient tous COMPLET.

Le soleil descendait de plus en plus.

La route tourna abruptement et Maura, agrippée au volant, parvint tant bien que mal à rester sur sa voie en doublant une pointe rocheuse, arbres squelettiques d'un côté, océan de l'autre.

Tout à coup, elle découvrit Fox Harbor, nichée au creux d'une anse peu profonde. Elle ne s'attendait pas que ce soit aussi petit : un quai, une église et un chapelet de bâtiments blancs le long de la baie. Dans le port, des homardiers dansaient au bout de leurs amarres, proies au piquet attendant d'être englouties par le banc de brume.

Remontant lentement la rue principale, Maura vit des vérandas fatiguées qui avaient besoin d'un coup de peinture, des fenêtres où pendaient des rideaux délavés. Le village n'était pas riche, à en juger par les camionnettes déglinguées garées dans les allées. Les seuls modèles récents qu'elle repéra occupaient le parking du motel Bayview, et ils étaient immatriculés à New York, dans le Massachusetts ou le Connecticut. Des réfugiés urbains fuyant les villes étouffantes pour s'empiffrer de homard et entrevoir le paradis.

Elle s'arrêta devant la réception du motel. Le plus important d'abord, raisonnait-elle. J'ai besoin d'un endroit où dormir et c'est apparemment le seul.

Elle sortit de sa voiture, étira ses muscles raidis, inspira l'air humide et salé. Bien que Boston fût aussi un port, on y sentait rarement la mer : les odeurs de pots d'échappement et de goudron surchauffé polluaient la moindre brise soufflant du port. À Fox Harbor, elle sentait le goût du sel sur ses lèvres, elle le sentait coller à sa peau comme une bruine. Immobile dans le parking, le visage offert au vent, elle eut soudain l'impression d'émerger d'un profond sommeil. De revivre.

La décoration du motel était exactement ce à quoi elle s'attendait : boiseries des années 1960, moquette verte défraîchie, pendule montée sur un gouvernail. Il n'y avait personne derrière le comptoir. Maura se pencha en avant, appela :

— Il y a quelqu'un ?

Une porte s'ouvrit en grinçant, un homme apparut, gras, le crâne dégarni, de délicates lunettes perchées sur son nez comme une libellule.

— Auriez-vous une chambre pour la nuit ? demanda Maura.

Sa question fut accueillie par un silence de mort. L'homme, bouche bée, la dévisageait. Pensant qu'il n'avait pas entendu, elle répéta :

— Auriez-vous une chambre ?

— Vous… vous voulez une chambre ?

C'est pas ce que je viens de dire ? pensa Maura. L'homme baissa les yeux vers son registre, regarda de nouveau Maura.

— Je, euh… désolé, on n'a plus rien.

— J'arrive de Boston. Il n'y a aucun endroit où je pourrais en trouver une ?

Il déglutit.

— On a beaucoup de monde, ce week-end. J'ai eu un couple qui m'a demandé une chambre y a pas une heure. J'ai téléphoné partout, j'ai dû l'envoyer tout là-bas, à Ellsworth.

— C'est loin ?

— À une cinquantaine de kilomètres.

Maura regarda la pendule sertie dans le gouvernail : déjà cinq heures moins le quart. La recherche d'une chambre attendrait.

— Vous savez où se trouve l'agence immobilière Terre et Mer ? s'enquit-elle.

— Dans la grand-rue. À deux cents mètres sur la gauche.

En franchissant la porte de l'agence Terre et Mer, Maura se retrouva dans un autre bureau désert. Est-ce que personne dans cette ville n'était à son poste ? La pièce sentait la fumée de cigarette et, sur le bureau, un cendrier débordait de mégots. Au mur, un panneau de photos jaunies proposait les bonnes affaires de l'agence. Apparemment, le marché était très calme. Maura remarqua une écurie à moitié écroulée (*Idéale pour élever des chevaux !* disait la légende), une maison à la véranda affaissée (*Idéale pour un bricoleur !*) et un terrain avec quelques arbres (*Calme et isolé ! Terrain idéal !*). Y avait-il à Fox Harbor quelque chose qui n'était pas idéal ?

Elle entendit une porte s'ouvrir, se retourna et vit un homme entrer avec un récipient en verre dégouttant d'eau qu'il posa sur le bureau. Plus petit que Maura, il avait une tête carrée surmontée de cheveux gris coupés court. Il avait retroussé les manches de sa chemise et le bas de son pantalon, visiblement trop grands pour lui, comme un enfant qu'on aurait déguisé avec les habits de son père. Des clefs tintèrent à sa ceinture quand il s'approcha de Maura en bombant le torse.

— Pardon, j'étais derrière, je lavais la cafetière. Vous devez être le Dr Isles…

La voix surprit Maura. Quoique éraillée – probablement à cause de toutes ces cigarettes –, c'était indubitablement une voix de femme. Alors seulement, Maura remarqua le renflement des seins sous la chemise ample.

— Vous êtes… la personne à qui j'ai parlé ce matin ?

— Britta Clausen. Harvey m'a prévenue de votre arrivée.

— Harvey ?

— Le motel, au bout de la rue. Il m'a téléphoné.

La femme gratifia Maura d'une poignée de main ferme et autoritaire, l'inspecta des pieds à la tête et décréta :

— Pas la peine de vous demander une pièce d'identité. Suffit de vous regarder pour savoir de qui vous êtes la sœur. Je vous emmène voir la maison ?

— Je vous suis dans ma voiture.

Mlle Clausen chercha une clef dans son trousseau, eut un grognement satisfait.

— C'est celle-là. La police a fini son boulot, je peux vous conduire là-bas. Sur Skyline Drive.

Maura suivit le pick-up de Britta Clausen sur une route qui s'écartait de l'océan et partait à l'assaut d'une colline. En montant, on apercevait par moments la côte, l'eau à présent obscurcie par un épais manteau gris. Le village de Fox Harbor disparaissait dans la brume. Devant, les feux stop du pick-up s'allumèrent brusquement et Maura eut à peine le temps de freiner. Sa Lexus dérapa sur des feuilles mortes mouillées, s'arrêta quand son pare-chocs vint heurter le poteau d'une pancarte *À VENDRE, agence Terre et Mer* planté dans le sol.

Mlle Clausen passa la tête dehors.

— Hé ! ça va, derrière ?

— Ça va. Excusez-moi, j'étais distraite.

— Ouais, ce dernier tournant vous prend par surprise. C'est là, à droite.

— Je vous suis.

— Pas de trop près, hein ? dit Mlle Clausen en riant.

Les arbres bordaient si étroitement la route de terre battue que Maura avait l'impression de rouler dans un tunnel. Elle s'élargit brusquement pour révéler un petit cottage à bardeaux de cèdre. Maura se gara derrière le pick-up, descendit de voiture. Dans le silence de la clairière, elle examina la maison. Des marches en bois conduisaient à une véranda où pendait une balançoire immobile. Dans le jardin, des lis et des digitales s'efforçaient de pousser. La forêt semblait s'avancer de tous côtés et Maura se mit à respirer plus vite, comme si elle était enfermée dans une pièce étroite. Comme si l'air même l'oppressait.

— C'est si calme, ici ! dit-elle.

— Ouais, on est tout à fait à l'écart du village. C'est pour ça que ces collines ont de la valeur. Le boom immobilier va arriver par ici, vous savez. Dans quelques années, vous aurez des maisons partout le long de cette route. C'est le moment d'acheter.

Maura s'attendait qu'elle ajoute : « Le coin est idéal. »

— Je fais défricher un terrain, à côté, poursuivit la patronne de l'agence. Quand votre sœur a emménagé, je me suis dit qu'il était temps de préparer les autres parcelles. Les gens voient quelqu'un installé ici, ça lance le mouvement. Bientôt, tout le monde cherchera à acheter dans le coin.

Elle posa sur Maura un regard songeur et demanda :

— Vous êtes quel genre de docteur ?

— Je suis médecin légiste.

— C'est quoi, ça ? Vous travaillez dans un laboratoire ?

Cette femme commençait à agacer Maura, qui rétorqua d'un ton sec :

— Je travaille sur des morts.

La réponse ne parut pas troubler Mlle Clausen.

— Alors, vous devez avoir des horaires réguliers, des tas de week-ends. Une maison à la campagne, ça devrait vous intéresser. Le terrain d'à côté sera bientôt déclaré constructible. Si vous envisagez d'acheter quelque chose pour vos vacances, vous trouverez jamais un meilleur moment pour investir.

Maura savait maintenant ce que c'était que de tomber entre les griffes d'un agent immobilier insistant.

— Ça ne m'intéresse pas, mademoiselle Clausen.

La femme soupira, gravit d'un pas lourd les marches de la véranda.

— Jetez juste un coup d'œil, alors. Maintenant que vous êtes là, vous pouvez me dire ce qu'il faut faire des affaires de votre sœur.

— Je ne suis pas sûre de pouvoir prendre cette décision.

— En tout cas, je dois vider la maison pour pouvoir la vendre ou la relouer.

Mlle Clausen chercha la clef dans son trousseau.

— Je m'occupe de la plupart des locations de Fox Harbor et cette maison a pas été la plus facile à caser. Votre sœur avait signé un bail de six mois, vous savez.

C'est tout ce que la mort d'Anna signifie pour elle ? pensa Maura. Plus de chèque à toucher, un nouveau locataire à trouver ?

Elle n'aimait pas cette femme avec son trousseau de clefs et son regard cupide. La reine de l'immobilier de Fox Harbor, dont le seul souci semblait être d'atteindre son quota mensuel de loyers.

Mlle Clausen ouvrit enfin la porte.

— Allez-y.

Maura entra. Malgré les grandes fenêtres de la salle de séjour, la proximité des arbres et l'approche du soir obscurcissaient l'intérieur. Elle découvrit des planchers en pin, un tapis élimé, un canapé défoncé. Sur le papier mural aux couleurs passées, des plantes grimpantes s'entrelaçaient, accentuant encore l'impression qu'avait Maura d'une végétation étouffante.

— Je le loue meublé et complètement équipé, précisa Mlle Clausen. J'ai fait à votre sœur un prix intéressant, si on tient compte de ça.

— Combien ? demanda Maura en regardant par la fenêtre un rideau d'arbres.

— Six cents par mois. Je la louerais quatre fois plus cher si elle était plus près de la mer. Mais celui qui l'a fait construire aimait sa tranquillité.

Mlle Clausen parcourut attentivement la pièce du regard.

— Ça m'a étonnée quand votre sœur m'a appelée pour se renseigner sur cette maison, d'autant que j'en avais d'autres de libres, plus près de la côte.

Maura se retourna et lui demanda :

— Ma sœur voulait spécialement cette maison ?

— Le prix lui a paru intéressant, je suppose, répondit l'agent immobilier avec un haussement d'épaules.

Elles sortirent du séjour obscur, empruntèrent un couloir. Si un lieu reflète la personnalité de celui qui l'occupe, il devait rester quelque chose d'Anna Leoni entre ces murs. Toutefois, d'autres locataires avaient fait leur cette maison et Maura se demandait quels bibelots, quels tableaux avaient appartenu à Anna.

Ce coucher de soleil aux tons pastel, sûrement pas. Ma sœur n'aurait jamais accroché une telle horreur.

Et cette odeur de vieux cendrier qui imprégnait la maison, elle ne venait certainement pas d'Anna. De vrais jumeaux ont souvent des goûts semblables. Anna avait-elle partagé l'aversion de Maura pour le tabac ? Se mettait-elle à renifler et à tousser, elle aussi, dès qu'elle sentait de la fumée de cigarette ?

Elles passèrent devant une chambre au lit sans draps.

— Je crois qu'elle n'utilisait pas cette pièce, dit Mlle Clausen. Le placard et la commode sont vides.

Venait ensuite une salle de bains. Maura entra, ouvrit l'armoire à pharmacie, découvrit sur les étagères de l'Advil, du Sudafed, des bonbons Ricola contre la toux, noms dont la familiarité la frappa. Elle avait les mêmes dans son armoire à pharmacie.

Jusque dans notre choix de médicaments contre la grippe, nous étions identiques.

Elle ressortit, suivit le couloir jusqu'à la dernière porte.

— C'était la chambre où elle dormait, dit Mlle Clausen.

La pièce était en ordre : couvre-lit soigneusement tendu, rien qui traînait sur la commode.

Comme ma chambre.

Elle alla à la penderie, l'ouvrit. Des pantalons, des chemisiers, des robes taille 38. Celle de Maura.

— Des policiers de l'État sont passés la semaine dernière et ont fouillé partout.

— Ils ont trouvé quelque chose d'intéressant ?

— Pas à ce qu'ils m'ont dit. Elle avait pas grand-chose ici, votre sœur. Elle y vivait que depuis quelques mois.

Maura regarda par la fenêtre. Il ne faisait pas encore sombre, mais, avec l'obscurité de la forêt, la tombée de la nuit semblait imminente.

Mlle Clausen se tenait sur le seuil de la chambre, comme pour prélever un péage quand la visiteuse ressortirait.

— Elle est pas vilaine, cette maison, dit-elle.

Non, pensa Maura, elle est horrible.

— En cette saison, il reste pas grand-chose à louer. Tout est pris, quasiment. Hôtels, motels… Plus une chambre de libre.

Maura reporta son regard sur la forêt. Tout pour décourager cette détestable femme de poursuivre la conversation.

— Enfin, je dis ça comme ça… Je suppose que vous avez trouvé un endroit où dormir ce soir ?

C'est donc là qu'elle voulait en venir…

Maura se retourna.

— Non, répondit-elle. Le Bayview était complet.

Clausen eut un petit sourire pincé.

— Comme tout le reste.

— Il paraît qu'il y aurait des chambres libres à Ellsworth.

— Ah ouais ? Si vous vous en ressentez de faire toute cette route… Ça vous prendra plus longtemps que vous pensez, dans le noir. La route arrête pas de tourner…

Mlle Clausen indiqua le lit.

— Je pourrais vous mettre des draps propres. Je vous prendrais ce que le motel vous aurait demandé. Si ça vous intéresse, bien sûr.

Maura considéra le lit, sentit un frisson lui parcourir l'échine.

Ma sœur a dormi là.

— C'est vous qui voyez.

— Je ne sais pas…

— Il me semble que vous avez pas vraiment le choix, grogna Mlle Clausen.

De la véranda, Maura vit les feux arrière du pick-up disparaître derrière le rideau sombre des arbres. Elle demeura un moment là, à écouter les criquets, le bruissement des feuilles. Elle entendit un grincement derrière elle, se retourna, vit la balançoire bouger, comme si une main fantôme la poussait. Maura rentra dans la maison et s'apprêtait à fermer la porte quand elle arrêta soudain son geste.

La porte avait deux chaînes de sécurité, une serrure et un verrou.

Les plaques de cuivre et les vis étaient encore brillantes.

Elles sont neuves.

Maura ferma à clef, poussa le verrou, mit les chaînes en place. Le métal, sous ses doigts, semblait glacé.

Elle alla dans la cuisine, alluma la lumière. Vit un linoléum fendillé sur le sol, une petite table au formica rayé. Dans un coin, un réfrigérateur ronflait. Mais ce fut la porte de derrière qui retint son attention : elle était dotée de trois verrous étincelants. Le cœur de Maura se mit à battre plus vite quand elle les ferma. En se tournant, elle découvrit avec étonnement une autre porte munie d'un verrou. Où menait-elle ?

Elle l'ouvrit. Un étroit escalier en bois descendait dans le noir, d'où montaient un air froid et une odeur de terre humide.

La cave. Pourquoi mettre un verrou à la porte d'une cave ?

Maura la reverrouilla et se rendit alors compte qu'il était différent des autres : vieux, rouillé.

Elle éprouva tout à coup le besoin de s'assurer que toutes les fenêtres étaient bien fermées, elles aussi. Anna avait eu tellement peur qu'elle avait transformé cette bicoque en forteresse et Maura sentait encore cette peur dans chaque pièce. Elle vérifia les fenêtres de la cuisine puis passa dans le séjour.

C'est seulement après avoir fait le tour de la maison qu'elle entreprit d'explorer la chambre. Plantée devant la penderie ouverte, elle fit coulisser les cintres sur leur barre pour inspecter chaque vêtement, nota à nouveau qu'ils étaient tous à sa taille. Elle décrocha une robe de laine noire, d'une coupe toute simple, le genre qu'elle aimait. Elle imagina Anna dans un grand magasin, tournant autour de ce vêtement accroché à un portant. Regardant son étiquette, le tenant devant elle pour s'examiner dans le miroir et se disant : C'est exactement ce qu'il me faut.

Maura déboutonna son chemisier, défit son pantalon. Elle enfila la robe noire et, en remontant la fermeture à glissière, sentit le tissu épouser ses formes comme une seconde peau. Elle se tourna vers le miroir. Voilà ce qu'Anna voyait, pensa-t-elle. Le même visage, la même silhouette. Est-ce qu'elle aussi déplorait l'épaississement de ses hanches, les signes avant-coureurs de l'âge mûr ? Se mettait-elle de côté pour vérifier qu'elle avait toujours le ventre plat ? Toutes les femmes qui essaient une robe dansent probablement le même ballet devant une glace, se tournent dans un sens puis dans l'autre. Est-ce que je fais grosse, vue de derrière ?

Présentant son flanc droit au miroir, elle s'immobilisa quand elle repéra un cheveu accroché au tissu. Elle le détacha, le regarda à la lumière. Il était noir, comme les siens, mais plus long. Le cheveu d'une morte.

La sonnerie du téléphone la fit sursauter. Elle s'approcha de la table de nuit et se figea, le cœur cognant dans sa poitrine. Le téléphone sonna une deuxième puis une troisième fois, insupportablement fort dans la maison silencieuse. Maura décrocha avant la quatrième sonnerie.

— Allô ? Allô ?

Il y eut un *clic*, suivi de la tonalité.

Faux numéro, se dit-elle. Ça arrive tout le temps.

Dehors, le vent fraîchissait et, bien que la fenêtre fût fermée, elle entendait les arbres ballottés gémir. À l'intérieur de la maison, le silence était tel qu'elle percevait les battements de son cœur.

Est-ce à cela que ressemblaient tes nuits, Anna ? Dans cette maison cernée de bois sombres ?

Avant de se coucher, Maura ferma à clef la porte de la chambre et la bloqua avec une chaise inclinée. Elle se sentit vaguement penaude. Il n'y avait pas de quoi avoir peur, et cependant elle avait la sensation d'être plus menacée dans cette maison qu'à Boston, où les prédateurs étaient humains et beaucoup plus dangereux que les animaux qui pouvaient être tapis dans cette forêt.

Anna avait eu peur, elle aussi.

Et cette peur flottait encore dans la maison aux portes barricadées.

Réveillée en sursaut par un cri aigu, Maura demeura immobile dans le lit, le souffle court. Ce n'était qu'une chouette, aucune raison de céder à la panique. Elle était dans une forêt, bon sang, il était normal d'entendre des animaux. Ses draps étaient trempés de sueur. Elle avait fermé la fenêtre avant de se mettre au lit et la pièce était maintenant étouffante. Je n'arrive pas à respirer, se dit-elle.

Elle se leva, ouvrit la fenêtre, inspira de longues goulées d'air frais en fixant les arbres aux feuilles argentées sous le clair de lune. Rien ne bougeait : les bois étaient redevenus silencieux.

Maura retourna se coucher et dormit cette fois profondément jusqu'à l'aube.

La lumière du jour changea tout. Elle entendit des oiseaux chanter et, en regardant par la fenêtre, elle aperçut deux daims qui traversaient le jardin d'un bond et regagnaient la forêt dans un éclair de queues blanches.

Dans le soleil qui entrait à flots dans la chambre, la chaise qu'elle avait coincée la veille contre la porte lui parut absurde. Je n'en parlerai à personne, se promit-elle en l'enlevant.

Dans la cuisine, elle se fit du café avec un mélange de grains moulus importé de France qu'elle trouva dans le freezer. Elle versa de l'eau bouillante sur le filtre, huma l'arôme qui en montait. Elle était entourée de provisions achetées par Anna. Pop-corn à passer au micro-ondes, paquets de spaghettis. Briques de lait et yaourts à la pêche périmés. Chaque article représentait un instantané de la vie de sa sœur, s'arrêtant devant un rayonnage de supermarché et songeant : J'ai besoin de ça aussi. Plus tard, de retour à la maison, elle avait vidé les sacs et rangé les produits. Et tandis que Maura inventoriait le contenu des placards, c'était la main d'Anna empilant les boîtes de thon sur le papier fleuri de l'étagère qu'elle voyait.

Elle emporta son bol sur la véranda et but son café à petites gorgées en contemplant le jardin marbré de soleil. Tout est si vert ! s'émerveilla-t-elle. L'herbe, les arbres, la lumière elle-même. Sur les plus hautes branches, des oiseaux pépiaient.

Je comprends maintenant qu'elle ait voulu vivre ici. S'éveiller chaque matin pour respirer l'odeur de la forêt…

Soudain les oiseaux s'envolèrent, effrayés par un nouveau bruit, le grondement sourd d'un gros moteur. Elle se souvint de ce que Mlle Clausen lui avait dit : elle faisait défricher la parcelle voisine. Maura ne pouvait pas voir le bulldozer mais elle l'entendait à travers les arbres, désagréablement proche. C'en était fini du dimanche matin paisible.

Elle descendit les marches du perron et passa sur le côté de la maison afin d'essayer de voir l'engin à travers les arbres, mais la forêt était trop épaisse. Elle découvrit en revanche des traces d'animaux et se souvint des daims qu'elle avait aperçus de la fenêtre de sa chambre. Elle suivit les traces le long de la maison, repéra d'autres preuves du passage des daims dans les feuilles mâchonnées des arbustes plantés près des fondations et s'émerveilla de la hardiesse de ces bêtes venues brouter au pied même du mur.

Poursuivant vers l'arrière de la maison, Maura tomba sur une autre série de traces. Celles-ci ne provenaient pas d'animaux. Elle se figea et ses mains devinrent moites autour du bol. Lentement, son regard remonta jusqu'à une bande de terre molle sous l'une des fenêtres.

Des empreintes de bottes marquaient le sol à l'endroit où quelqu'un s'était tenu pour regarder dans la maison.

Dans la chambre de Maura.

11

Trois quarts d'heure plus tard, une voiture de la police de Fox Harbor s'approcha en cahotant sur la route de terre battue. Elle s'immobilisa devant le cottage, un flic en sortit. La cinquantaine, un cou de taureau, des cheveux blonds clairsemés sur le sommet du crâne.

— Docteur Isles ? dit-il en tendant à Maura une main épaisse. Roger Gresham, chef de la police.

— Je ne pensais pas que j'aurais droit au chef en personne.

— On avait l'intention de monter ici de toute façon, avant votre coup de fil.

— « On » ?

Elle fronçait les sourcils quand un autre véhicule, une Ford Explorer, apparut dans la clairière et se gara près de la voiture de patrouille. Le chauffeur descendit, la salua de la main.

— Bonjour, Maura, dit Rick Ballard.

Elle le dévisagea un moment en silence, déroutée par sa présence.

— Je ne m'attendais pas à vous voir ici, dit-elle enfin.

— Je suis arrivé cette nuit. Et vous ?

— Hier après-midi.

— Vous avez dormi dans la maison ?

— Le motel était complet. C'est Mlle Clausen, la femme de l'agence immobilière, qui me l'a proposé.

Maura marqua une pause, ajouta sur un ton défensif :

— Elle a dit que la police avait déjà inspecté la maison.

— Je parie qu'elle vous a fait payer, marmonna Gresham. Non ?

— Si.

— Cette Britta, c'est quelqu'un ! Elle vous ferait payer l'air que vous respirez si elle le pouvait.

Il se tourna vers le cottage.

— Vous les avez vues où, ces traces ?

Maura conduisit les deux hommes sur le côté de la maison. Ils longèrent l'allée tout en examinant le sol. Le bulldozer s'était tu et on n'entendait que le bruit de leurs pas sur le tapis de feuilles. Gresham tendit le bras.

— Des traces fraîches de daim, fit-il observer.

— Oui, deux daims sont passés ici ce matin, dit Maura.

— Ça pourrait expliquer les traces que vous avez vues…

— Monsieur Gresham, je sais reconnaître une empreinte de pas d'une trace de daim !

— Non, je veux dire qu'un type aurait pu chasser dans le coin. Même si c'est pas la saison. Il aurait suivi les bêtes hors du bois…

Ballard s'arrêta soudain, les yeux rivés au sol.

— Vous les voyez ? s'enquit Maura.

— Oui, je les vois, répondit-il d'une voix étrangement calme.

Gresham s'accroupit à côté de Ballard et les deux hommes gardèrent un moment le silence. Pourquoi ne disent-ils rien ? se demanda Maura. Le vent agitait les arbres. Frissonnante, elle leva les yeux vers les branches qui se balançaient. Cette nuit, quelqu'un était sorti de ces bois, s'était tenu devant la fenêtre de sa chambre et l'avait regardée dormir. Ballard releva la tête.

— C'est la fenêtre d'une chambre ?

— Oui.

— La vôtre ?

— Oui.

— Vous aviez fermé les doubles rideaux hier soir ?

Il la regardait par-dessus son épaule et elle devinait ce qu'il pensait : Vous avez offert un peep-show sans le savoir, la nuit dernière ? Elle rougit.

— Il n'y a pas de rideaux dans cette pièce.

— Les empreintes sont trop grandes pour les bottes de Britta, commenta Gresham. C'est la seule personne qui pourrait avoir laissé des traces ici en inspectant la maison.

— On dirait une semelle Vibram, reprit Ballard. Pointure 42, peut-être 43.

Il suivit les empreintes du regard en direction de la forêt.

— Les traces des daims les recouvrent.

— Ce qui signifie qu'il est venu ici avant, dit Maura. Avant les daims. Avant que je me réveille.

— Oui, mais combien de temps avant ?

Ballard se releva, plongea le regard dans la chambre. Il demeura un moment sans rien dire, ce qui agaça de nouveau Maura, impatiente de connaître la réaction des deux hommes, quelle qu'elle pût être.

— Il a pas plu depuis près d'une semaine, ici, dit Gresham. Ces empreintes de bottes sont peut-être pas si récentes…

— Mais qui viendrait faire le tour de la maison en regardant par les fenêtres ? demanda Maura.

— Je vais appeler Britta. Elle a peut-être envoyé quelqu'un travailler dans le jardin. Ou alors quelqu'un aura regardé à l'intérieur par curiosité…

— Par curiosité ?

— Tout le monde est au courant de ce qui est arrivé à votre sœur à Boston. Y a peut-être des gens qui ont voulu jeter un coup d'œil dans la maison.

— Je ne comprends pas ce genre de curiosité morbide, répondit Maura.

— Rick m'a dit que vous êtes médecin légiste. Vous devez avoir affaire aux mêmes comportements que moi. Tout le monde veut connaître les détails. Le nombre de gens qui m'ont posé des questions sur le meurtre, c'est pas croyable. Vous pensez pas qu'un de ces curieux aurait pu venir rôder par ici ?

Maura s'apprêtait à répondre par une moue incrédule quand le crépitement de la radio de Gresham rompit le silence.

— Excusez-moi, dit-il en retournant à sa voiture.

— Eh bien, cela écarte les raisons que j'avais de m'inquiéter, je suppose, dit Maura.

— Moi, je prends votre inquiétude au sérieux.

— Vraiment ? Eh bien, venez, Rick, j'ai quelque chose à vous montrer…

Il la suivit à l'intérieur de la maison, elle referma la porte derrière eux et tendit le bras vers les verrous et les chaînes.

— Ouah, fit-il.

— Ce n'est pas tout.

Elle le conduisit dans la cuisine, indiqua les verrous de la porte de derrière.

— Ils sont tous neufs. C'est sans doute Anna qui les a fait poser. Elle avait peur de quelque chose.

— Elle avait toutes les raisons d'avoir peur. Rappelez-vous les menaces de mort. Elle devait craindre que Cassell ne finisse par la retrouver.

Maura le regarda.

— C'est pour ça que vous êtes ici, n'est-ce pas ? Pour savoir s'il y est parvenu ?

— J'ai montré sa photo dans le village.

— Et ?

— Jusqu'ici, personne ne se souvient de lui, mais ça ne veut pas dire qu'il n'est pas venu ici.

Il pointa le menton en direction des verrous.

— Ça colle parfaitement avec le reste.

Avec un soupir, Maura s'assit à la table de la cuisine.

— Comment nos vies ont-elles pu suivre des directions aussi différentes ? Moi, je prenais l'avion à Paris tandis qu'Anna…

Elle s'interrompit, avala sa salive, poursuivit :

— Et si j'avais été élevée à la place d'Anna ? Les choses se seraient-elles passées autrement ? C'est peut-être ma sœur qui serait assise ici, maintenant.

— Vous êtes une autre personne, Maura. Vous avez son visage, vous avez sa voix. Mais vous n'êtes pas Anna.

Elle leva les yeux vers lui.

— Parlez-moi d'elle.

— Je ne sais pas par où commencer…

— Par ce que vous voudrez. Vous venez de dire que j'ai sa voix.

— Oui. Les mêmes inflexions. Le même timbre.
— Vous vous souvenez si bien d'elle ?
— Anna n'était pas une femme qu'on oublie facilement, déclara-t-il en plongeant ses yeux dans ceux de Maura.

Ils continuèrent à se regarder, même quand un bruit de pas résonna dans la maison. Ce fut seulement lorsque Gresham entra dans la cuisine que Maura détacha son regard de Ballard pour le porter sur le chef de la police.

— Docteur Isles, je me demandais si vous pourriez me rendre un petit service… Venez avec moi, j'ai quelque chose à vous montrer.
— Quel genre de chose ?
— L'appel radio… On a reçu un coup de téléphone des ouvriers qui travaillent un peu plus haut. Leur bulldozer a déterré des… des os.

Elle fronça les sourcils.
— Humains ?
— C'est la question qu'ils se posent.

Maura monta avec Gresham dans la voiture de patrouille, Ballard les suivit dans son Explorer. Le trajet se révéla si court qu'ils auraient pu le faire à pied – juste un virage sur la route – et ils avisèrent le bulldozer au milieu d'un terrain récemment défriché. Quatre hommes portant des casques se tenaient dans l'ombre près de leur pick-up. L'un d'eux s'avança en voyant Maura, Gresham et Ballard descendre de voiture.

— Salut, chef.
— Salut, Mitch. C'est où ?

— Près du bull. J'ai repéré l'os, j'ai tout de suite coupé le moteur. Y avait une vieille ferme, ici, avant. Je tiens surtout pas à déterrer un cimetière familial.

— Le Dr Isles va regarder ça avant que je donne des coups de fil. Je m'en voudrais de faire venir le légiste d'Augusta juste pour une carcasse d'ours…

Le dénommé Mitch les précéda dans la clairière. La terre fraîchement retournée était jonchée de pierres et hérissée de racines qui composaient un vrai parcours d'obstacles. Les escarpins en daim de Maura n'étaient pas faits pour la randonnée et, malgré le soin avec lequel elle choisissait les endroits où elle posait le pied, elle ne put éviter de les maculer de terre.

Gresham se gifla la joue en maugréant :

— Foutus taons ! Ils nous ont repérés.

Dans la clairière entourée d'épais bosquets, l'air était lourd, immobile. Les insectes avaient capté leur odeur et arrivaient par essaims entiers, avides de sang. Maura se félicita d'avoir mis un pantalon, ce matin-là. Son visage et ses bras, sans protection, se transformaient déjà en stations de ravitaillement pour les taons.

Le temps qu'ils parviennent au bulldozer, le bas de son pantalon était crotté. Le soleil se reflétait sur des morceaux de verre ; les branches d'un vieux rosier déraciné agonisaient dans la chaleur.

— Là, dit Mitch, le bras tendu.

Avant même de se pencher pour examiner la chose dépassant du sol, Maura savait ce que c'était. Sans la toucher, elle s'accroupit, enfonçant ses chaussures dans la terre meuble. Elle entendit des croassements dans les arbres, leva les yeux, découvrit des corbeaux volant tels des vautours parmi les branches.

Ils savent, eux aussi.

— Qu'est-ce que vous en pensez ? demanda Gresham.

— C'est un ilion.

— Qu'est-ce que c'est ?

— L'os qui est là.

Elle toucha l'endroit où son bassin s'évasait sous la toile de son pantalon. Ce qui lui remit en mémoire le triste fait que sous la peau, sous le muscle, elle aussi n'était qu'un squelette. Une structure poreuse de calcium et de phosphore qui subsisterait longtemps après que sa chair aurait pourri.

— C'est bien un os humain, confirma-t-elle.

Ils gardèrent un moment le silence et l'on n'entendit plus, par cette journée ensoleillée de juin, que les cris des corbeaux, toute une troupe perchée là-haut dans les arbres, tels des fruits noirs. Les oiseaux fixaient les hommes, et leurs croassements montèrent, en un chœur assourdissant, jusqu'à ce que subitement ils se taisent, comme sur un signal.

— Que savez-vous de cet endroit ? demanda Maura au conducteur du bulldozer. Qu'est-ce qu'il y avait, ici ?

— De vieux murs. Les fondations d'une maison. On a mis les pierres sur le côté, au cas où quelqu'un voudrait s'en servir pour autre chose.

Mitch indiqua un tas s'élevant en bordure de clairière, continua :

— Les vieux murs, c'est pas rare, par ici. Vous vous baladez dans la forêt, vous en trouvez plein comme ça. Y avait des élevages de moutons, tout le long de la côte, dans le temps. C'est fini, maintenant.

— Il pourrait donc s'agir d'une tombe, suggéra Ballard.

— Mais cet os est juste là où il y avait les fondations, objecta Mitch. Je crois pas que vous enterreriez votre vieille mère si près de la maison. Ça porterait malheur, à mon avis.

— Certains pensaient au contraire que cela portait bonheur, remarqua Maura.

— Quoi ?

— Autrefois, un nouveau-né enterré vivant sous une pierre angulaire était censé protéger la maison.

Mitch posa sur elle un regard effaré, du genre « D'où tu sors, toi ? ».

— Je veux simplement dire que les pratiques funéraires changent au cours des siècles, développa-t-elle. Il peut parfaitement s'agir d'une tombe ancienne.

Au-dessus d'eux s'éleva un claquement : les corbeaux quittaient tous l'arbre au même moment, battant le ciel de leurs ailes. Maura les suivit du regard, perturbée par la vue d'un si grand nombre d'oiseaux noirs s'envolant ensemble, comme sur un ordre.

— Bizarre, dit Gresham.

Elle se releva et regarda les arbres. Se souvint combien le bruit du bulldozer lui avait paru proche, ce matin.

— Par où est la maison ? Celle où j'ai dormi cette nuit ?

Le chef de la police s'orienta par rapport au soleil et tendit le bras.

— Par là. Dans la direction où vous regardez en ce moment.

— À quelle distance ?

— Juste derrière ces arbres. Vous pourriez y aller à pied.

Le chef des services de médecine légale de l'État du Maine arriva d'Augusta une heure et demie plus tard. Lorsqu'il descendit de voiture, sa mallette à la main, Maura reconnut aussitôt l'homme au turban blanc et à la barbe soigneusement peignée. Elle avait fait la connaissance du Dr Daljeet Singh à une conférence de médecine légale l'année précédente, et ils avaient dîné ensemble à Boston, en février, lors d'une réunion régionale de la police scientifique. Malgré sa petite taille, la dignité de son maintien et son couvre-chef traditionnel sikh le rendaient plus imposant qu'il ne l'était en réalité. Il impressionnait toujours Maura par son air de compétence tranquille. Et par ses yeux d'un marron limpide, dotés des plus longs cils qu'elle eût jamais vus.

Ils échangèrent la poignée de main chaleureuse de collègues qui s'estiment sincèrement.

— Qu'est-ce que vous faites ici, Maura ? Il n'y a pas assez de travail pour vous à Boston ? Vous venez braconner sur mes terres ?

— C'est plutôt le travail qui m'a rattrapée.

— Vous avez vu les restes ?

Son sourire s'estompa quand elle acquiesça de la tête.

— Il y a une crête iliaque gauche, en partie enfouie. Nous n'y avons pas touché. Je savais que vous voudriez d'abord l'examiner in situ.

— Pas d'autres os ?

— Pour l'instant, non.

Il considéra la clairière comme pour se préparer à marcher dans la terre. Maura remarqua qu'il était venu équipé de bottes L. L. Bean flambant neuves, qui subiraient sans doute pour la première fois l'épreuve du terrain.

— Allons voir ce que le bulldozer a déterré, dit-il.

C'était maintenant le début de l'après-midi et l'air chaud était tellement moite que le visage de Daljeet ne tarda pas à luire de transpiration. Des insectes grouillaient autour d'eux, se repaissant de sang frais. Les inspecteurs Corso et Yates, de la police du Maine, arrivés vingt minutes plus tôt, arpentaient le terrain avec Ballard et Gresham. Corso adressa un signe de la main au médecin et lui cria :

— Si c'est pas malheureux de gâcher un beau dimanche comme ça, hein, docteur Singh ?

Daljeet lui rendit son salut, s'accroupit pour examiner l'os.

— Il y avait une ferme, ici, autrefois, l'informa Maura. Les ouvriers ont retrouvé des fondations à cet endroit.

— Mais pas de débris de cercueil ?

— Nous n'en avons pas vu.

Il parcourut des yeux le terrain jonché de pierres boueuses, de racines et de souches déterrées.

— Le bulldozer aurait pu éparpiller les os n'importe…

L'inspecteur Yates s'écria :

— J'ai trouvé quelque chose !

— Si loin ? s'étonna Daljeet.

Maura et lui traversèrent la clairière pour rejoindre le policier.

— Je marchais, mon pied s'est pris dans ce nœud de racines de mûrier, expliqua Yates. J'ai trébuché et ce truc est plus ou moins sorti de terre.

Tandis que Maura s'accroupissait à côté de lui, l'inspecteur écarta avec précaution un enchevêtrement épineux de tiges déracinées. Un nuage de moucherons s'éleva du sol humide, se posa sur le visage de Maura qui considérait le « truc » à demi enterré. Un crâne. Une orbite vide les fixait, traversée par une racine. Maura se tourna vers Daljeet.

— Vous avez une pince ?

Il ouvrit sa trousse. En tira des gants, un sécateur et un déplantoir. Ensemble, agenouillés dans la terre, ils dégagèrent le crâne. Maura coupait les racines tandis que Daljeet ôtait délicatement la terre. Le soleil brûlait, le sol lui-même semblait irradier de la chaleur. Maura dut s'interrompre plusieurs fois pour éponger sa sueur. Le produit antimoustique qu'elle avait appliqué sur sa peau une heure plus tôt ne faisait plus effet et les taons voletaient de nouveau autour de son visage.

Délaissant leurs instruments, les deux légistes se mirent à creuser de leurs mains gantées, si proches l'un de l'autre que leurs têtes se heurtaient par moments. Les doigts de Maura s'enfonçaient profondément dans le sol, en desserraient l'étreinte. Quand une plus grande partie du crâne devint visible, Maura fit une pause, examina l'os temporal. Et la large fracture à présent révélée.

Les deux médecins échangèrent un regard, eurent la même pensée : Cette mort n'est pas naturelle.

— Je crois qu'il est dégagé, maintenant, dit Daljeet. On le soulève ?

Il étendit sur le sol une feuille de plastique puis plongea les mains dans le trou. Elles en ressortirent tenant le crâne, la mandibule en partie maintenue par les spirales de serviables racines de ronce. Il posa son trésor sur le plastique.

Pendant un moment, personne ne pipa mot. Tous fixaient l'os temporal brisé.

L'inspecteur Yates indiqua le reflet métallique d'une des molaires.

— C'est pas un plombage, là ? Dans cette dent ?

— Si. Mais les dentistes en font depuis cent ans, répondit Daljeet.

— Alors, ça pourrait quand même être une vieille tombe.

— Si c'est une tombe, où sont les morceaux du cercueil ? Et puis, il y a ce petit détail…

Daljeet montra la fracture et déclara aux deux inspecteurs penchés sur son épaule :

— Quel que soit l'âge de ces restes, je crois que vous vous trouvez sur une scène de crime, messieurs.

Les autres firent cercle autour d'eux et, tout à coup, l'air parut perdre son oxygène. Le bourdonnement des insectes sembla se changer en un grondement.

Quelle chaleur ! pensa Maura.

Elle se releva, les jambes incertaines, se réfugia au bord de la forêt, où des branches de chênes et d'érables projetaient une ombre bienvenue. Elle s'assit sur un rocher, enfouit sa tête dans ses mains en se disant : Voilà ce qui se passe quand on ne prend pas de petit déjeuner.

— Maura ! appela Ballard. Ça va ?

— Rien qu'un coup de chaud. J'ai besoin de rester un moment à l'ombre.

— Vous voulez de l'eau ? J'en ai dans mon Explorer, si ça ne vous gêne pas de boire à la même bouteille que moi.

— Merci, ce n'est pas de refus.

Elle le regarda se diriger vers son monospace, le dos de la chemise trempé de sueur. Il marchait droit devant lui sur le sol inégal, foulant de ses bottes la terre sombre. Avec détermination. Comme un homme qui sait ce qu'il faut faire et qui le fait, tout simplement.

La bouteille qu'il rapporta était tiède d'être restée dans le véhicule. Maura but une gorgée avidement en laissant couler un filet d'eau sur son menton. Lorsqu'elle abaissa la bouteille, elle se rendit compte que Ballard l'observait. Un moment, elle ne perçut plus le bourdonnement des insectes, ni le brouhaha des voix des hommes distants de quelques mètres. Assise à l'ombre verte des arbres, elle ne pensait qu'à lui. À la façon dont sa main avait effleuré la sienne quand il avait récupéré la bouteille. À la lumière qui marbrait délicatement ses cheveux, au fin réseau de rides autour de ses yeux. Elle entendit Daljeet l'appeler, mais fut incapable de répondre, de tourner la tête. Ballard semblait lui aussi prisonnier du moment.

L'un de nous deux doit rompre le charme, se dit-elle, l'un de nous doit revenir à la réalité. Mais je n'y arrive pas.

— Maura ?

Daljeet se tenait près d'eux, elle ne l'avait pas entendu s'approcher.

— Nous avons un problème intéressant, annonça-t-il.

— Lequel ?

— Venez regarder à nouveau cet ilion.

Elle se leva lentement, les jambes affermies, l'esprit clair. L'eau, les quelques moments à l'ombre lui avaient donné un second souffle. Ballard et elle suivirent Daljeet, constatèrent qu'il avait continué à dégager l'os.

— Je l'ai sorti jusqu'au sacrum, de ce côté, dit-il. On voit l'orifice pelvien et la tubérosité ischiatique.

Maura s'accroupit à côté de lui, considéra l'os en silence.

— Quel est le problème ? demanda Ballard.

— Il faut l'exhumer totalement. Daljeet, vous avez un autre déplantoir ?

Quand il lui passa l'outil, ce fut comme s'il avait placé dans sa main le manche d'un scalpel. Soudain, elle fut toute à son travail, à sa sinistre besogne. Agenouillés côte à côte, les deux médecins déblayèrent le sol caillouteux. Des racines s'étaient faufilées dans les fosses osseuses, ancrant les restes à la terre, et ils durent les couper pour libérer le pelvis. Plus ils creusaient, plus le cœur de Maura battait vite. Les chercheurs de trésor creusent pour trouver de l'or, Maura cherchait des secrets. Et des réponses que seule une tombe pouvait fournir.

Lorsque le bassin fut enfin dégagé, ils furent tous les deux trop sidérés pour pouvoir parler.

Maura se releva, retourna examiner le crâne posé sur la feuille de plastique. Elle s'agenouilla, ôta ses gants et promena ses doigts nus sur l'orbite, sentit la courbe accusée de l'arête supraorbitaire. Puis elle retourna le crâne pour étudier la protubérance occipitale.

C'était insensé.

Elle se balança sur ses talons, le chemisier trempé de sueur dans l'air étouffant. On n'entendait plus dans la clairière que le bourdonnement des insectes. De tous côtés, des arbres se dressaient, gardiens de cet enclos secret. Scrutant le mur vert impénétrable, Maura sentit des yeux lui renvoyer son regard, comme si la forêt elle-même l'épiait, guettait ce qu'elle allait faire.

— Qu'est-ce qui se passe, docteur Isles ?

Elle leva la tête vers l'inspecteur Corso.

— Nous avons un problème. Ce crâne…

— Oui ?

— Vous voyez ces crêtes prononcées, au-dessus des orbites ? Maintenant, regardez ici, à la base du crâne… Une bosse aussi proéminente indique une musculature puissante. Il s'agit presque certainement d'un crâne d'homme.

— Où est le problème ?

— Ce bassin, là-bas, est celui d'une femme.

Corso la regarda, se tourna vers le Dr Singh.

— Je suis entièrement d'accord avec le Dr Isles, déclara Daljeet.

— Mais ça voudrait dire…

— Nous avons là les restes de deux individus différents, conclut Maura. Un homme et une femme.

Elle se mit debout, croisa le regard du policier.

— La question, maintenant, c'est de savoir combien d'autres sont enterrés ici.

Un instant, Corso parut trop abasourdi pour répondre. Puis il parcourut lentement la clairière des yeux, comme s'il la voyait pour la première fois.

— Chef, dit-il à Gresham, il va nous falloir des volontaires. Plein. Des flics, des pompiers. Je vais faire venir notre équipe d'Augusta, mais ça suffira pas. Pas pour ce qu'on doit faire.

— Vous pensez à combien de personnes ?

— Ce qu'il faut pour couvrir le coin, répondit Corso. On va ratisser la clairière, les bois. S'il y a plus de deux cadavres enterrés ici, je les trouverai.

12

Jane Rizzoli avait grandi à Revere, banlieue séparée de Boston par le Tobin Bridge. C'était un quartier ouvrier de petits pavillons construits sur des terrains grands comme des timbres-poste, un endroit où, le 4 juillet, des saucisses grésillaient sur des barbecues dans les jardins, où des drapeaux américains flottaient fièrement au-dessus des porches. La famille Rizzoli avait eu sa part de hauts et de bas, notamment quelques mois terribles quand Jane avait dix ans et que son père avait perdu son boulot. Elle était assez âgée pour sentir la peur de sa mère et le désespoir chargé de colère de son père. Jane et ses deux frères savaient ce que c'était que vivre sur le fil du rasoir, et même si elle bénéficiait maintenant d'un emploi stable, elle ne parvenait pas à réduire totalement au silence les murmures d'insécurité de son enfance. Elle se considérerait toujours comme une fille de Revere qui avait poussé en rêvant d'avoir un jour une grande maison dans un quartier résidentiel, avec assez de salles de bains pour ne pas être obligée de cogner à la porte chaque matin afin de réclamer son tour. Avec une cheminée en brique, une porte d'entrée à deux battants et un heurtoir en cuivre. La maison qu'elle observait de sa voiture présentait toutes ces caractéristiques, et même plus : le heurtoir en cuivre, la porte à deux battants, et non pas une mais deux cheminées. Tout ce dont elle avait rêvé.

Mais c'était la maison la plus moche qu'elle eût jamais vue.

Les autres résidences sur East Dedham Street correspondaient à ce qu'on s'attend à trouver dans un quartier aisé de classes moyennes : garages pour deux voitures, jardins bien entretenus. Bagnoles dernier cri garées dans les allées. Rien d'ostentatoire, cependant, rien d'outrancier. Mais cette maison… Elle ne se contentait pas d'attirer l'attention, elle l'exigeait en braillant.

C'était comme si une tornade avait transplanté Tara, la grande demeure d'*Autant en emporte le vent*, sur une parcelle urbaine. Elle n'avait pas de jardin à proprement parler, rien qu'une bordure de terre si étroite qu'on pouvait à peine faire passer une tondeuse entre le mur et la clôture du voisin. Des colonnes blanches montaient la garde sur une véranda où Scarlett O'Hara aurait pu recevoir sa cour de soupirants sous les regards de tous les passants de Sprague Street.

Cette maison lui rappelait Johnny Silva, un garçon de son ancien quartier qui avait dilapidé sa première paie pour s'offrir une Corvette rouge cerise. « Il veut faire croire qu'il a réussi, avait commenté le père de Jane. Il vit encore dans le sous-sol de ses parents et il se paie une voiture de sport. Ce sont les plus grands losers qui s'achètent les plus grosses caisses. »

Ou se font construire la plus grande maison du quartier, pensa Rizzoli en regardant Tara-sur-Sprague Street.

Elle extirpa son ventre de derrière le volant. Sentit le bébé faire des claquettes sur sa vessie tandis qu'elle montait les marches conduisant à la porte d'entrée.

Procédons par ordre, se dit-elle. Demande d'abord si tu peux aller aux toilettes.

La sonnette ne tintait pas, elle émettait un *bong* de cloche de cathédrale appelant les fidèles à la messe.

La blonde qui vint ouvrir avait dû se tromper d'adresse. Loin de ressembler à Scarlett O'Hara, elle était la bimbo type : cheveux longs, gros seins, corps boudiné dans une tenue de gym en lycra rose. Un visage si parfaitement dépourvu d'expression qu'il avait dû être traité au Botox.

— Je suis l'inspecteur Rizzoli, je voudrais voir Terence Van Gates. J'ai téléphoné.

— Oh oui, Terry vous attend.

Une voix de gamine, douce et haut perchée. À petites doses, ça pouvait aller, mais au bout d'une heure ça devait faire l'effet d'ongles rayant une ardoise.

En pénétrant dans le hall, Rizzoli fut aussitôt confrontée à une gigantesque toile accrochée au mur. Barbie en robe du soir verte, près d'un énorme bouquet d'orchidées. Tout dans cette maison était démesuré : les tableaux, les plafonds, les nichons.

— On fait des travaux dans l'immeuble de son cabinet, alors, aujourd'hui, il travaille à la maison. Au bout du couloir, à droite.

— Excusez-moi… je ne connais pas votre nom.

— Bonnie.

Bonnie, Barbie. Pas loin.

— Vous êtes… Mme Van Gates ?

— Hmm-hmm.

Une femme-trophée. Van Gates devait friser les soixante-dix ans.

— Je peux utiliser vos toilettes ? J'ai besoin d'y aller toutes les dix minutes, en ce moment.

Bonnie sembla se rendre compte seulement à cet instant que sa visiteuse était enceinte.

— Chérie, mais bien sûr ! C'est là, tout de suite.

Rizzoli n'avait jamais vu de salle de bains peinte en rose bonbon. Les toilettes reposaient sur une plate-forme, comme un trône, avec un téléphone mural à portée de main. Comme si on pouvait avoir envie de régler des affaires en… en faisant sa petite affaire ! Elle se lava les mains avec un savon rose dans le lavabo de marbre rose, les sécha avec une serviette rose et ressortit.

Bonnie avait disparu, mais Rizzoli entendit les battements d'une musique rythmée et le bruit sourd de pieds frappant le sol, à l'étage : Bonnie faisait sa gym. Moi aussi, il faudra que je me remette en forme, pensa Rizzoli. Mais pas question de le faire en lycra rose.

En quête du bureau de Van Gates, elle suivit le couloir, coula d'abord un regard dans un vaste séjour agrémenté d'un piano à queue blanc, d'un tapis blanc et de meubles blancs. Pièce rose, pièce blanche. Et après ? Elle passa devant un autre portrait de Bonnie, posant cette fois en déesse grecque vêtue d'une tunique blanche, les mamelons visibles à travers le tissu diaphane. Bon Dieu, ces gens auraient dû vivre à Las Vegas !

Enfin, elle avisa une bibliothèque.

— Monsieur Van Gates ?

L'homme assis derrière le bureau en merisier leva la tête et Rizzoli vit des yeux bleus larmoyants, un visage flasque auquel l'âge avait donné des bajoues, des cheveux couleur…

C'était quoi, cette teinte ? Quelque chose entre le jaune et l'orange. Sûrement pas l'effet recherché, sans doute une teinture qui avait mal tourné.

— Inspecteur Rizzoli ? dit-il.

Son regard se posa sur le ventre de Jane et y demeura rivé, comme s'il n'avait jamais vu de policière enceinte.

C'est à moi qu'il faut que tu parles, pas à mon ventre.

Elle s'approcha, lui serra la main. Remarqua les points d'implants révélateurs qui piquetaient son crâne, sur lequel, de place en place, des « cheveux » poussaient, comme de petites touffes d'herbe jaune, dans une ultime tentative désespérée pour tromper son monde. Voilà ce qui arrive quand on épouse une femme-trophée.

— Asseyez-vous, asseyez-vous, dit-il.

Elle prit place dans un fauteuil de cuir lisse. En faisant du regard le tour de la pièce, elle nota que la décoration y était radicalement différente de celle du reste de la maison. Style Sommité du Barreau, tout en boiseries et cuir sombres. Des rayonnages d'acajou supportaient des revues et des manuels de droit. Pas une seule touche de rose. Clairement son domaine à lui, zone débarbiefiée.

— Je ne sais vraiment pas en quoi je peux vous aider, inspecteur. L'adoption dont vous m'avez parlé remonte à une quarantaine d'années…

— Ce n'est pas vraiment de l'histoire ancienne.

— Vous n'étiez même pas née, dit-il dans un rire.

Était-ce une petite pique ? Une façon de lui faire comprendre qu'elle était trop jeune pour venir l'ennuyer avec ses questions ?

— Vous ne vous souvenez plus des personnes concernées ?

— Je dis simplement que cela fait un bon bout de temps. Je devais sortir de la fac de droit. Je travaillais dans un bureau en location, avec des meubles en location, et pas la moindre secrétaire à l'horizon ! Je répondais moi-même au téléphone. Je prenais toutes les affaires qui se présentaient : divorce, adoption, conduite en état d'ivresse… Tout ce qui pouvait payer le loyer.

— Vous avez encore les dossiers, naturellement. De ces vieilles affaires.

— Ils sont stockés quelque part.

— Où ça ?

— Chez File-Safe, dans Quincy. Mais avant que nous allions plus loin, je dois vous dire une chose. Les parties impliquées dans cette affaire ont demandé le secret absolu. La mère biologique ne voulait pas que son identité soit révélée. Ces dossiers ont été mis sous scellés il y a des années.

— J'enquête sur un meurtre, monsieur Van Gates. L'une des deux personnes adoptées est morte.

— Oui, je sais. Mais je ne vois pas ce que cela a à voir avec son adoption, quarante ans plus tôt. Quel rapport avec votre enquête ?

— Pourquoi Anna Leoni vous a-t-elle téléphoné ?

Il eut l'air surpris, pour le coup.

— Je vous demande pardon ?

— La veille de son assassinat, Anna a appelé votre cabinet de sa chambre à l'hôtel Tremont. Nous venons de recevoir son relevé téléphonique, la conversation a duré trente-sept minutes. Vous avez bien dû parler de quelque chose, tous les deux, pendant ces trente-sept minutes. Vous n'avez pas pu la faire attendre tout ce temps.

Il ne répondit pas.

— Monsieur Van Gates ?

— Cette… cette conversation était confidentielle.

— Mme Leoni était votre cliente ? Vous lui avez facturé cette conversation ?

— Non, mais…

— Donc, vous n'êtes pas tenu au secret professionnel.

— J'y suis tenu pour une autre cliente.

— La mère biologique ?

— Elle était ma cliente. Elle a abandonné ses bébés à une condition : garder l'anonymat.

— C'était il y a quarante ans. Elle a peut-être changé d'avis.

— Je n'en ai aucune idée. J'ignore où elle se trouve. Je ne sais même pas si elle vit encore.

— C'est pour ça qu'Anna vous a appelé ? Pour vous interroger sur sa mère ?

Van Gates se cala dans son fauteuil.

— Les personnes adoptées sont souvent curieuses de connaître leurs origines. Pour certaines d'entre elles, cela devient une obsession. Elles se lancent dans la chasse aux documents. Elles dépensent des milliers de dollars et beaucoup d'énergie à rechercher une mère qui ne souhaite pas qu'on la trouve. Et si elles mettent la main dessus, ça se passe rarement comme elles l'avaient espéré. Ce qu'Anna Leoni espérait, inspecteur, c'était une fin façon conte de fées. Quelquefois, ces personnes feraient mieux d'oublier et de passer à autre chose…

Rizzoli songea à sa propre enfance, à sa famille. Elle avait toujours su qui elle était. Il lui suffisait de regarder ses grands-parents, ses parents, pour voir son arbre généalogique gravé sur leurs visages. Elle était l'une d'entre eux, jusque dans son ADN, et même s'il leur arrivait de l'irriter ou de la gêner, elle savait qu'ils étaient siens.

Maura Isles, elle, ne s'était jamais reconnue dans les yeux d'un de ses grands-parents. Quand elle marchait dans la rue, scrutait-elle les visages des inconnus qu'elle croisait, à la recherche d'une ressemblance ? Un dessin de la bouche ou une courbe du nez familiers ? Rizzoli comprenait parfaitement ce désir de connaître ses origines. De savoir qu'on n'est pas une brindille abandonnée au gré du vent, mais une branche d'un arbre aux racines profondes.

Elle riva son regard à celui de Van Gates.

— Qui est la mère d'Anna Leoni ?

— Je vais me répéter, dit-il en secouant la tête. Ça n'a rien à voir avec votre…

— À moi d'en juger. Donnez-moi simplement son nom.

— Pourquoi ? Pour vous permettre de détruire la vie d'une femme qui n'a peut-être pas envie qu'on lui rappelle une erreur de jeunesse ? Quel rapport avec votre enquête ?

Rizzoli se pencha et plaqua ses deux mains sur le bureau, empiétant délibérément sur le territoire de l'avocat. Les gentilles petites Barbies n'osaient peut-être pas, mais ça ne faisait pas peur aux femmes flics de Revere.

— Je vous l'ai demandé poliment. Mais je peux aussi obtenir une injonction du tribunal vous forçant à me montrer vos dossiers, menaça-t-elle.

Ils s'affrontèrent un moment du regard puis Van Gates poussa un soupir de capitulation.

— D'accord, on ne va pas remettre ça, je vais vous le dire. La mère s'appelle Amalthea Lank. Elle avait vingt-quatre ans, à l'époque. Et salement besoin d'argent.

Rizzoli fronça les sourcils.

— Ne me dites pas qu'elle s'est fait payer pour abandonner ses enfants.

— Eh bien…

— Combien ?

— Une somme importante. Assez pour prendre un nouveau départ dans la vie.

— Combien ?

Il cligna des yeux.

— Vingt mille dollars chacune.

— Pour *chaque* bébé ?

— Deux familles sont reparties heureuses avec un enfant, et elle, elle est repartie avec du liquide. Croyez-moi, ça coûte plus cher maintenant. Vous savez que c'est très dur, aujourd'hui, d'adopter un nouveau-né blanc en bonne santé ? Il n'y en a pas assez sur le marché. C'est la loi de l'offre et de la demande.

Rizzoli fut totalement consternée à l'idée qu'une femme puisse vendre son bébé.

— C'est tout ce que je peux vous dire, poursuivit Van Gates. Si vous voulez en savoir davantage, voyez vos collègues. À ce propos, vous devriez vous parler, entre vous, ça nous ferait gagner du temps à tous…

Cette dernière remarque intrigua Rizzoli, qui se souvint alors de ce que l'avocat avait dit un instant plus tôt : « On ne va pas remettre ça. »

— Qui d'autre vous a interrogé sur cette femme ?

— Vous êtes tous les mêmes. Vous déboulez dans mon bureau, vous menacez de me pourrir la vie si je ne coopère pas…

— Un autre flic ?

— Oui.

— Qui ?

— Je ne me souviens pas, il y a des mois de ça. J'ai dû occulter son nom.

— Pourquoi vous a-t-il questionné à ce sujet ?

— Parce que Anna le lui avait demandé. Ils sont venus ensemble.

— Anna Leoni était avec lui ?

— Il le faisait pour elle. Une faveur. On devrait tous avoir droit à une faveur des flics, de temps en temps, grommela Van Gates.

— C'était il y a quelques mois ? Ils sont venus ensemble ?

— Je viens de vous le dire.

— Et vous avez révélé à Anna le nom de sa mère ?

— Oui.

— Alors, pourquoi vous a-t-elle téléphoné la semaine dernière si elle savait déjà le nom de sa mère ?

— Parce qu'elle avait vu une photo dans le *Boston Globe*. Une femme qui lui ressemblait trait pour trait.

— Le Dr Maura Isles.

— Elle m'a interrogé sans détour, je lui ai répondu.

— Vous lui avez répondu quoi ?

— Qu'elle avait une sœur.

13

Les ossements changeaient tout.

Maura avait projeté de rentrer directement à Boston, mais après être passée au cottage se doucher, enfiler un jean et un tee-shirt, elle retourna à la clairière avec sa voiture.

Je reste un peu plus longtemps, je repartirai vers quatre heures, décida-t-elle.

L'après-midi s'écoula et, tandis que les experts de la scène de crime venus d'Augusta faisaient leur travail, que les équipes de recherche inspectaient le terrain quadrillé par Corso, Maura perdit la notion du temps. Elle ne s'accorda qu'une pause pour avaler un des sandwichs au poulet que des bénévoles avaient apportés. Tout avait le goût du produit antimoustique qu'elle s'était étalé sur la figure, mais elle avait tellement faim qu'elle se serait contentée d'un quignon de pain sec. Son appétit calmé, elle remit ses gants, reprit son déplantoir et s'agenouilla de nouveau à côté du Dr Singh.

Quatre heures vinrent et passèrent.

Les caisses en carton s'emplissaient d'ossements. De côtes et de vertèbres lombaires. De fémurs et de tibias.

En réalité, le bulldozer n'avait pas éparpillé les os très loin. Les restes de la femme se trouvaient tous dans un rayon de deux mètres ; ceux de l'homme, reliés par un réseau de racines de ronce, étaient encore plus regroupés. Il n'y avait apparemment que deux squelettes, mais il fallut tout l'après-midi pour les exhumer.

Prise par l'excitation des fouilles, Maura ne se décidait pas à partir, pas tant que chaque pelletée de terre qu'elle tamisait pouvait contenir une nouvelle trouvaille. Un bouton, une balle, une dent… Etudiante à Stanford, elle avait passé un été fabuleux sur un chantier archéologique en Basse-Californie.

Bien que la température eût grimpé au-delà des trente degrés et que Maura n'eût qu'un chapeau à large bord pour se protéger du soleil, elle avait travaillé sans s'arrêter pendant les heures les plus chaudes de la journée, poussée par la fièvre qui s'empare des chercheurs de trésor convaincus que le prochain objet à découvrir ne se trouve qu'à quelques centimètres de profondeur. Cette fièvre qui la consumait à nouveau tandis qu'accroupie parmi les fougères elle écrasait des taons sur ses joues. Qui la retint jusqu'en début de soirée, quand des nuages noirs apparurent dans le ciel et que le tonnerre gronda au loin.

Cette fièvre et l'excitation secrète qu'elle éprouvait chaque fois que Rick Ballard s'approchait d'elle.

En tamisant la terre, en démêlant des racines, elle sentait sa présence, sa proximité. C'était lui qui lui avait donné une bouteille d'eau fraîche, qui lui avait apporté le sandwich. Lui qui s'arrêtait pour poser une main sur son épaule et lui demander comment elle allait. Ses collègues masculins du service de médecine légale la touchaient rarement. Peut-être parce qu'elle était distante, ou qu'elle leur faisait comprendre, par un message silencieux, qu'elle n'aimait pas les contacts personnels. Ballard, lui, n'hésitait pas à lui presser le bras, à lui toucher le dos.

Sa main sur elle la laissait tout étourdie.

Lorsque les experts de la scientifique commencèrent à remballer leurs instruments, Maura s'aperçut avec stupeur qu'il était sept heures et que le jour commençait à décliner. Elle avait les muscles douloureux, les vêtements couverts de boue. Elle se leva, les jambes tremblantes de fatigue, et regarda Daljeet fermer avec du ruban adhésif les deux cartons d'ossements. Ils en prirent un chacun et les portèrent à la voiture de Singh, de l'autre côté de la clairière.

— Daljeet, après cette journée, je crois que vous me devez un dîner.

— Chez Julien, promis. La prochaine fois que je viens à Boston.

— Je ne manquerai pas de vous le rappeler.

Il chargea les caisses dans sa voiture, referma la portière. Les deux médecins légistes échangèrent une poignée de main, paume sale contre paume sale. Elle lui adressa un signe d'au revoir quand il démarra. La plupart des équipes étaient déjà parties, il ne restait autour de la clairière que quelques véhicules.

L'Explorer de Ballard en faisait partie.

Maura demeura un moment immobile dans le crépuscule, regardant autour d'elle. Ballard lui tournait le dos et discutait avec Corso près des arbres. Elle s'attarda, espérant qu'il remarquerait qu'elle était sur le point de partir.

Et puis après ? Que voulait-elle qu'il arrive entre eux ?

Va-t'en avant de te rendre ridicule.

Elle regagna précipitamment sa voiture, mit le moteur en marche et démarra si brusquement qu'elle fit crisser ses pneus.

De retour au cottage, elle ôta ses vêtements sales, prit une longue douche, se savonna deux fois pour éliminer toute trace d'huile antimoustique. Lorsqu'elle sortit de la salle de bains, elle se rendit compte qu'elle n'avait pas de quoi se changer : elle n'avait pas projeté de passer plus d'une nuit à Fox Harbor.

Elle ouvrit le placard de la chambre, passa en revue les vêtements d'Anna. Elle n'avait pas d'autre solution. Elle décrocha une robe d'été en coton blanc, un peu trop « jeune fille » à son goût mais, avec cette chaleur et cette humidité, c'était parfait. Elle l'enfila, sentit la caresse du tissu sur sa peau et se demanda quand Anna avait lissé cette robe sur ses hanches pour la dernière fois, quand elle en avait attaché la ceinture autour de sa taille. Des plis marquaient encore le coton à l'endroit où Anna avait fait le nœud. Toutes les affaires d'Anna que je vois et que je touche portent encore son empreinte, pensa Maura.

La sonnerie du téléphone la fit se tourner vers la table de chevet. Curieusement, elle sut avant même de décrocher que c'était Ballard.

— Je ne vous ai pas vue partir, dit-il.

— Je suis rentrée prendre une douche. J'étais dans un état !

— Je me sens plutôt crade, moi aussi, répondit-il en riant. Quand repartez-vous pour Boston ?

— Il est déjà très tard. Je pense que je ferais aussi bien de passer encore une nuit ici. Et vous ?

— Je n'ai pas envie non plus de faire de la route ce soir.

Il y eut un silence puis elle demanda :

— Vous avez trouvé une chambre quelque part ?

— J'ai apporté ma tente et un sac de couchage. Je suis dans un camping, plus haut sur la route.

Il lui fallut deux secondes pour prendre une décision. Deux secondes pour envisager les possibilités. Et les conséquences.

— Il y a une chambre d'amis, ici. Vous pourriez l'utiliser.

— Je ne voudrais pas m'imposer…

— Le lit vous attend, Rick.

Nouveau silence puis :

— Ce serait super. Mais à une condition.

— Laquelle ?

— Vous me laissez apporter le dîner. J'ai repéré un traiteur dans la grand-rue. Rien de gastronomique, simplement du homard, peut-être.

— Je ne connais pas vos habitudes alimentaires, mais pour moi le homard est tout ce qu'il y a de gastronomique.

— Vous voulez du vin ou de la bière ?

— J'ai l'impression que c'est plutôt une soirée à bière.

— Je serai là dans une heure. Ne vous coupez pas l'appétit.

Elle raccrocha et s'aperçut qu'elle mourait de faim. Un quart d'heure plus tôt, elle se sentait trop fatiguée pour aller au village, et avait décidé de se mettre immédiatement au lit en sautant le dîner. À présent, elle avait faim, de nourriture et de compagnie.

Elle déambula au hasard dans la maison, nerveuse, agitée par des désirs contradictoires. Quelques jours plus tôt seulement, elle avait dîné avec Daniel Brophy, mais l'Église détenait sur lui depuis longtemps des droits de propriété et Maura ne pourrait jamais rivaliser. Les causes désespérées peuvent être attirantes, elles vous apportent rarement le bonheur.

Entendant le tonnerre gronder, elle alla à la porte-moustiquaire. Le crépuscule avait fait place à la nuit. Maura ne vit pas d'éclairs mais sentit que l'air était chargé d'électricité. De possibilités. Quelques gouttes hésitantes commencèrent à tomber sur le toit. Puis le ciel s'ouvrit, comme si cent tambours martelaient leurs instruments au-dessus de sa tête. Troublée par la puissance de l'orage, elle demeura sur la véranda et regarda la pluie tomber, heureuse de sentir un air frais, bienvenu, agiter sa robe, soulever ses cheveux.

Deux phares trouèrent le rideau argenté de l'averse.

Immobile, Maura écoutait son cœur tambouriner comme la pluie lorsque la voiture s'arrêta devant la maison. Ballard en descendit avec un grand sac en plastique et un pack de bière. La tête baissée sous le déluge, il pataugea jusqu'au perron, monta les marches.

— Me doutais pas que je devrais venir à la nage, dit-il.

Maura s'esclaffa.

— Entrez, je vais vous donner une serviette.

— Ça vous dérangerait si je sautais dans la douche ? Je n'ai pas eu le temps de me laver.

— Allez-y, répondit-elle en lui prenant le sac. La salle de bains est au bout du couloir. Il y a des serviettes propres dans le meuble.

— Je cours prendre mon sac de voyage dans le coffre.

Elle porta le sac à provisions dans la cuisine, mit les bières dans le réfrigérateur. Entendit le claquement de la porte-moustiquaire quand Ballard revint puis, quelques instants plus tard, le bruit de la douche.

Elle s'assit à la table avec un soupir. Ce n'est qu'un dîner, pensa-t-elle. Une seule nuit sous le même toit. Elle songea au repas qu'elle avait préparé pour Daniel quelques jours plus tôt et se dit que cette soirée-là avait été différente dès le début. Lorsqu'elle regardait Daniel, elle voyait l'inaccessible. Et qu'est-ce que je vois maintenant, quand je regarde Rick ? Peut-être plus que je ne devrais.

La douche avait cessé de couler. Maura, figée sur sa chaise, continuait à tendre l'oreille, les sens soudain si aiguisés qu'elle percevait l'air sur sa peau. Des pas s'approchèrent et tout à coup il fut là, sentant le savon, vêtu d'un jean et d'une chemise propres.

— J'espère que vous accepterez de dîner avec un va-nu-pieds, dit-il. Mes bottes sont trop boueuses pour que je les porte dans la maison.

— Alors je vais me mettre pieds nus moi aussi, répondit Maura, amusée. Ce sera un pique-nique.

Elle défit ses sandales, alla au réfrigérateur.

— Une bière, maintenant ?

— J'attends ça depuis des heures…

Elle décapsula deux bouteilles et lui en tendit une. But une petite gorgée de la sienne en regardant Ballard renverser la tête en arrière et s'envoyer une longue lampée. Je ne verrai jamais Daniel comme ça, pensa-t-elle. Détendu, sans chaussures, les cheveux mouillés au sortir de la douche.

Elle s'approcha du sac à provisions posé sur le comptoir.

— Qu'est-ce que vous avez apporté à manger ?

— Je vous montre.

Il la rejoignit, plongea la main dans le sac et en tira plusieurs barquettes enveloppées de papier d'aluminium.

— Des pommes de terre en robe des champs. Du beurre fondu. Des épis de maïs. Et le principal…

Il prit dans le sac un large récipient en plastique et en ôta le couvercle, révélant deux homards rouge vif encore fumants.

— Comment on les ouvre ?

— Vous ne savez pas comment briser la carapace de ces bestioles ?

— J'espère que vous le savez, vous.

— Très facile, dit Ballard en sortant du sac deux casse-noix. Prête pour l'opération chirurgicale, docteur ?

— Vous m'inquiétez.

— Tout est dans la technique. Mais d'abord, il faut se mettre en tenue.

— Pardon ?

Il fourra de nouveau la main dans le sac, en exhuma deux bavoirs en plastique.

— Vous plaisantez ? fit Maura.

— Vous pensez que les restaurants donnent ces trucs aux touristes uniquement pour qu'ils aient l'air idiots ?

— Oui.

— Allez, jouez le jeu. Ça protégera cette jolie robe.

Il passa derrière elle, lui mit le bavoir sur la poitrine. Elle sentit son souffle dans ses cheveux quand il noua les cordons derrière son cou. Ses mains s'attardèrent sur la nuque de Maura et ce contact la fit frissonner.

— À votre tour, maintenant, dit-elle.

— Mon tour ?

— Je ne veux pas être la seule à porter un de ces machins ridicules.

Avec un soupir résigné, Ballard attacha un bavoir autour de son cou. Lorsqu'ils eurent tous deux la poitrine ornée d'un homard de dessin animé, ils se regardèrent et éclatèrent de rire. Un peu de bière sur un estomac vide et je perds le contrôle de moi-même, pensa Maura. Et c'est bien agréable.

Il prit un casse-noix.

— Docteur Isles, sommes-nous prêts pour l'opération ?

Elle prit le sien, le tint comme un chirurgien sur le point d'inciser tient son scalpel.

— Prête.

La pluie maintint son crépitement régulier tandis qu'ils détachaient des pinces, cassaient des pattes et en extirpaient de succulents morceaux de chair. Délaissant les fourchettes, ils mangeaient avec les mains, les doigts luisants de beurre, ouvraient d'autres canettes et fendaient des pommes de terre qui libéraient une savoureuse odeur de levure. Les bonnes manières n'étaient pas de mise, ils pique-niquaient, pieds nus sous la table, et se léchaient les doigts. En se regardant à la dérobée.

— C'est bien plus drôle qu'avec des couverts, déclara Maura.

— Vous n'aviez jamais mangé de homard comme ça ?

— Croyez-le ou pas, c'est la première fois que j'en vois un qu'on n'a pas déjà sorti de sa carapace.

Elle s'essuya les doigts à une serviette.

— Je ne suis pas de la Nouvelle-Angleterre, vous savez, expliqua-t-elle. Il n'y a que deux ans que je suis dans la région. Je viens de San Francisco.

— Cela m'étonne, d'une certaine façon.

— Pourquoi ?

— Je vous trouve tellement yankee !

— Comment ça ?

— Maîtresse de vous. Réservée.

— Je m'efforce de l'être.

— Vous voulez dire que la vraie Maura ne l'est pas ?

— Nous jouons tous un rôle. Je mets un masque au travail. Celui du Dr Isles.

— Et quand vous êtes avec des amis ?

Elle but un peu de sa bière, la reposa.

— Je ne me suis pas fait tellement d'amis à Boston.

— Cela prend du temps si on ne vient pas de là.

« Pas de là »... Oui, elle le ressentait chaque jour, qu'elle n'était pas de Boston. Elle regardait les flics s'échanger de grandes tapes dans le dos, elle les entendait parler de barbecues et de parties de softball auxquels elle n'était jamais invitée, parce qu'elle n'était pas de leur bande. Le « docteur » précédant son nom était comme un mur qui la coupait d'eux. Et ses collègues du service de médecine légale étaient tous mariés, ils ne savaient pas non plus comment se comporter avec elle. Les divorcées séduisantes gênent, déconcertent. Elles sont une menace ou une tentation que personne ne veut affronter.

— Qu'est-ce qui vous a amenée à Boston ?

— J'avais besoin de réorganiser ma vie, je suppose.

— Déceptions professionnelles ?

— Non, pas du tout. J'étais très heureuse à la faculté de médecine. J'étais médecin légiste à l'hôpital universitaire. En plus, j'avais la chance de travailler avec de jeunes internes et étudiants remarquables.

— Si ce n'est pas le boulot, c'est la vie amoureuse, alors.

Maura baissa les yeux vers la table, les reliefs du repas.

— Bien vu.

— C'est là que vous me dites de m'occuper de mes affaires.

— J'ai divorcé, c'est tout.

— Vous voulez en parler ?

Elle haussa les épaules.

— Qu'est-ce que je peux dire ? Victor était brillant, incroyablement charismatique.

— Je suis déjà jaloux.

— Mais on ne peut pas rester mariée à un homme comme ça. C'est trop intense. Ça brûle trop vite, c'est… épuisant. De plus…

— Oui ?

Elle porta la canette à ses lèvres, but lentement avant de la reposer.

— Il n'était pas particulièrement honnête avec moi. Voilà.

Elle devina qu'il aurait voulu en savoir davantage, mais il avait perçu la fermeté de sa voix : *pas plus loin*. Il se leva, alla chercher deux autres canettes au réfrigérateur.

— Si on est partis pour parler de nos ex, il va nous falloir un peu plus de bière que ça, dit-il.

— N'en parlons pas, alors. Si c'est pour nous faire du mal…

— Peut-être que cela fait mal parce que vous n'en parlez pas.

— Personne n'a envie de m'entendre parler de mon divorce.

Il se rassit et la fixa par-dessus la table.

— Moi, si.

Aucun homme ne l'avait jamais regardée avec une telle intensité. Elle n'arrivait pas à détourner les yeux. Elle se surprit à respirer profondément, à inhaler l'odeur de la pluie et celle du beurre fondu. Elle nota sur le visage de Ballard des détails qu'elle n'avait pas remarqués jusque-là. Les mèches blondes dans ses cheveux. La cicatrice sous la lèvre, simple ligne blanche à peine visible. L'incisive ébréchée. Je viens de rencontrer cet homme mais j'ai l'impression de le connaître depuis toujours, pensa-t-elle. Elle entendit son portable sonner faiblement dans la chambre, n'eut pas envie de répondre. Cela ne lui ressemblait pas de ne pas décrocher, mais ce soir tout paraissait différent. Elle était différente. Téméraire. Elle ne répondait pas au téléphone et mangeait avec les doigts.

Le portable fit de nouveau entendre sa musiquette.

Cette fois, Maura ne pouvait plus l'ignorer. Elle se leva à contrecœur. Le temps qu'elle arrive à la chambre, l'appareil avait cessé de sonner. Elle composa le numéro de sa messagerie, écouta :

« Toubib, j'ai besoin de te parler. Rappelle-moi », fit la voix de Rizzoli.

Le deuxième message avait un ton plus agressif :

« C'est encore moi. Pourquoi tu ne réponds pas ? »

Maura s'assit sur le lit, ne put s'empêcher de songer, en regardant le matelas, qu'il était juste assez grand pour deux. Elle secoua la tête pour chasser cette pensée, prit une longue inspiration et appela Rizzoli.

— Où tu es ? demanda cette dernière.

— Toujours à Fox Harbor. Désolée, je n'avais pas mon portable sous la main.

— Tu as vu Ballard ?

— Oui, on vient de finir de dîner. Comment tu savais qu'il était ici ?

— Il m'a téléphoné hier pour savoir où tu étais passée. Il avait l'air décidé à te rejoindre.

— Il est dans la pièce voisine. Tu veux que je te le passe ?

— Non, c'est à toi que je veux parler.

Après une pause, Rizzoli reprit :

— J'ai vu Van Gates, aujourd'hui.

Le brusque changement de sujet fit à Maura l'effet d'un coup de fouet.

— Quoi ? murmura-t-elle, abasourdie.

— Van Gates. L'avocat qui…

— Je sais qui c'est. Qu'est-ce qu'il t'a dit ?

— Quelque chose d'intéressant. Sur l'adoption.

— Il t'en a parlé ?

— Ouais, c'est fou ce que les gens deviennent bavards quand on leur montre une plaque. Il m'a dit que ta sœur était venue le voir, il y a quelques mois. Comme toi, elle essayait de retrouver sa mère biologique. Il lui a servi le même boniment : les dossiers ne sont pas accessibles, la mère voulait garder l'anonymat, etc., etc. Mais elle est revenue avec un ami qui a finalement convaincu Van Gates qu'il avait tout intérêt à révéler le nom de la mère.

— Et il l'a fait ?

— Oui.

Maura pressait le téléphone contre son oreille avec une telle force qu'elle entendait son cœur battre dans l'appareil.

— Tu sais qui est ma mère, alors, fit-elle à voix basse.

— Oui, mais il y a autre chose…
— Dis-moi son nom, Jane.
Un silence. Puis :
— Lank. Amalthea Lank.
— Merci, lâcha Maura dans un souffle, submergée par la gratitude. Je n'arrive pas à croire que je sais enfin…
— Attends. Je n'ai pas fini.
Le ton de Rizzoli sonnait comme un avertissement. Il annonçait une mauvaise nouvelle, quelque chose qui ne lui plairait pas.
— Quoi ?
— Cet ami d'Anna, celui qui a parlé à Van Gates…
— Oui ?
— C'était Rick Ballard.
Maura se raidit. Elle entendit dans la cuisine le tintement de la vaisselle, le sifflement de l'eau.
Je viens de passer une journée entière avec lui et je découvre soudain que j'ignore quel genre d'homme il est vraiment.
— Toubib ?
— Pourquoi il ne me l'a pas dit ?
— Je sais pourquoi.
— Pourquoi ?
— Demande-le-lui. Demande-lui de te raconter le reste.

Une fois de retour à la cuisine, Maura constata que Ballard avait débarrassé la table et jeté les carapaces de homard dans un sac-poubelle. Il se tenait devant l'évier et se lavait les mains sans se rendre compte qu'elle l'observait du seuil de la pièce.

— Que savez-vous d'Amalthea Lank ?

Il se figea, resta un moment immobile puis, sans se retourner, tendit le bras vers un torchon et s'essuya soigneusement les mains. Il gagne du temps avant de me répondre, pensa Maura. Mais elle n'accepterait aucune excuse ; rien de ce qu'il pourrait dire ne dissiperait la méfiance qu'elle nourrissait maintenant à son égard.

Il se tourna enfin vers elle.

— J'espérais que vous ne le découvririez pas. Amalthea Lank n'est pas une femme que vous avez besoin de connaître.

— C'est ma mère ? Bon sang, vous pouvez au moins me dire ça.

— Oui. C'est votre mère.

Ça y est, il l'a dit. Il a confirmé.

Un moment s'écoula avant qu'elle se fasse à l'idée qu'il lui avait dissimulé une information aussi importante. Il la regardait d'un air préoccupé.

— Pourquoi me l'avoir caché ?

— Je n'ai pensé qu'à vous, Maura. À votre intérêt...

— La vérité n'est pas dans mon intérêt ?

— En l'occurrence, non.

— Qu'est-ce que c'est censé signifier ?

— J'ai commis une erreur avec votre sœur, une grave erreur. Elle voulait tellement retrouver sa mère, j'ai cru bien faire en l'aidant. Je ne me doutais pas de la façon dont ça tournerait.

Il fit un pas vers Maura, poursuivit :

— J'ai essayé de vous protéger. J'ai vu l'effet que cette révélation avait eu sur Anna, je ne voulais pas qu'il vous arrive la même chose.

— Je ne suis pas Anna.

— Mais vous êtes comme elle. Ça me fait peur. Vous lui ressemblez tellement, pas seulement sur le plan physique mais aussi dans votre façon de penser.

Elle eut un rire sarcastique.

— Vous lisez dans mes pensées, maintenant ?

— Vous avez la même personnalité. Anna était tenace. Quand elle voulait quelque chose, elle ne lâchait pas. Et vous, vous continuerez à chercher, chercher, jusqu'à ce que vous obteniez une réponse. Comme aujourd'hui, dans la clairière, quand vous creusiez le sol. Ce n'était pas votre boulot, vous n'aviez aucune raison de le faire, à part la curiosité. Et l'obstination. Vous vouliez retrouver ces os, vous l'avez fait. Anna était comme ça, elle aussi. Je regrette qu'elle ait trouvé ce qu'elle cherchait.

— Qui était ma mère, Rick ?

— Amalthea Lank est une femme que vous n'avez pas besoin de connaître, répéta-t-il.

Cette fois, Maura se rendit compte qu'il parlait au présent.

— Elle est vivante ?

Il acquiesça d'un hochement de tête réticent.

— Et vous savez où la trouver ?

Il ne répondit pas.

— Bon Dieu, Rick ! explosa-t-elle. Pourquoi ne me le dites-vous pas ?

Il retourna à la table et s'assit, subitement trop las, semblait-il, pour poursuivre la bataille.

— Parce que je sais que cela vous sera douloureux. En particulier à cause de ce que vous êtes. Du métier que vous faites.

— Qu'est-ce que mon métier vient faire là-dedans ?

— Vous travaillez avec les forces de l'ordre. Vous contribuez à livrer des criminels à la justice.

— Je ne livre personne à la justice. Je fournis simplement des faits. Quelquefois, ils ne correspondent pas à ce que les flics veulent entendre.

— Mais vous êtes de notre côté.

— Non. Du côté de la victime.

— Bon, du côté de la victime. Voilà pourquoi ce que je vous dis ne va pas vous plaire.

— Vous ne m'avez encore rien dit.

Il soupira.

— D'accord. Je devrais peut-être commencer par l'endroit où elle vit.

— Allez-y.

— Amalthea Lank, la femme qui vous a abandonnée à la naissance, est incarcérée au pénitencier de l'État du Massachusetts, à Framingham.

Les jambes soudain molles, Maura se laissa tomber sur une chaise en face de Ballard. Elle sentit son bras glisser sur du beurre répandu sur le plateau de la table, vestige du joyeux dîner qu'ils avaient partagé moins d'une heure plus tôt, avant que son univers bascule.

— Ma mère est en prison ?

— Oui.

Elle le fixait sans se résoudre à poser la question qui s'imposait ; elle avait peur de la réponse. Mais elle ne pouvait plus reculer.

— Qu'est-ce qu'elle a fait ? Pourquoi elle est en prison ?

— Elle a été condamnée à perpétuité. Pour un double meurtre.

— C'est cela que je ne voulais pas que vous sachiez, reprit Ballard. J'ai vu ce que cela a fait à Anna d'apprendre de quoi sa mère était coupable. C'est une ascendance dont personne ne veut, un meurtrier dans la famille. Naturellement, elle n'a pas voulu le croire. Elle s'est dit qu'il devait y avoir une erreur, que sa mère était innocente. Et après l'avoir vue…

— Attendez. Anna a vu notre mère ?

— Oui. Nous sommes allés ensemble au PEM, à Framingham. La prison pour femmes. Une erreur de plus, parce que cette visite n'a fait qu'amener Anna à douter de la culpabilité de sa mère. Elle ne pouvait accepter que ce soit un mon…

Ballard s'interrompit.

Un monstre. Ma mère est un monstre.

La pluie s'était réduite à un doux tapotement sur le toit. Bien que l'orage fût passé, Maura entendait encore son grondement affaibli au-dessus de l'océan. Dans la cuisine, c'était le silence. Ils se faisaient face par-dessus la table et Rick regardait Maura avec sollicitude, comme s'il craignait de la voir s'effondrer. Il ne me connaît pas, pensa-t-elle. Je ne suis pas Anna, je ne m'écroulerai pas. Et je n'ai pas besoin d'un tuteur.

— Dites-moi le reste, réclama-t-elle.

— Le reste ?

— D'après vous, Amalthea Lank a été convaincue d'un double meurtre. C'était quand ?

— Il y a cinq ans, à peu près.

— Qui étaient les victimes ?

— Ce n'est pas facile à raconter. Ni à entendre.

— Vous m'avez déjà annoncé que ma mère est une meurtrière. Jusqu'ici, j'encaisse plutôt bien.

— Mieux qu'Anna, reconnut-il.

— Alors parlez-moi des victimes et n'omettez aucun détail. S'il y a une chose que je ne supporte pas, c'est qu'on me cache la vérité. J'ai été mariée à un homme qui me cachait trop de choses, ça a détruit notre couple. Je ne le tolérerai plus de personne.

Il se pencha en avant, la regarda dans les yeux.

— D'accord. Vous voulez tous les détails, je vais vous les donner. Les victimes étaient deux sœurs, Theresa et Nikki Wells, trente-cinq et vingt-huit ans, de Fitchburg, dans le Massachusetts. Elles s'étaient retrouvées sur la route avec un pneu crevé. C'était la fin du mois de novembre et il neigeait, une tempête-surprise. Elles ont dû penser que c'était un coup de chance qu'une voiture s'arrête pour les prendre en stop. Deux jours plus tard, on a retrouvé leurs corps à une cinquantaine de kilomètres de là, dans une cabane détruite par le feu. La semaine suivante, des flics de Virginie ont arrêté Amalthea Lank pour infraction au Code de la route et ont découvert que sa voiture avait des plaques d'immatriculation volées. Puis ils ont remarqué des traces de sang sur le pare-chocs arrière. En fouillant le véhicule, ils ont trouvé dans le coffre les portefeuilles des victimes, ainsi qu'un démonte-pneu portant les empreintes d'Amalthea. Des analyses ultérieures ont révélé qu'il y avait aussi des traces de sang. Celui de Nikki et de Theresa. Dernière preuve : la caméra de surveillance d'une station-service du Massachusetts a filmé Amalthea Lank en train de remplir un bidon d'essence. L'essence avec laquelle elle a brûlé les corps. Voilà, j'ai été direct. C'est ce que vous vouliez ?

— Quelle était la cause de la mort ? demanda Maura d'une voix étrangement calme. Vous dites que les corps ont été brûlés, mais comment a-t-on tué ces femmes ?

Il la fixa un moment, comme s'il ne parvenait pas à accepter son sang-froid.

— Des radios ont montré qu'elles avaient eu toutes les deux le crâne fracturé, très probablement avec le démonte-pneu. Nikki, la plus jeune, a reçu au visage un coup si puissant qu'il a enfoncé les os, ne laissant qu'un cratère…

Maura réfléchit au scénario que Ballard venait de lui présenter. Deux sœurs bloquées sur un bas-côté couvert de neige. Une femme s'arrête pour les aider, elles n'ont aucune raison de se méfier de cette bonne Samaritaine, d'autant qu'elle n'est plus toute jeune. Cheveux grisonnants. Solidarité féminine.

— Vous dites qu'Anna ne croyait pas à la culpabilité de sa mère ?

— Je viens de vous énumérer les pièces à conviction soumises au procès. Le démonte-pneu, la vidéo de la station-service, les portefeuilles volés. N'importe quel jury l'aurait condamnée.

— Cela s'est passé il y a cinq ans. Amalthea avait quel âge ?

— Je ne me souviens pas. La soixantaine…

— Elle a réussi à maîtriser et à tuer deux femmes ayant trente ans de moins qu'elle ?

— Bon Dieu, vous réagissez de la même façon qu'Anna ! Vous mettez en doute ce qui saute aux yeux.

— Parce que ce qui saute aux yeux n'est pas toujours vrai. Toute personne valide aurait résisté ou se serait enfuie. Pourquoi Theresa et Nikki ne l'ont-elles pas fait ?

— Elle a dû les prendre par surprise.

— Toutes les deux ? Pourquoi l'une d'elles ne s'est-elle pas sauvée ?

— L'une d'elles n'était pas en état de le faire, justement.

— Que voulez-vous dire ?

— Nikki, la cadette, était enceinte de neuf mois.

14

Mattie Purvis ignorait si c'était le jour ou la nuit. Elle n'avait pas de montre, elle ne pouvait pas tenir le compte des heures ou des jours qui passaient. C'était le plus pénible : ne pas savoir depuis combien de temps elle était dans cette caisse. Combien de battements de cœur, combien d'inspirations et d'expirations depuis qu'elle était seule avec sa peur. Elle avait essayé de compter les secondes puis les minutes, avait renoncé au bout de cinq seulement. C'était un exercice inutile, même s'il la distrayait de son désespoir.

Elle avait déjà exploré chaque centimètre carré de sa prison, n'avait découvert aucun point faible, aucune fissure qu'elle aurait pu creuser ou élargir. Elle avait étendu la couverture sous elle, rembourrage bienvenu sur le bois dur. Elle avait appris à se servir de la cuvette en plastique sans trop s'éclabousser. Même quand on est enfermé dans une boîte, la routine s'installe. Dormir. Boire de l'eau. Uriner. La seule chose qui l'aidait à estimer le passage du temps, c'était sa provision de nourriture. Combien elle avait mangé de barres chocolatées, combien il lui en restait.

Il y en avait encore une dizaine dans le sac.

Mattie glissa un morceau de chocolat dans sa bouche mais ne le mastiqua pas. Elle le laissa fondre, se transformer en une douceur onctueuse sur sa langue. Elle avait toujours adoré le chocolat, elle n'avait jamais pu passer devant une confiserie sans s'arrêter pour contempler les merveilles disposées comme des joyaux dans leurs nids de papier. Elle songea à la poudre de cacao amer qui les recouvrait, aux griottes dont elles étaient fourrées, à la liqueur au rhum coulant sur son menton : rien à voir avec cette simple barre. Mais du chocolat, c'est du chocolat, et elle savourait ce qu'elle avait.

Ça ne durerait pas toujours.

Elle baissa les yeux vers les emballages chiffonnés qui jonchaient sa prison et fut consternée d'avoir déjà consommé une aussi grande partie de ses réserves. Que se passerait-il quand il n'y en aurait plus ? On lui en donnerait encore, sûrement. Son ravisseur ne lui avait pas fourni de la nourriture et de l'eau pour la faire mourir de faim quelques jours plus tard.

Non, non. Je suis censée vivre, pas mourir.

Approchant la tête de la grille d'aération, elle inspira profondément. Je suis censée vivre, se répétait-elle, je suis censée vivre.

Pourquoi ?

Elle se laissa retomber contre le bois tandis que le mot résonnait dans sa tête. La seule réponse qui lui venait à l'esprit, c'était *rançon*. Oh ! quel imbécile, ce kidnappeur ! Il s'est laissé prendre à l'esbroufe de Dwayne. Les BMW, la montre Breitling, les cravates haute couture. « Quand on conduit un engin comme ça, on donne une image… » Elle partit d'un rire hystérique. J'ai été enlevée à cause d'une image achetée à crédit. Dwayne n'a pas les moyens de payer une rançon.

Elle l'imagina rentrant à la maison et découvrant son absence. Il verra ma voiture dans le garage, la chaise renversée dans la cuisine, pensa-t-elle. Il ne comprendra pas avant de trouver la lettre réclamant une rançon…

Tu paieras, n'est-ce pas ?

Tu paieras ?

La lumière de la torche se mit tout à coup à baisser. Mattie la secoua, la frappa contre sa paume. La lumière clignota, brilla plus vivement, s'estompa de nouveau. Mon Dieu, les piles. Idiote ! Tu n'aurais pas dû la laisser allumée si longtemps !

Elle fouilla dans le sac à provisions, déchira un paquet de piles. Elles tombèrent sur le sol, roulèrent dans toutes les directions.

La lumière s'éteignit.

Le bruit de sa respiration emplit l'obscurité. Gémissements de panique.

Arrête, Mattie, arrête. Tu sais que tu as des piles neuves. Il suffit que tu les mettes dans le bon sens.

Elle explora le sol de la main, rassembla les piles éparpillées. Respira à fond et dévissa la torche, posa le couvercle avec précaution sur son genou plié. Elle fit glisser les piles vides hors de la lampe, les poussa sur le côté. Exécutant chacun de ces gestes dans le noir absolu. Si elle perdait un élément indispensable, elle ne le retrouverait peut-être plus jamais sans lumière.

Doucement, Mattie, se dit-elle. Tu as déjà changé les piles d'une lampe électrique. Mets-les dedans, le pôle positif d'abord. Une, deux. Maintenant, revisse le couvercle…

La lumière jaillit, éclatante, magnifique. Avec un soupir, Mattie s'allongea sur le dos, aussi épuisée que si elle avait couru un quinze cents mètres.

Tu as de nouveau de la lumière, économise-la. Ne la gaspille pas de nouveau.

Elle éteignit la torche et demeura dans le noir. Cette fois, sa respiration était lente, régulière. Plus de panique. Elle ne voyait rien mais elle avait le doigt sur l'interrupteur et elle pouvait rallumer la lampe à tout moment.

Je maîtrise.

Ce qu'elle ne maîtrisait pas, c'étaient les craintes qui l'assaillaient tout à coup. Dwayne devait maintenant savoir qu'on l'avait kidnappée. Il avait lu la lettre, ou reçu le coup de téléphone. *L'argent contre la vie de ta femme*. Il paierait, bien sûr, il paierait. Elle l'imagina implorant désespérément une voix anonyme au téléphone : « Ne lui faites pas de mal, ne lui faites pas de mal ! » Elle l'imagina sanglotant à la table de la cuisine, regrettant, profondément, toutes les choses cruelles qu'il lui avait dites. Les mille et une façons dont il l'avait humiliée. Il aurait voulu pouvoir effacer tout ça, lui dire combien elle comptait pour lui, lui dire…

Tu rêves, Mattie.

Elle plissa vivement les yeux pour chasser l'angoisse qui lui enserrait le cœur.

Tu sais bien qu'il ne t'aime pas. Tu le sais depuis des mois.

Entourant son ventre de ses bras, elle s'étreignit, elle étreignit son bébé. Recroquevillée dans un coin de sa prison, elle ne parvenait plus à se cacher la vérité. Elle se rappela l'expression de dégoût de Dwayne, un jour, quand elle était sortie de la douche et qu'il avait vu son gros ventre. Ou les fois où elle s'approchait de lui par-derrière pour l'embrasser dans le cou et où il la repoussait. Ou la soirée chez les Everett, deux mois plus tôt, quand elle l'avait cherché partout et finalement trouvé dans le belvédère du jardin, flirtant avec Jen Hockmeister. Il y avait eu des signes, tant de signes, et elle les avait tous ignorés parce qu'elle croyait au grand amour. Elle y croyait depuis qu'on lui avait présenté Dwayne Purvis à une fête d'anniversaire et qu'elle avait su qu'il était l'homme de sa vie, bien qu'il y eût dans son comportement des choses qui auraient dû l'inquiéter. Le fait qu'il lui faisait toujours payer la moitié de l'addition quand ils sortaient ensemble, par exemple, ou cette manie de se recoiffer chaque fois qu'il passait devant un miroir. Des petites choses sans importance, finalement, parce que leur amour les unissait. C'était ce qu'elle s'était raconté : de beaux mensonges tirés d'une histoire d'amour qui n'était pas la sienne, qu'elle avait vue au cinéma, peut-être, mais qui n'était pas la sienne. Qui n'était pas sa vie.

Sa vie, c'était ça : attendre, enfermée dans une caisse, une rançon payée par un mari qui ne voulait surtout pas la récupérer.

Mattie pensa au vrai Dwayne, assis dans la cuisine, lisant la lettre du ravisseur : *Nous avons ta femme. Si tu ne nous verses pas un million de dollars…*

Non, c'était beaucoup trop. Aucun ravisseur sensé n'exigerait autant. Qu'est-ce qu'on demandait, ces temps-ci, pour une femme enlevée ? Cent mille dollars, ça semblait plus raisonnable. Dwayne rechignerait quand même. Il estimerait ses avoirs : les BMW, la maison... Ça vaut combien, une femme ?

Si tu m'aimes, si tu m'as jamais aimée, tu paieras. Paie, je t'en supplie !

Elle se laissa glisser sur le sol, sombra dans le désespoir.

— Madame, madame...

Mattie sursauta, se demanda si elle avait bien entendu un murmure. Elle entendait des voix, maintenant. Elle devenait folle.

— Parlez-moi, madame.

Elle alluma la lampe, la braqua vers le haut. C'était de là que venait la voix : de la grille d'aération.

— Vous m'entendez ?

C'était une voix d'homme. Basse, mélodieuse.

— Qui êtes-vous ?

— Vous avez trouvé la nourriture ?

— Qui êtes-vous ?

— Ne la gaspillez pas. Il faut la faire durer.

— Mon mari vous paiera. Je sais qu'il paiera. Laissez-moi sortir, je vous en prie !

— Vous avez des douleurs ?

— Quoi ?

— Des douleurs ?

— Je veux sortir ! Laissez-moi sortir !

— Le moment venu.

— Vous allez me garder enfermée longtemps ? Quand est-ce que vous me laisserez sortir ?

— Plus tard.

— Ça veut dire quoi ?

Pas de réponse.

— Monsieur ? Ho-ho, monsieur ? Dites à mon mari que je suis en vie. Dites-lui qu'il faut qu'il paie !

Elle entendit des pas s'éloigner.

— Ne partez pas !

Elle cogna du poing contre le haut de la caisse et cria d'une voix aiguë :

— Laissez-moi sortir !

Le bruit de pas avait cessé. Elle regarda la grille. Il reviendra, se dit-elle. Il reviendra me libérer quand Dwayne l'aura payé.

Elle se rendit compte alors d'une chose : la voix dans la grille n'avait pas mentionné Dwayne une seule fois.

15

Jane Rizzoli conduisait en Bostonienne pur jus, la main sur le klaxon, sa Subaru se faufilant adroitement entre les voitures en direction de la bretelle de l'autoroute. La grossesse n'avait pas rendu sa conduite moins agressive. Au contraire : elle semblait encore plus agacée que d'habitude par la circulation, les bouchons qui les bloquaient à chaque carrefour.

— Je sais vraiment pas, toubib, dit-elle, tambourinant des doigts sur le volant tandis qu'elles attendaient que le feu passe au vert. Ça va t'embrouiller complètement, c'est tout. Pourquoi tiens-tu à la voir ?

— Au moins, je saurai qui est ma mère, répondit Maura.

— Tu connais son nom, tu sais quel crime elle a commis. Ça ne te suffit pas ?

— Non.

Derrière eux, un automobiliste klaxonna : le feu était vert.

— Connard ! marmonna Rizzoli, qui démarra en trombe.

Elles prirent la direction de Framingham, par l'autoroute ouest, où la Subaru paraissait minuscule au milieu des files menaçantes de semi-remorques et de 4 × 4. Après un week-end sur les routes tranquilles du Maine, c'était un choc pour Maura de se retrouver sur une autoroute très fréquentée où une petite erreur, un moment d'inattention, suffisait pour vous faire franchir la ligne entre la vie et la mort. La conduite téméraire de Rizzoli inquiétait Maura, qui ne prenait jamais de risques, choisissait les voitures les plus sûres, avec doubles airbags, ne relâchait jamais sa vigilance. Pas quand des camions de deux tonnes grondaient à vingt centimètres de sa vitre.

Maura ne se détendit que lorsqu'elles eurent quitté l'autoroute pour prendre la 126, qui traversait Framingham. Elle cessa de se cramponner au tableau de bord et s'appuya à son dossier. Mais elle affrontait maintenant d'autres peurs que celle des camions et de l'acier lancé à toute vitesse. Ce qu'elle craignait le plus, c'était de se retrouver face à elle-même.

Et de détester ce qu'elle verrait.

— Tu as le droit de changer d'avis, déclara Rizzoli comme si elle lisait dans ses pensées. Tu me le dis, je fais demi-tour. On ira au Friendly's boire un café. Avec de la tarte aux pommes, peut-être.

— Les femmes enceintes n'arrêtent jamais de penser à manger ?

— Celle qui est assise à côté de toi, en tout cas.

— Je ne changerai pas d'avis.

— D'accord, d'accord.

Rizzoli conduisit un moment en silence puis reprit :

— Ballard est venu me voir, ce matin.

Maura se tourna vers elle, mais le regard de l'inspecteur restait braqué sur la route.

— Qu'est-ce qu'il voulait ?

— M'expliquer pourquoi il ne t'a pas parlé de ta mère. Écoute, je sais que tu es en rogne contre lui mais je crois qu'il essayait vraiment de te protéger.

— C'est ce qu'il a dit ?

— Et je le crois. Je suis peut-être même d'accord avec lui. Moi aussi, j'ai pensé à te cacher cette information.

— Mais tu ne l'as pas fait. Tu m'as appelée.

— Ce que je veux dire, c'est que je comprends pourquoi il ne voulait pas t'en parler.

— Il n'a aucune excuse.

— C'est un truc de mec, tu sais. Peut-être un truc de flic, aussi. Protéger la petite dame…

— En lui cachant la vérité ?

— Je dis simplement que je comprends ses intentions.

— Tu ne serais pas furieuse, toi ?

— Si, bien sûr.

— Alors, pourquoi le défends-tu ?

— Parce qu'il est canon ?

— Oh ! je t'en prie !

— Il regrette vraiment. Il a dû essayer de te le dire.

— Je n'étais pas d'humeur à écouter ses excuses.

— Tu vas continuer à lui faire la gueule ?

— Pourquoi on discute de ça, d'abord ?

— Je sais pas. À cause de la façon dont il m'a parlé de toi, peut-être. Comme s'il s'était passé quelque chose entre vous deux, là-haut. C'est le cas ?

Maura sentit que Rizzoli l'observait avec ses yeux de flic et qu'elle verrait tout de suite si elle mentait.

— Je n'ai pas besoin d'une relation compliquée en ce moment.

— Qu'est-ce qu'il y a de si compliqué ? En dehors du fait que tu es en colère contre lui ?

— Il a une fille. Une ex.

— Les hommes de son âge, ils sont tous rechapés. Ils ont tous des ex.

Maura regarda la route.

— Tu sais, Jane, toutes les femmes ne sont pas faites pour le mariage.

— C'est ce que je pensais, et regarde ce qui m'est arrivé. Un type que je ne pouvais pas sentir, et d'un seul coup, je ne pouvais plus m'empêcher de penser à lui. Jamais je ne me serais doutée que ça finirait comme ça…

— Gabriel fait partie des exceptions.

— Ouais, c'est quelqu'un d'honnête. Mais il a essayé de me faire le même numéro que Ballard, le macho protecteur, et je lui en ai voulu. Le problème, c'est qu'on ne peut pas toujours prédire ce qu'un type fera.

Maura songea à Victor. Au désastre de leur mariage.

— Non, on ne peut pas.

— Mais on peut commencer par se concentrer sur ce qui est possible, sur ce qui a une chance de marcher. Et oublier les hommes avec qui ça ne marchera jamais.

Elle savait qu'elles pensaient toutes les deux à Daniel Brophy, bien que son nom n'eût pas été prononcé. L'impossible incarné. Un mirage séducteur qui pouvait la fasciner pendant des années, des dizaines d'années, pour l'abandonner, vieille et seule.

— Voilà la sortie, annonça Rizzoli en tournant dans Loring Drive.

Le cœur de Maura se mit à battre plus fort quand elle vit le panneau indiquant *PEM-Framingham*.

Voici venu le moment du face-à-face avec celle que je suis vraiment.

— Tu peux encore changer d'avis, dit Rizzoli.

— Nous en avons déjà discuté.

— Oui, je veux simplement que tu saches qu'on peut faire demi-tour.

— Tu le ferais, Jane ? Après avoir passé ta vie à te demander qui est ta mère, tu en resterais là ? Au moment d'obtenir enfin la réponse à toutes tes questions ?

Rizzoli se tourna vers elle. Rizzoli, toujours en mouvement, toujours prise dans une tornade, posait maintenant sur Maura un regard de compréhension tranquille.

— Non, répondit-elle. Je ne renoncerais pas.

Dans l'aile administrative du bâtiment Betty Cole Smith, elles présentèrent leurs cartes d'identité et signèrent le registre. Quelques minutes plus tard, la directrice, Barbara Gurley, descendit les accueillir à la réception. Maura s'attendait à une matrone imposante, mais la femme qu'elle avait devant elle ressemblait à une bibliothécaire, avec des cheveux courts plus gris que châtains, une silhouette mince prise dans une jupe beige et un chemisier de coton rose.

— Contente de vous revoir, inspecteur Rizzoli, dit-elle.

Elle se tourna vers Maura.

— Et vous êtes le docteur Isles ?

— Oui. Merci de me recevoir.

Maura trouva la poignée de main de Gurley froide et réservée. Sans doute à cause de la raison de ma visite, pensa-t-elle.

— Allons dans mon bureau, proposa la directrice. J'ai préparé son dossier pour vous.

Elle ouvrit la marche, se déplaçant avec raideur et efficacité. Pas de mouvement inutile, pas de regard en arrière pour vérifier que les visiteuses suivaient. Les trois femmes prirent l'ascenseur.

— C'est un établissement de niveau 4 ? demanda Rizzoli.

— En effet.

— Sécurité moyenne, non ? dit Maura.

— Nous mettons en place une unité expérimentale de niveau 6. Comme nous sommes le seul pénitencier pour femmes du Massachusetts, nous devons accueillir toute la gamme des criminelles.

— Même les multirécidivistes ? s'enquit Rizzoli.

— Si ce sont des femmes, si elles sont convaincues d'un crime, elles viennent ici. Nous n'avons pas tout à fait les mêmes problèmes de sécurité que les établissements pour hommes. De plus, notre approche est un peu différente. Nous mettons l'accent sur le traitement et la réhabilitation. Certaines de nos détenues ont un problème de santé mentale ou de toxicomanie. Beaucoup d'entre elles sont mères, ce qui complique les choses, et nous devons faire face aux conséquences psychologiques de la séparation d'avec leurs enfants. Ces gosses pleurent quand les heures de visite se terminent.

— Et Amalthea Lank ? Vous avez des problèmes particuliers avec elle ?

— Nous en avons… quelques-uns, finit-elle par dire en regardant droit devant elle.

— Par exemple ?

La porte de la cabine s'ouvrit, Gurley sortit et annonça :

— Mon bureau.

Elles traversèrent une antichambre où deux secrétaires jetèrent un coup d'œil à Maura puis reportèrent aussitôt leur attention sur l'écran de leur ordinateur. Tout le monde évite de croiser mon regard, se dit-elle. Peur de ce que je pourrais déceler dans le leur ?

La directrice introduisit les visiteuses dans son bureau, ferma la porte.

— Asseyez-vous, je vous en prie.

La pièce surprit Maura, qui s'attendait à découvrir un reflet de Gurley, efficace et sans ornements. Mais partout il y avait des photos de visages souriants, de femmes tenant des bébés dans leurs bras, d'enfants aux cheveux partagés par une raie impeccable posant dans des vêtements bien repassés. Et même un couple de mariés entourés d'une troupe d'enfants.

— Mes filles, dit Gurley en souriant au mur de photos. Celles qui ont réussi à réintégrer la société. Celles qui ont fait le bon choix et tourné la page. Malheureusement…

Son sourire s'estompa.

— … Amalthea Lank ne sera jamais sur ce mur.

Elle prit place derrière son bureau et posa les yeux sur Maura.

— Je ne suis pas sûre que votre venue ici soit une bonne idée, docteur Isles.

— Je n'ai jamais rencontré ma mère biologique.

La directrice se cala contre le dossier de son fauteuil.

— C'est précisément ce qui me préoccupe. Nous voulons tous aimer notre mère. Nous voulons qu'elle soit une femme remarquable parce que cela fait de nous, son enfant, quelqu'un de remarquable.

— Je ne m'attends pas à l'aimer.

— À quoi vous attendez-vous, alors ?

La question fit réfléchir Maura. Elle songea à la mère imaginaire qu'elle s'était inventée après qu'une cousine lui eut cruellement révélé la vérité : elle était une enfant adoptée. C'était la raison pour laquelle, dans une famille de blonds, elle seule était brune. Elle s'était bâti une mère de conte de fées à partir de la couleur de ses cheveux. Une riche héritière italienne contrainte d'abandonner une fille conçue dans la honte. Une beauté espagnole abandonnée par son amant et morte tragiquement, le cœur brisé. Comme Gurley l'avait souligné, elle imaginait toujours un être remarquable, voire extraordinaire. Elle allait maintenant rencontrer non ce fantasme mais une femme réelle, et cette perspective lui nouait la gorge.

— Pourquoi pensez-vous qu'elle ne devrait pas la voir ? demanda Rizzoli à Gurley.

— Je lui conseille simplement d'aborder cette visite avec précaution.

— Pourquoi ? Amalthea Lank est une détenue dangereuse ?

— Pas au sens où elle pourrait se jeter sur quelqu'un et l'agresser physiquement. Elle est tout à fait docile, en apparence.

— Et sous la surface ?

— Pensez à ce qu'elle a fait, inspecteur. À la rage qu'il a fallu pour abattre une barre de fer avec assez de force pour fracasser le crâne d'une femme. Maintenant, répondez, vous, à cette question : qu'y a-t-il derrière l'apparence d'Amalthea ?

Gurley regarda Maura et poursuivit :

— Vous devez rencontrer cette femme les yeux grands ouverts, et pleinement consciente de ce qu'elle est.

— Elle et moi partageons le même ADN, mais je n'éprouve aucun attachement pour elle, affirma Maura.

— Rien que de la curiosité, donc.

— J'ai besoin de mettre un point final à cette histoire.

— C'est probablement ce que pensait aussi votre sœur. Vous savez, je suppose, qu'elle est venue voir Amalthea ?

— Oui, on me l'a dit.

— Je ne crois pas que cette visite lui ait apporté la paix. Elle l'a au contraire bouleversée.

— Pourquoi ?

Gurley fit glisser un classeur sur le bureau en direction de Maura.

— Voici le dossier psychiatrique d'Amalthea. Il contient tout ce que vous avez besoin de savoir sur elle. Pourquoi ne pas vous contenter d'en prendre connaissance ? Vous le lisez, vous partez et vous oubliez cette femme.

Maura ne tendit pas la main vers le classeur. Ce fut Rizzoli qui le prit et demanda :

— Elle est suivie par un psychiatre ?

— Oui.

— Pourquoi ?

— Parce qu'elle est schizophrène.

Maura fixa des yeux la directrice.

— Alors pourquoi l'a-t-on condamnée pour meurtre ? Si elle est schizophrène, elle ne devrait pas être en prison mais dans un hôpital…

— Comme un certain nombre de nos détenues. Dites ça aux juges, docteur Isles, parce que j'ai essayé et qu'on ne m'écoute pas. C'est le système qui est fou. Même si vous êtes psychotique au moment où vous commettez un meurtre, votre avocat aura du mal à convaincre le jury en plaidant la folie.

— Vous êtes sûre qu'elle est folle ? demanda Rizzoli.

Maura se tourna vers elle, vit qu'elle feuilletait le dossier.

— Le diagnostic peut être mis en cause ?

— Je connais la psy qui la suit, répondit Rizzoli. Le Dr Joyce O'Donnell. D'habitude, elle ne perd pas son temps à traiter des schizophrènes ordinaires.

Rizzoli regarda Gurley.

— Pourquoi est-elle mêlée à cette affaire ?

— Vous semblez préoccupée…

— Vous le seriez aussi, si vous connaissiez le Dr O'Donnell…

Rizzoli referma le classeur, soupira.

— Y a-t-il autre chose que le Dr Isles devrait savoir avant de rencontrer la prisonnière ?

Gurley se tourna vers Maura.

— Je crois que je n'ai pas réussi à vous dissuader, n'est-ce pas ?

— Non, je suis prête à la voir.

— Alors, je vous conduis à l'admission des visiteurs.

16

Je peux encore changer d'avis.

Cette pensée tournait dans la tête de Maura tandis qu'elle se conformait au règlement des visites. Otait sa montre et la plaçait, avec son sac à main, dans un casier. Ni bijoux ni portefeuille n'étaient autorisés au parloir et Maura se sentait nue sans ses papiers, sans toutes ces preuves de son identité, ces petites cartes en plastique destinées à prouver à chacun qui elle était. Elle referma le casier, et le claquement de la porte lui rappela la nature du lieu dans lequel elle allait pénétrer, un endroit où les portes claquent en se refermant, où des vies sont emprisonnées dans des boîtes.

Maura avait espéré rencontrer sa mère sans témoins mais, lorsque la gardienne l'introduisit au parloir, elle se rendit compte que toute intimité était exclue. Les visites de l'après-midi avaient commencé une heure plus tôt et la salle résonnait de cris d'enfants, d'un brouhaha de familles réunies. Des pièces de monnaie tintaient dans un distributeur automatique incontinent qui dégorgeait à la demande sandwichs sous emballage en plastique, chips et barres chocolatées.

— Amalthea descend, dit la gardienne. Cherchez un endroit où vous installer.

Maura s'approcha d'une table inoccupée et s'assit. Du jus de fruits y avait été répandu et rendait collant le plateau en Formica. Les mains sur les cuisses, elle attendit, le cœur battant, la gorge sèche. Réaction classique à une situation où il faut se battre ou s'enfuir, pensa-t-elle. Pourquoi suis-je aussi tendue ?

Elle se leva, alla remplir un gobelet d'eau à un robinet et l'avala d'un trait. Elle avait encore la gorge sèche. Ce genre de soif ne pouvait être étanchée par de l'eau. La gorge asséchée, le pouls rapide, les mains moites : autant d'éléments d'un même réflexe, le corps se préparant à une menace imminente.

Détends-toi, détends-toi, s'exhorta-t-elle. Tu vas la rencontrer, dire quelques mots, satisfaire ta curiosité et repartir. Qu'y a-t-il là-dedans de si difficile ?

Elle écrasa le gobelet de carton, se retourna, se figea.

Une porte venait de s'ouvrir et une femme s'avançait, les épaules rejetées en arrière, le menton levé en une attitude d'assurance souveraine. Son regard se posa sur Maura, y demeura un instant. Mais au moment où Maura pensait : C'est *elle*, la femme se tourna, sourit et ouvrit grands les bras pour étreindre l'enfant qui courait vers elle.

Décontenancée, Maura demeurait immobile, sans savoir si elle devait se rasseoir ou rester debout. La porte se rouvrit et la gardienne qui l'avait fait entrer réapparut, guidant une femme par le bras. Une femme qui ne marchait pas mais traînait les pieds, les épaules voûtées, la tête baissée, comme si elle cherchait obstinément sur le sol quelque chose qu'elle avait perdu. La surveillante l'amena à la table de Maura, la fit asseoir.

— Amalthea, cette dame est venue te voir. Tu vas pouvoir bavarder gentiment avec elle.

La prisonnière ne leva même pas les yeux lorsque la surveillante s'éloigna. Elle ne parut pas non plus remarquer la présence de la visiteuse qui venait de s'asseoir en face d'elle. Elle restait prostrée, le visage dissimulé par un rideau de cheveux sales. Sa chemise de détenue pendait sur ses épaules comme si elle rétrécissait sous ses vêtements. Une de ses mains, posée sur la table, était agitée d'un tremblement incessant.

— Bonjour, Amalthea, dit Maura. Vous savez qui je suis ?

Pas de réponse.

— Je m'appelle Maura Isles. Je… je vous ai cherchée longtemps.

Toute ma vie.

La femme inclina la tête sur le côté, non en réaction aux propos de Maura, mais sous l'effet d'un tic. Une impulsion nerveuse provoquant une contraction involontaire des muscles.

— Amalthea, je suis votre fille.

Maura l'observait, guettant une réaction. À cet instant, tout le reste du parloir disparut. Elle n'entendit plus la cacophonie des voix d'enfants, ni le raclement des pieds de chaise sur le linoléum. Elle ne voyait que cette femme fatiguée, brisée.

— Vous pouvez me regarder ? S'il vous plaît, regardez-moi.

La tête se leva enfin, par saccades, comme celle d'une poupée mécanique dont les rouages auraient rouillé. Les cheveux emmêlés s'écartèrent, des yeux se posèrent sur Maura. Des yeux sans fond. Maura n'y décela rien : ni conscience ni âme. Les lèvres remuèrent mais en silence. Une autre contraction involontaire des muscles, dépourvue de sens, d'intention.

Un petit garçon passa d'un pas chancelant, enveloppé d'une odeur de couche mouillée. À la table voisine, une détenue à la chevelure filasse sanglotait doucement, la tête entre les mains, sous le regard impassible d'un visiteur. Une dizaine de drames familiaux comparables à celui de Maura se jouaient en ce même instant ; elle n'était qu'un individu parmi d'autres, incapable de voir au-delà de sa crise personnelle.

— Ma sœur Anna est venue vous voir. Elle me ressemblait beaucoup. Vous vous souvenez d'elle ?

Amalthea remuait à présent les mâchoires comme si elle mangeait. Un repas imaginaire qu'elle seule pouvait goûter.

Non, elle ne s'en souvient pas, bien sûr, pensa Maura, frustrée par le regard sans expression de sa mère. Elle ne se rend même pas compte de ma présence. Je crie dans une caverne vide et je n'entends en réponse que l'écho de ma voix.

Résolue à obtenir une réaction, quelle qu'elle fût, Maura annonça, avec ce qui était presque de la cruauté délibérée :

— Anna est morte. Votre autre fille est morte. Vous le saviez ?

Pas de réponse.

Pourquoi je m'obstine ? Il n'y a personne dans ce corps, aucune lumière dans ces yeux.

— Bien, dit Maura, je reviendrai. Vous me parlerez peut-être la prochaine fois.

Elle se leva avec un soupir, chercha la surveillante des yeux, la repéra à l'autre bout de la salle. Elle levait la main pour lui faire signe quand elle entendit la voix. Un murmure si bas qu'elle aurait pu l'avoir imaginé.

— Va-t'en.

Sidérée, Maura baissa les yeux vers Amalthea, qui demeurait dans la même position, les lèvres tordues, le regard perdu dans le vague. Lentement, Maura se rassit.

— Qu'avez-vous dit ?

Le regard d'Amalthea se leva vers le sien et, l'espace d'un instant, Maura y perçut un éclair de conscience, une lueur d'intelligence.

— Va-t'en. Avant qu'il te voie.

Maura la regardait fixement. Un frisson courut le long de son dos.

À la table voisine, la détenue aux cheveux filasse pleurait à chaudes larmes. Son visiteur se leva et lui assena :

— Désolé, t'as pas le choix. C'est comme ça.

Il partit retrouver sa vie à l'extérieur, là où les femmes portaient de jolies choses, pas des chemises en toile grossière. Là où les portes fermées à clef pouvaient se rouvrir.

— Qui ? murmura Maura.

Amalthea ne répondit pas.

— Qui me verra ? insista Maura. Que voulez-vous dire ?

Le regard de la prisonnière s'était de nouveau éteint. La brève lueur de conscience avait disparu et Maura n'y voyait plus que le néant.

— Alors, finie, la visite ? fit la gardienne d'un ton enjoué.

— Elle est toujours dans cet état ? demanda Maura, les yeux sur les lèvres d'Amalthea qui formaient des mots en silence.

— Dans l'ensemble, oui. Elle a ses bons et ses mauvais jours.

— Elle m'a à peine parlé.

— Elle vous parlera quand elle vous connaîtra mieux. La plupart du temps, elle reste enfermée en elle-même, mais quelquefois elle en sort. Elle écrit des lettres, elle donne même des coups de téléphone.

— À qui ?

— Je sais pas. À sa psy, je suppose.

— Le Dr O'Donnell ?

— La dame blonde. Elle est venue ici plusieurs fois, Amalthea se sent à l'aise avec elle. Hein, ma chérie ?

La surveillante tendit la main vers le bras de la prisonnière.

— Allez, hop, on rentre.

Docile, Amalthea se leva et se laissa entraîner. Elle fit quelques pas, s'arrêta.

— On y va, s'impatienta la surveillante.

Mais la détenue restait plantée au même endroit, comme si ses muscles s'étaient soudain solidifiés.

— Chérie, je peux pas t'attendre toute la journée. En route.

Lentement, la mère de Maura se retourna. Son regard était toujours vide et quand elle parla, ce fut d'un ton mécanique, d'une voix de machine :

— Maintenant, toi aussi, tu vas mourir, dit-elle à sa fille.

Puis elle reprit le chemin de sa cellule d'un pas traînant.

— Elle souffre de dyskinésie tardive, diagnostiqua Maura. Voilà pourquoi la directrice a tenté de me dissuader de la rencontrer. Elle ne voulait pas que je constate l'état d'Amalthea et que je devine ce qu'ils lui ont fait.

— Qu'est-ce qu'ils lui ont fait, exactement ? demanda Rizzoli.

De nouveau au volant, elle se glissait avec témérité entre des camions qui faisaient trembler la petite Subaru.

— Tu veux dire qu'ils l'ont transformée en zombie ?

— Tu as vu son dossier psychiatrique. Ses premiers médecins l'ont traitée aux phénothiazines. Ce sont des médicaments antipsychotiques. Chez les femmes âgées, ils peuvent avoir des effets secondaires dévastateurs, dont ce qu'on appelle la dyskinésie tardive : des mouvements involontaires de la bouche et du visage. Le patient ne peut s'empêcher de remuer les mâchoires, de gonfler les joues ou de tirer la langue. Il ne se contrôle plus. Imagine la vie qu'il mène : tout le monde le regarde faire des grimaces ; il est devenu un monstre.

— Ça se guérit ?

— Non. Il aurait fallu arrêter les médicaments dès l'apparition des premiers symptômes, mais ils ont attendu trop longtemps. Le Dr O'Donnell a ensuite repris le dossier, c'est elle qui a fini par interrompre le traitement. Dès qu'elle a compris ce qui se passait.

Maura poussa un soupir chargé de colère et conclut :

— Ses troubles sont probablement irréversibles.

Elle regarda à travers sa vitre la circulation qui se faisait plus dense. Elle n'éprouvait plus d'angoisse au passage de ces tonnes de métal lancées à vive allure ; elle pensait à Amalthea Lank, à ses lèvres sans cesse en mouvement, comme pour murmurer des secrets.

— Tu veux dire qu'on n'aurait jamais dû lui donner ces médicaments ?

— Non. Je dis qu'on aurait dû les arrêter plus tôt.
— Donc, elle est folle ? Ou non ?
— C'était leur diagnostic à l'origine. Schizophrénie.
— Et quel est le tien ?
Maura songea au regard inexpressif de la prisonnière, aux mots mystérieux qu'elle avait prononcés. Des mots qui ne s'expliquaient que par un délire paranoïde.
— J'inclinerais à être de leur avis, répondit-elle. Je ne me vois pas en elle, Jane. Je ne vois rien de moi dans cette femme.
— Ça doit te soulager. Tout bien considéré…
— Mais ce lien entre nous n'en existe pas moins. On ne peut renier son ADN.
— Tu connais le vieux dicton « La voix du sang est la plus forte » ? C'est de la connerie, toubib. Tu n'as rien en commun avec cette femme. Elle a accouché, elle t'a abandonnée à la naissance. Point. Relation terminée.
— Elle connaît tant de réponses. Qui est mon père. Qui je suis.
Rizzoli lui lança un regard aigu puis se concentra de nouveau sur la route.
— Je vais te donner un conseil. Reste loin de cette femme. Ne cherche plus à la voir, à lui parler. Ne pense même plus à elle. Elle est dangereuse.
— Ce n'est qu'une schizophrène au bout du rouleau.
— Je n'en suis pas sûre.
Maura posa sur Rizzoli un regard étonné.
— Qu'est-ce que tu sais sur elle que j'ignore ?
Pendant un moment, Rizzoli conduisit en silence. Ce n'était pas la circulation qui l'absorbait ; elle pesait sa réponse, cherchait la meilleure façon de formuler sa phrase.

— Tu te souviens de Warren Hoyt ? finit-elle par dire.

Bien qu'elle eût prononcé ce nom sans émotion apparente, ses mâchoires s'étaient contractées, ses mains s'étaient crispées sur le volant.

Warren Hoyt, pensa Maura. Le Chirurgien.

C'était le surnom que la police lui avait donné à cause des atrocités qu'il infligeait à ses victimes. Ses instruments étaient le chatterton et le scalpel, ses victimes des femmes endormies dans leur lit, ignorant la présence de l'intrus qui se tenait près d'elles dans le noir, savourant à l'avance le plaisir de la première incision. Jane Rizzoli avait été sa dernière cible, son adversaire dans un jeu qu'il n'aurait jamais cru perdre.

C'était pourtant elle qui l'avait abattu, d'une seule balle, qui lui avait sectionné la moelle épinière. À présent tétraplégique, Hoyt vivait dans un univers réduit, une chambre d'hôpital où les rares plaisirs qui lui restaient étaient ceux de l'esprit, un esprit qui demeurait aussi brillant et dangereux qu'avant.

— Bien sûr que je me souviens de lui, répondit Maura.

Elle avait vu ses œuvres, les terribles mutilations que son scalpel avait laissées dans la chair d'une de ses victimes.

— Je le tiens à l'œil, dit Rizzoli. Rien que pour m'assurer que le monstre est toujours en cage. Il y est bien, et tous les mercredis après-midi, depuis huit mois, il a une visiteuse. Le Dr Joyce O'Donnell.

Maura fronça les sourcils.

— Pourquoi ?

— Elle prétend que c'est dans le cadre de ses recherches sur les comportements violents. Selon sa théorie, les tueurs ne sont pas responsables de leurs actes : un coup sur la caboche quand ils étaient gosses peut faire d'eux des adeptes de la violence. Naturellement, les avocats connaissent son numéro de téléphone par cœur. Elle te dirait probablement que Jeffrey Dahmer était un incompris, que John Wayne Gacy avait reçu trop de coups sur la tête[1]... Elle défendrait n'importe qui.

— Elle est payée pour ça.

— Je ne crois pas qu'elle le fasse pour le fric.

— Pour quoi, alors ?

— Pour avoir l'occasion d'établir des rapports personnels avec des meurtriers. Elle affirme que c'est son domaine d'études, qu'elle le fait pour la science. Ouais, Josef Mengele aussi faisait ça pour la science. C'est une excuse, un moyen de rendre respectable ce qu'elle fait.

— Qu'est-ce qu'elle fait ?

— Elle cherche des sensations fortes. Elle prend son pied à écouter les fantasmes d'un tueur. Elle aime s'introduire dans sa tête, regarder, voir ce qu'il voit. Savoir ce que c'est que d'être un monstre.

— À t'entendre, elle en serait un elle-même.

— Ça ne lui déplairait peut-être pas. J'ai lu des lettres qu'elle a écrites à Hoyt quand il était en prison. Elle réclamait tous les détails sur ses meurtres. Oh ! ça, elle adore les détails !

— Beaucoup de gens ont de la curiosité pour le macabre.

— Ça va au-delà de la curiosité. Elle veut savoir ce qu'on ressent quand on entaille la peau d'une victime

1. Deux tueurs en série américains. (*N.d.T.*)

et qu'on la regarde se vider de son sang. Quand on savoure ce pouvoir ultime. Elle a soif de détails, comme un vampire a soif de sang.

Rizzoli s'interrompit, eut un rire étonné.

— Je viens de m'apercevoir d'une chose, reprit-elle. C'est exactement ce qu'elle est : un vampire. Hoyt et elle se nourrissent l'un de l'autre. Il lui raconte ses fantasmes, elle lui explique que c'est normal d'avoir du plaisir en imaginant qu'on tranche une gorge.

— Et maintenant, elle rend visite à ma mère…

— Ouais. Et je me demande quels fantasmes O'Donnell partage avec elle.

Maura songea aux crimes pour lesquels Amalthea Lank avait été condamnée. À quoi pensait-elle quand elle avait pris les deux sœurs en stop ? Avait-elle été parcourue d'un frisson de plaisir anticipé ? Avait-elle senti une bouffée enivrante de pouvoir ?

— Le simple fait qu'elle lui rend visite devrait te faire comprendre quelque chose, dit Rizzoli.

— Quoi ?

— O'Donnell ne perd pas son temps avec le tout-venant des meurtriers. Elle ne s'intéresse pas au type qui descend la caissière d'un Seven-Eleven pendant un braquage. Ni au mari qui pique une colère contre sa femme et la pousse dans l'escalier. Non, elle passe son temps avec les dingues qui tuent pour le plaisir. Ceux qui remuent le couteau dans la plaie parce qu'ils aiment la façon dont la lame grince sur l'os. Elle passe son temps avec les cas spéciaux. Avec les monstres.

Ma mère, pensa Maura. Est-elle un monstre, elle aussi ?

17

La maison du Dr Joyce O'Donnell était une grande bâtisse de style colonial dans Brattle Street, un quartier huppé de Cambridge. Une grille en fer forgé ceignait une pelouse parfaite et des parterres où des rosiers fleurissaient obligeamment. C'était un jardin discipliné et, en montant l'allée de pavés de granit qui conduisait à la porte d'entrée, Maura se représentait déjà l'occupante de cette maison. Personne soignée, mise nette et propre, esprit aussi organisé que son jardin.

La femme qui vint ouvrir était exactement comme elle l'avait imaginée.

Le Dr O'Donnell était une grande blonde cendrée au teint pâle, à la peau sans défaut. Son chemisier bleu en oxford, pris dans un pantalon de toile blanche bien repassé, était coupé pour mettre en valeur une taille mince. Elle posa sur la visiteuse un regard sans chaleur dans lequel Maura décela plutôt l'éclat tranchant de la curiosité. Un regard de scientifique examinant un nouveau spécimen.

— Docteur O'Donnell ? Je suis Maura Isles.

La psychiatre lui serra la main avec raideur.

— Entrez.

Maura pénétra dans une demeure aussi froidement élégante que sa propriétaire. Les seules touches de chaleur étaient apportées par les tapis d'Orient recouvrant un parquet de teck sombre. O'Donnell conduisit Maura dans un salon guindé et la fit asseoir sur un divan tendu de soie blanche. La psychiatre s'installa en face d'elle dans un fauteuil. Sur la table basse en bois de rose qui les séparait, Maura remarqua une pile de dossiers et un magnétophone. Bien que l'appareil ne fût pas en marche, c'était un détail qui ajoutait encore à son sentiment de malaise.

— Merci de me recevoir, commença-t-elle.

— J'étais curieuse de savoir à quoi pouvait bien ressembler la fille d'Amalthea. Je vous connais, docteur Isles, mais uniquement par ce que j'ai lu dans les journaux.

O'Donnell se renversa contre le dossier de son siège, l'air parfaitement à l'aise. L'avantage du terrain. C'était elle qui avait des faveurs à accorder ; Maura venait en quémandeuse.

— En revanche, je ne sais rien de vous sur le plan personnel. Je le regrette.

— Pourquoi ?

— Je connais bien Amalthea. Je ne peux m'empêcher de me demander si…

— Telle mère, telle fille ?

O'Donnell haussa un sourcil élégant.

— C'est vous qui l'avez dit, pas moi.

— Voilà donc la raison de votre curiosité ?

— Quelle est la raison de la vôtre ? Pourquoi êtes-vous ici ?

Le regard de Maura se porta sur un tableau accroché au-dessus de la cheminée. Une huile radicalement moderne, rayée de noir et de rouge.

— Je veux savoir qui est vraiment cette femme.

— Vous savez qui elle est, mais vous ne voulez pas le croire. Votre sœur s'y refusait, elle aussi.

Maura plissa le front.

— Vous avez rencontré Anna ?

— En fait, non. J'ai reçu il y a quatre mois environ un coup de fil d'une femme se présentant comme la fille d'Amalthea. J'étais sur le point de partir pour un procès de deux semaines dans l'Oklahoma, je ne pouvais pas la recevoir. Nous avons simplement parlé au téléphone. Elle était allée voir sa mère au PEM de Framingham, elle savait que j'étais sa psychiatre. Elle voulait des informations sur l'enfance d'Amalthea, sa famille…

— Vous connaissez tout ça ?

— En partie par ses dossiers scolaires, en partie par ce qu'elle m'a raconté quand elle était lucide. Je sais qu'elle est née à Lowell. Sa mère est morte quand elle avait neuf ans, et elle est allée vivre avec un oncle et un cousin, dans le Maine.

Maura leva les yeux.

— Le Maine ?

— Oui. Elle a fréquenté le lycée d'une petite ville du nom de Fox Harbor.

Maintenant, je comprends pourquoi Anna a choisi cette bourgade. Je suis les pas d'Anna, elle suivait ceux de notre mère.

— Après le lycée, la piste s'efface. Nous ignorons où elle a vécu ensuite, comment elle a gagné sa vie. C'est probablement à ce moment-là que la schizophrénie s'est installée. Elle se manifeste généralement au début de l'âge adulte. Amalthea a sans doute sombré peu à peu au fil des années pour finir dans l'état où vous l'avez vue aujourd'hui. Brisée et délirante.

O'Donnell regarda Maura, poursuivit :

— Une image assez sinistre. Votre sœur avait beaucoup de mal à accepter ce qu'était réellement sa mère.

— J'ai regardé Amalthea, je n'ai rien vu de familier. Rien qui me ressemble.

— Moi, je le vois. La même teinte de cheveux. La même mâchoire.

— Nous ne nous ressemblons absolument pas.

— Vous ne voyez vraiment pas ?

La psychiatre se pencha en avant, lança à sa visiteuse un regard perçant.

— Dites-moi une chose, docteur Isles. Pourquoi avez-vous choisi la médecine légale ?

Déroutée, Maura garda le silence.

— Vous auriez pu choisir une autre spécialité médicale. L'obstétrique. La pédiatrie. Vous auriez pu vous occuper de patients vivants, mais vous avez choisi la médecine légale.

— Où voulez-vous en venir ?

— À ceci : vous êtes attirée par les morts.

— C'est absurde.

— Alors, pourquoi avoir choisi cette branche ?

— Parce que j'aime les réponses claires. Je n'aime pas les devinettes. J'aime *voir* le diagnostic sous les lentilles de mon microscope.

— Vous n'aimez pas l'incertitude ?

— Personne ne l'aime.

— Vous auriez pu choisir les mathématiques, ou la physique. Il y a tant d'autres disciplines qui exigent de la précision. Des réponses claires. Mais vous travaillez dans un service de médecine légale, vous communiez avec des cadavres.

O'Donnell marqua une pause, demanda d'un ton calme :

— Il vous arrive d'y prendre plaisir ?

Maura soutint son regard.

— Non.

— Vous avez choisi un métier que vous n'aimez pas ?

— J'ai choisi le défi qu'il représente. Là est la satisfaction. Même si la tâche en elle-même n'est pas agréable.

— Vous ne voyez toujours pas où je veux en venir ? Vous me dites que vous n'avez rien trouvé de familier chez Amalthea Lank. Vous la regardez, vous voyez probablement une créature horrible. Ou du moins une femme qui a commis des actes horribles. Il y a des gens qui vous regardent et qui pensent probablement la même chose, docteur Isles.

— Vous ne pouvez pas nous comparer.

— Vous savez de quoi votre mère a été jugée coupable ?

— Oui, on me l'a dit.

— Mais avez-vous lu les rapports d'autopsie ?

— Pas encore.

— Moi, je les ai lus. Au procès, la défense m'a demandé de témoigner sur l'état mental de votre mère. J'ai vu les photos, j'ai examiné les pièces à conviction. Vous savez que les victimes étaient sœurs ? Deux jeunes femmes en détresse sur le bas-côté d'une route…

— Oui.

— La plus jeune était enceinte de neuf mois.

— Je sais tout cela.

— Alors vous savez aussi que votre mère les a prises en stop. Elle les a conduites cinquante kilomètres plus loin, à une cabane dans les bois. Elle leur a fracassé le crâne avec un démonte-pneu. Puis elle a commis un acte d'une logique surprenante, voire étrange. Elle s'est rendue à une station-service, elle a rempli un bidon d'essence. Elle est retournée à la cabane où gisaient les deux corps, et elle y a mis le feu.

O'Donnell pencha la tête sur le côté.

— Vous ne trouvez pas ça intéressant ?

— Je trouve cela épouvantable.

— Oui, mais quelque part vous éprouvez peut-être autre chose, un sentiment que vous ne voulez même pas reconnaître. Ces actes vous intriguent, et pas seulement en tant qu'énigme intellectuelle. Ils ont quelque chose qui vous fascine, qui vous excite, même.

— Comme ils vous excitent, vous, manifestement ?

La psychiatre ne s'offusqua pas de la repartie, l'accueillit au contraire d'un sourire.

— Mon intérêt est strictement professionnel. C'est mon métier d'étudier les actes meurtriers. Je m'interroge en revanche sur *votre* intérêt pour Amalthea Lank.

— Il y a deux jours, j'ignorais qui était ma mère. J'essaie à présent d'affronter la réalité. De comprendre…

— Qui vous êtes ? suggéra O'Donnell.

— Je sais qui je suis, répliqua Maura.

— En êtes-vous sûre ? Quand, dans votre laboratoire, vous examinez les plaies d'une victime, quand vous décrivez les coups de couteau portés par le meurtrier, ne ressentez-vous pas un rien d'excitation ?

— Qu'est-ce qui vous fait penser ça ?

— Vous êtes la fille d'Amalthea.

— Je suis le fruit d'un hasard biologique. Elle ne m'a pas élevée.

O'Donnell se carra dans son fauteuil, considéra Maura d'un œil froid.

— Vous savez que la violence a une composante génétique ? Que certaines familles la portent dans leur ADN ?

Maura se remémora ce que Rizzoli lui avait dit du Dr O'Donnell : « Elle veut savoir ce qu'on ressent quand on entaille la peau d'une victime et qu'on la regarde se vider de son sang… Elle a soif de détails, comme un vampire a soif de sang. » Maura voyait maintenant cette soif briller dans les yeux de la psychiatre.

Cette femme aime la compagnie des monstres, pensa-t-elle. Et elle espère en avoir trouvé un nouveau.

— Je suis venue pour parler d'Amalthea, rappela Maura.

— N'est-ce pas d'elle que nous discutons ?

— Selon le PEM de Framingham, vous êtes venue la voir au moins une dizaine de fois. Pourquoi si souvent ? Sûrement pas dans son seul intérêt…

— En tant que chercheur, je m'intéresse à Amalthea. Je m'efforce de comprendre ce qui pousse les gens à tuer. Pourquoi ils y prennent plaisir.

— Vous affirmez qu'elle l'a fait par plaisir ?

— Vous savez, vous, pourquoi elle a tué ?

— Elle est manifestement psychotique.

— La grande majorité des psychotiques ne tuent pas.

— Mais vous convenez qu'elle l'est ?

O'Donnell hésita. Puis :

— Il semblerait, oui.

— Vous n'en avez pas la certitude, après toutes ces visites ?

— Dans le cas de votre mère, il ne s'agit pas seulement d'une psychose. Et il y a dans ses crimes plus que les apparences ne laissent penser.

— Que voulez-vous dire ?

— Vous savez ce qu'elle a fait. Du moins, ce dont le procureur l'a accusée.

— Les preuves étaient suffisamment solides pour la faire condamner.

— Oh ! les preuves ne manquaient pas ! Sa plaque d'immatriculation filmée par la caméra de la station-service. Le sang des victimes sur le démonte-pneu. Leurs portefeuilles dans le coffre de la voiture. Mais vous n'êtes probablement pas au courant de ceci…

O'Donnell prit un des dossiers sur la table basse et le tendit à Maura.

— Cela vient du labo de police scientifique de Virginie, l'État dans lequel on a arrêté Amalthea.

Maura ouvrit le dossier, vit la photo d'une berline blanche immatriculée dans le Massachusetts.

— C'est la voiture qu'elle conduisait, précisa O'Donnell.

Maura passa à la page suivante, le compte rendu des empreintes digitales relevées.

— On a retrouvé des tas d'empreintes dans cette voiture, dit la psychiatre. Celles des victimes, Nikki et Theresa Wells, sur les boucles des ceintures de sécurité arrière, ce qui indique qu'elles sont montées derrière et qu'elles ont mis elles-mêmes leur ceinture. Celles d'Amalthea, naturellement, sur le volant et le levier de changement de vitesse.

Elle marqua une pause avant d'ajouter :

— Et une quatrième série d'empreintes.

— Une quatrième ?

— C'est là, dans le rapport. On les a relevées sur la boîte à gants, les deux portières et le volant. On ne les a jamais identifiées.

— Cela ne veut rien dire. Elles appartenaient peut-être à un mécanicien qui a travaillé sur la voiture.

— Possible. Regardez maintenant le rapport sur les cheveux et les fibres…

Maura tourna la page, lut qu'on avait retrouvé sur la banquette arrière des cheveux blonds appartenant à Theresa et Nikki Wells.

— Rien d'étonnant, estima Maura. Nous savons que les victimes sont montées dans la voiture.

— Mais vous remarquerez qu'on n'a trouvé aucun de ces cheveux à l'avant. Réfléchissez. Deux femmes en difficulté au bord d'une route. Quelqu'un s'arrête, propose son aide, et elles font quoi, les sœurs ? Elles s'installent *toutes les deux* à l'arrière. Un peu grossier, non ? Laisser la conductrice seule devant. À moins que…

Maura leva les yeux vers elle.

— À moins qu'il n'y ait eu quelqu'un d'autre assis à l'avant.

O'Donnell se redressa, un sourire satisfait aux lèvres.

— Hypothèse troublante, et qui n'a pas été abordée au procès. Voilà pourquoi je retourne régulièrement voir votre mère. Pour découvrir ce que la police ne s'est pas donné la peine de chercher : qui était assis à l'avant avec Amalthea.

— Elle ne vous l'a pas dit ?

— Elle ne m'a pas révélé le nom de cet homme.

— De cet homme ? répéta Maura.

— Le sexe n'est qu'une supposition, mais je suis convaincue qu'il y avait quelqu'un dans la voiture avec Amalthea quand elle a repéré les deux femmes sur la route. Quelqu'un qui l'a aidée à maîtriser les victimes. Quelqu'un d'assez fort pour l'aider à les porter dans la cabane. C'est à lui que je m'intéresse, docteur Isles. C'est lui que je veux retrouver.

— Toutes ces visites à Amalthea… Ce n'est même pas pour elle ?

— La folie ne me passionne pas. Le mal, si.

Bien sûr, pensa Maura. Tu aimes l'approcher suffisamment pour te frotter à lui, pour le renifler. Ce n'est pas Amalthea qui t'attire. Elle n'est que l'intermédiaire, celle qui peut te conduire au véritable objet de ton désir.

— Un complice, dit Maura.

— Nous ne savons pas qui il est, ni à quoi il ressemble. Mais votre mère le sait.

— Alors, pourquoi s'obstine-t-elle à taire son nom ?

— C'est la question : pourquoi le cache-t-elle ? Est-ce qu'elle a peur de lui ? Est-ce qu'elle le protège ?

— Vous ne savez même pas si cette personne existe vraiment. Tout ce que vous avez, c'est une série d'empreintes non identifiées. Et une hypothèse.

— Plus qu'une hypothèse. La Bête existe.

O'Donnell se pencha de nouveau en avant et ajouta à voix basse, d'un ton presque intime :

— Ce sont ses propres mots. Quand la police de Virginie l'a arrêtée et interrogée, Amalthea a déclaré, je cite : « La Bête m'a dit de le faire. » L'homme de la voiture lui a ordonné de tuer ces femmes.

Dans le silence qui suivit, Maura entendit le bruit de son propre cœur, tel un battement de tambour allant crescendo. Elle avala sa salive et rappela :

— Nous parlons d'une schizophrène. D'une femme ayant probablement des hallucinations auditives…

— Sauf si ce qu'elle entend est réel.

Maura s'esclaffa.

— La *Bête* ? Un démon personnel, peut-être. Le monstre de ses cauchemars.

— Qui laisse des empreintes derrière lui.

— Apparemment, ça n'a pas impressionné les jurés.

— Ils n'ont pas tenu compte de ce fait. J'étais au procès. J'ai vu l'accusation requérir contre une femme si manifestement psychotique que même le procureur devait savoir qu'elle n'était pas responsable de ses actes. Mais c'était la solution toute trouvée, la condamnation facile.

— Alors qu'elle était folle.

— Oh ! personne ne doutait qu'elle était psychotique et entendait des voix ! Ces voix lui criaient peut-être de fracasser le crâne de ces femmes, de brûler leurs corps, mais les jurés n'en présumaient pas moins qu'elle savait faire la différence entre le bien et le mal. Ils se sont trompés. Ils l'ont laissé filer, *lui*.

O'Donnell se tut un instant avant d'ajouter :

— Et votre mère est la seule à savoir qui il est.

Il était presque dix-huit heures lorsque Maura se gara derrière le bâtiment du service de médecine légale. Il y avait encore deux voitures dans le parking : la Honda bleue de Yoshima et la Saab noire du Dr Costas. Ils doivent avoir une autopsie à terminer, pensa-t-elle avec un pincement de culpabilité : elle était normalement de service ce jour-là, mais elle avait demandé à ses collègues de la remplacer.

Elle ouvrit avec sa clef la porte de derrière, alla droit à son bureau sans croiser personne, trouva sur sa table ce qu'elle était venue prendre : deux classeurs, avec un Post-it jaune sur lequel Louise avait écrit : *Les dossiers que vous avez demandés.*

Elle s'assit, inspira à fond, ouvrit le premier.

C'était celui de Theresa Wells, l'aînée. La page de garde indiquait le nom de la victime, le numéro de l'affaire et la date de l'autopsie. Maura ne reconnut pas le nom du médecin, le Dr James Hobart, mais elle n'était dans le service que depuis deux ans et le rapport d'autopsie datait de cinq ans. Elle lut ce que Hobart avait dicté :

Le sujet est une femme, état de santé général bon, d'âge indéterminé, mesurant 1,65 m et pesant 60 kg. Identité établie par les radios dentaires, impossible d'obtenir des empreintes digitales. On note des brûlures étendues au tronc et aux extrémités, avec carbonisation de la peau et des muscles exposés. Le visage et le devant du torse sont en partie indemnes. Restes de vêtements sur le corps : jean bleu Gap taille S avec fermeture éclair remontée et bouton pression fermé ; pull et soutien-gorge calcinés, agrafes encore fermées également. L'examen des voies respiratoires n'a pas révélé de dépôt de suie et le taux de carboxyhémoglobine était au minimum...

Au moment où on avait mis le feu à son corps, Theresa Wells ne respirait plus. L'interprétation que le Dr Hobart faisait des radios fournissait la cause de la mort :

Les radios du crâne montrent une fracture enfoncée du pariétal droit avec un fragment en forme de coin de quatre centimètres de large...

Elle était très probablement morte d'un coup à la tête.

Au bas du rapport dactylographié, sous la signature du Dr Hobart, Maura reconnut des initiales familières : c'était Louise qui avait tapé la transcription. Dans ce service, les médecins passaient, Louise demeurait.

Maura parcourut rapidement les pages suivantes : un compte rendu d'autopsie dressant la liste de toutes les radios, des prélèvements de sang et autres fluides ; une note administrative, avec les noms des personnes ayant accès au rapport, la liste des affaires personnelles de la victime et celle des personnes présentes pendant l'autopsie. Yoshima avait secondé Hobart. Maura ne connaissait pas l'inspecteur Swigert, de Fitchburg, qui avait assisté à la procédure.

Elle alla à la dernière page, une photographie, et eut un mouvement de recul. Le feu avait calciné les membres de Theresa Wells et mis à nu les muscles du torse, mais le visage était resté étrangement intact et c'était indéniablement celui d'une femme.

Trente-cinq ans seulement, pensa Maura. J'ai déjà vécu cinq ans de plus qu'elle. Elle aurait aujourd'hui mon âge si elle avait vécu. Si son pneu n'avait pas crevé ce jour de novembre.

Elle referma le dossier de Theresa et tendit la main vers l'autre, hésita un instant avant de l'ouvrir. Elle songea au cadavre affreusement brûlé qu'elle avait autopsié un an plus tôt, aux odeurs qui imprégnaient encore ses cheveux et ses vêtements après qu'elle eut quitté la salle. Pas une fois, cet été-là, elle n'avait allumé le barbecue de son jardin, de crainte de sentir à nouveau cette puanteur de chair grillée. En ouvrant le dossier de Nikki, elle eut l'impression qu'un relent de cette odeur envahissait sa mémoire.

Si le visage de Theresa avait été en grande partie épargné par le feu, on ne pouvait en dire autant de celui de sa sœur. Les flammes qui avaient partiellement consumé Theresa avaient concentré leur rage sur la chair de Nikki.

Le sujet est sévèrement brûlé, avec des parties de la poitrine et de la paroi abdominale totalement calcinées, révélant les viscères. Les tissus mous de la face et du cuir chevelu sont également calcinés. Des zones de la voûte crânienne sont visibles, de même que des fractures des os faciaux. Il ne reste aucun fragment de vêtement, mais on décèle sur les radios, au niveau de la cinquième côte, des petits morceaux de métal qui pourraient correspondre aux agrafes d'un soutien-gorge, ainsi qu'un fragment métallique sur le pubis. La radio de l'abdomen révèle en outre des restes de squelette correspondant à un fœtus, dont le diamètre du crâne indiquerait une gestation de trente-six semaines environ...

La grossesse de Nikki Wells n'avait pu que sauter aux yeux de sa meurtrière, et cependant cet état ne lui avait inspiré aucune pitié ni pour la jeune femme ni pour le bébé. Rien qu'un bûcher funéraire commun dans les bois.

Maura tourna la page, fronça les sourcils en lisant la phrase suivante du rapport d'autopsie : *Absence notable sur la radio du tibia, du péroné et des os tarsiens du fœtus.*

Un astérisque ajouté à la main précédait les mots « Voir annexe ». Maura alla à la page jointe et lut : *L'anomalie du fœtus avait été signalée trois mois plus tôt dans le dossier d'obstétrique de la victime. L'échographie pratiquée au second trimestre avait révélé l'absence du membre inférieur droit, probablement due au syndrome de bande amniotique.*

Une malformation fœtale. Plusieurs mois avant sa mort, Nikki Wells savait que son bébé naîtrait sans jambe droite et elle avait pourtant décidé de ne pas interrompre la grossesse. De garder l'enfant.

Les dernières pages du dossier seraient les plus dures à affronter, Maura le savait. Elle ne se sentait pas le courage de regarder la photo, mais se força à le faire quand même. Vit des membres et un torse noircis. Pas de jolie femme enceinte, aucune trace de ce teint rose rayonnant de la grossesse, rien qu'un visage de squelette la fixant à travers un masque calciné, des os faciaux enfoncés par le coup mortel.

Porté par Amalthea Lank. Ma mère. Elle leur a fracassé le crâne et a traîné les corps dans une cabane. En répandant de l'essence sur les cadavres, en craquant l'allumette, en voyant les flammes s'élever soudain dans un bruit sourd, avait-elle frissonné de plaisir ? S'était-elle attardée près de la cabane en feu pour sentir l'odeur répugnante des cheveux et de la chair calcinés ?

Incapable de supporter plus longtemps cette image, Maura referma le dossier, porta son attention sur les deux grandes enveloppes de radiographies également posées sur son bureau. Elle alla au négatoscope, y fixa les radios de la tête et du cou de Theresa Wells. Les lampes s'allumèrent, révélant les ombres fantomatiques des os. Les radios étaient plus faciles à affronter que les photos. Débarrassés de leur chair, les cadavres perdent leur pouvoir horrifique. Tous les squelettes se ressemblent. Le crâne qui venait d'apparaître aurait pu appartenir à n'importe quelle femme, connue ou inconnue. Maura étudia la voûte crânienne fracturée, le triangle d'os enfoncé. Ça n'avait pas été un coup réflexe ; seul un geste violent et délibéré avait pu enfoncer ce fragment d'os aussi profondément dans le lobe pariétal.

Maura ôta les radios de Theresa, en tira deux autres de la seconde enveloppe. Autre crâne ; celui de Nikki. Comme sa sœur, elle avait été frappée à la tête, mais le démonte-pneu avait percuté le front, enfonçant l'os, écrasant les orbites avec une telle force que les yeux avaient dû éclater. Nikki Wells avait vu le coup arriver.

Maura remplaça les radios du crâne par deux autres montrant l'épine dorsale et le bassin de Nikki, étonnamment intacts sous les chairs ravagées par les flammes. Nichés au creux du bassin, on distinguait les os du fœtus. Bien que le feu eût soudé la mère et l'enfant en une seule masse calcinée, Maura pouvait voir sur la radio deux individus séparés. Deux séries d'os, deux victimes.

Elle remarqua autre chose aussi : une particule brillante qui se détachait sur l'enchevêtrement d'ombres. Rien qu'une esquille mince comme une aiguille sur la symphyse pubienne de Nikki Wells. Un fragment de métal ? Provenant peut-être d'un vêtement, d'une fermeture à glissière ou d'une agrafe, et qui aurait adhéré à la peau brûlée ?

Maura plongea la main dans l'enveloppe, trouva une vue latérale du torse, l'accrocha à côté de la vue frontale. L'écharde métallique était toujours là, mais Maura constata qu'elle ne reposait pas sur le pubis : elle semblait enfoncée dans l'os.

Elle tira de l'enveloppe toutes les radios de Nikki Wells, les plaça deux par deux sur le négatoscope, repéra les fragments métalliques signalés par le Dr Hobart, agrafes de soutien-gorge et boutons-pression. Sur les vues latérales, ces boucles de métal étaient clairement logées dans les tissus mous recouvrant l'os. Maura reprit les radios du bassin, considéra l'esquille métallique plantée dans l'os pubien de la victime. Bien que Hobart eût mentionné ce point dans son rapport, il ne le développait pas dans ses conclusions. Peut-être l'avait-il estimé insignifiant. Pourquoi l'aurait-il jugé important, à la lumière de toutes les horreurs infligées aux victimes ?

Yoshima avait assisté Hobart pendant l'autopsie, il se souviendrait peut-être de l'affaire.

Maura sortit de son bureau, se dirigea vers l'escalier et franchit les doubles portes pour pénétrer dans la salle d'autopsie. Elle était déserte, les tables soigneusement nettoyées.

— Yoshima ? appela-t-elle.

Elle enfila des couvre-chaussures et traversa la salle, franchit d'autres doubles portes, se retrouva dans la zone d'admission. Elle ouvrit la chambre froide, regarda à l'intérieur, ne vit que les morts, deux housses blanches côte à côte sur des chariots.

Elle referma la porte et demeura un moment immobile, à l'affût d'une voix, d'un bruit de pas, de quelque chose qui lui indiquerait qu'il y avait encore quelqu'un dans le bâtiment. Elle n'entendit que le bourdonnement de la réfrigération et, plus faible, la plainte d'une ambulance dans la rue.

Costas et Yoshima devaient être rentrés chez eux.

Lorsque Maura quitta le bâtiment, un quart d'heure plus tard, elle constata que la Saab et la Honda étaient effectivement parties. Outre sa Lexus noire, il n'y avait sur le parking que les trois fourgons de la morgue, portant sur leurs flancs cette inscription au pochoir : *SERVICE DE MÉDECINE LÉGALE DE L'ÉTAT DU MASSACHUSETTS*. La nuit était tombée et une flaque de lumière jaune projetée par le réverbère isolait la voiture de Maura.

Les images de Theresa et Nikki Wells la hantaient encore. En se dirigeant vers la Lexus, elle avait conscience de toutes les ombres qui l'entouraient, de tous les bruits, du moindre mouvement. À quelques mètres du véhicule, elle s'arrêta brusquement en voyant la portière côté passager. Les dossiers qu'elle portait s'échappèrent de ses mains et s'éparpillèrent sur le sol.

Trois rayures parallèles balafraient la peinture luisante de la voiture. Une trace de griffe.

Sauve-toi !

Maura fit volte-face, courut vers le bâtiment, se retrouva devant la porte fermée, chercha la clef dans son trousseau. Où était-elle ? Elle finit par la trouver, la glissa dans la serrure, ouvrit, se précipita à l'intérieur, claqua la porte derrière elle. Elle s'y adossa, pesant de tout son poids comme pour la barricader de son corps.

Dans le bâtiment désert, le silence était tel qu'elle entendait sa respiration affolée.

Elle dévala le couloir jusqu'à son bureau, s'y enferma. Seulement alors, entourée de tout ce qui lui était familier, elle sentit son pouls cesser de galoper, ses mains arrêter de trembler. Elle décrocha le téléphone, appela Jane Rizzoli.

18

— Tu as fait exactement ce qu'il fallait, approuva Rizzoli. Tu as fichu le camp et tu t'es réfugiée dans un endroit sûr.

Assise à son bureau, Maura avait les yeux rivés sur les papiers froissés que Rizzoli avait récupérés pour elle dans le parking. Des feuilles en désordre, maculées de boue, piétinées dans un accès de panique. Même à présent qu'elle était en sécurité, Maura sentait encore le contrecoup de la terreur qui l'avait submergée.

— Vous avez relevé des empreintes sur ma portière ? demanda-t-elle.

— Quelques-unes. Ce qu'on s'attend à trouver sur n'importe quelle voiture.

Rizzoli fit rouler une chaise près du bureau et s'assit. Posa les mains sur son ventre. Mama Rizzoli, enceinte et armée, pensa Maura. Je ne vois pas quel sauveur plus invraisemblable aurait pu voler à mon secours…

— Depuis combien de temps ta voiture était-elle dans le parking ? Tu dis que tu es arrivée vers six heures ?

— Mais les rayures ont pu être faites avant. Je n'ouvre pas la portière côté passager tous les jours. Je passe par là juste pour charger des sacs, courses ou autres. Je l'ai regardée ce soir parce que la voiture était tournée de ce côté. Et pile sous le réverbère.

— Quand y avais-tu prêté attention pour la dernière fois ?

Maura se massa les tempes du bout des doigts.

— Je sais qu'elle n'avait rien hier matin. Quand j'ai quitté le Maine. J'ai posé mon sac de voyage à l'avant, sur le siège. J'aurais remarqué les rayures.

— D'accord. Tu es rentrée chez toi hier. Ensuite ?

— La voiture est restée au parking toute la nuit, et ce matin je l'ai prise pour te retrouver à Schroeder Plaza.

— Tu t'es garée où ?

— Au parking proche du Central. Celui de Columbus Avenue.

— Elle n'a donc pas bougé de l'après-midi. Pendant notre visite à la prison…

— Oui.

— Ce parking est sous surveillance, tu sais.

— Vraiment ? Je n'avais pas remarqué…

— Qu'est-ce que tu as fait, ensuite ? Après notre retour de Framingham ?

Maura hésita.

— Toubib ?

— Je suis allée chez O'Donnell… Ne me regarde pas comme ça, il fallait que je la voie.

— Tu m'en aurais parlé ?

— Bien sûr. J'avais simplement besoin d'en savoir plus sur ma mère.

Rizzoli se pencha en arrière, les lèvres pincées en une mince ligne. Elle m'en veut, pensa Maura. Elle me recommande de ne pas approcher O'Donnell… et je me précipite chez elle !

— Tu y es restée combien de temps ?

— Une heure, à peu près. Jane, elle m'a appris quelque chose : Amalthea a grandi à Fox Harbor. C'est pour ça qu'Anna s'est installée dans le Maine.

— Et après avoir quitté O'Donnell ?

Maura soupira, répondit :

— Je suis venue directement ici.

— Tu n'as pas vu si quelqu'un te suivait ?

— Je n'ai même pas pensé à vérifier. J'avais d'autres choses en tête.

Les deux femmes s'affrontèrent un moment du regard.

— Tu savais que votre caméra de surveillance était bousillée ? dit enfin Rizzoli. Celle du parking ?

Maura eut un rire, un haussement d'épaules.

— Tu sais de combien on a réduit notre budget, cette année ? Cette caméra est en panne depuis des mois. On voit presque les fils pendre du plafond.

— Ce que je veux dire, c'est que cette caméra aurait dissuadé la plupart des vandales. Qui d'autre savait qu'elle ne marchait plus ?

— Je n'aime pas ce que tu insinues, répliqua Maura, consternée. Beaucoup de gens pouvaient être au courant. Des flics. Des chauffeurs de la morgue. Tous ceux qui y ont apporté un jour un cadavre. Il suffisait de lever la tête.

— Il y avait deux voitures au parking à ton arrivée, c'est bien ça ? Celles de Yoshima et du Dr Costas ?

— Oui.

— Quand tu es sortie du bâtiment, vers vingt heures, ces voitures n'y étaient plus.

— Ils étaient partis avant moi.

— Tu t'entends bien avec eux ?

Maura lâcha un rire incrédule.

— Tu plaisantes, j'espère ! Parce que ces questions sont ridicules…

— Ça ne m'emballe pas de devoir les poser.

— Alors, pourquoi le fais-tu ? Tu connais le Dr Costas, tu connais Yoshima. Tu ne peux pas les traiter comme des suspects.

— Ils sont tous les deux passés devant ta voiture en traversant le parking. D'abord le Dr Costas, à sept heures moins le quart. Ensuite Yoshima, vers sept heures et quart.

— Tu leur as parlé ?

— Ils ont tous les deux déclaré qu'ils n'avaient pas vu de rayures sur ta Lexus. Normalement, ils auraient dû les remarquer. Yoshima, en tout cas : il était garé juste à côté.

— Nous travaillons ensemble depuis près de deux ans. Je le connais, tu le connais aussi.

— Nous *pensons* le connaître.

Pas de ça, Jane ! pensa Maura. Ne me fais pas douter de mes propres collègues.

— Il bosse ici depuis dix-huit ans, ajouta Rizzoli.

— Abe a presque autant d'ancienneté que lui. Louise aussi.

— Tu sais que Yoshima vit seul ?

— Moi aussi.

— Il a quarante-huit ans, il ne s'est jamais marié et il vit seul. Il te retrouve au boulot chaque jour et vous travaillez tous les deux sur des cadavres. Sur des trucs assez sinistres. Ça crée forcément un lien entre vous, toutes ces horreurs que vous avez vues ensemble, lui et toi.

Maura songea aux heures qu'ils avaient passées, Yoshima et elle, dans cette salle aux tables d'acier inoxydable, environnés d'instruments tranchants. Il semblait toujours deviner ce dont elle avait besoin avant qu'elle le sache elle-même. Oui, il y avait un lien, naturellement, parce qu'ils formaient une équipe. Mais une fois qu'ils avaient ôté blouses et couvre-chaussures, ils partaient chacun de leur côté pour retrouver leur vie personnelle. Ils ne se fréquentaient pas ; ils n'avaient jamais pris un seul verre ensemble après le travail. En ce sens, nous nous ressemblons, pensa-t-elle. Deux êtres solitaires qui ne se rencontrent qu'au-dessus d'un cadavre.

— Je l'aime bien, Yoshima, dit Rizzoli avec un soupir. Ça ne m'amuse pas d'émettre cette hypothèse, mais si je ne la considérais pas, je ne ferais pas mon travail.

— Qui consiste en quoi ? Me rendre paranoïaque ? Je suis déjà assez effrayée comme ça, Jane. Ne me fais pas regarder de travers des gens en qui je dois avoir confiance.

Maura ramassa les papiers sur son bureau et demanda :

— Vous en avez terminé avec ma voiture ? Je voudrais rentrer chez moi.

— Ouais, on a fini. Mais je ne suis pas sûre que ce soit une bonne idée de rentrer chez toi.

— Qu'est-ce que je suis censée faire ?

— Tu as d'autres possibilités. Aller à l'hôtel. Dormir sur mon canapé. Je viens de parler à Ballard, il m'a dit qu'il a une chambre d'amis…

— Quoi, tu parles de moi à Ballard !

— Il me téléphone tous les jours pour faire le point sur cette affaire. Il m'a appelée il y a une demi-heure, je lui ai raconté ce qui était arrivé à ta voiture, il est venu voir.

— Il est dans le parking ?

— Depuis un petit moment. Il est inquiet, toubib. Moi aussi. Bon, qu'est-ce que tu veux faire ?

— Je ne sais pas…

— Tu as deux, trois minutes pour te décider. Allez, viens, dit Rizzoli en s'extirpant péniblement de son siège.

C'est complètement absurde, pensa Maura tandis qu'elles suivaient le couloir ensemble. Je suis sous la protection d'une femme qui arrive à peine à se lever. Mais Rizzoli lui avait fait clairement comprendre qu'elle prenait les choses en main et s'attribuait le rôle d'ange gardien. Ce fut elle qui ouvrit la porte et sortit la première.

Maura la suivit jusqu'à la Lexus où attendaient Frost et Ballard.

— Ça va, Maura ? s'enquit Ballard.

La lumière du réverbère laissait ses yeux dans l'ombre et elle ne put déchiffrer son expression.

— Très bien, répondit-elle.

— Ç'aurait pu finir beaucoup plus mal, estima-t-il.

Il se tourna vers Rizzoli.

— Vous lui avez dit ce dont nous avons parlé ?

— Je lui ai dit qu'il valait mieux qu'elle ne rentre pas chez elle.

Maura regarda sa voiture. Les trois rayures étaient nettement visibles, telle une blessure faite par la griffe d'un prédateur.

Le meurtrier d'Anna me parle. Il s'est approché de moi et je ne m'en suis même pas rendu compte.

— Les experts de la scène de crime ont aussi remarqué un coup sur la portière du côté conducteur, rapporta Frost.

— C'est vieux. Quelqu'un m'est rentré dedans sur un parking il y a quelques mois.

— OK, donc il y a juste les rayures. Ils ont relevé quelques empreintes. Il leur faudra les vôtres, toubib. Dès que vous pourrez en prendre une série au labo.

— D'accord.

Elle pensa à tous les doigts qu'on encrait à la morgue, à toute cette chair froide pressée machinalement contre des fiches.

Ils prendront les miennes à l'avance. Pendant que je suis encore en vie.

Elle croisa les bras sur sa poitrine : elle avait froid malgré la chaleur de la nuit. Elle se vit entrant dans sa maison vide, s'enfermant dans sa chambre. Même avec toutes ces précautions, ce n'était qu'une maison, pas une forteresse. Une maison avec des fenêtres qu'on pouvait facilement briser.

Maura se tourna vers Rizzoli.

— Tu pensais que c'était Charles Cassell qui avait rayé la voiture d'Anna, mais il n'aurait pas fait ça à la mienne.

— Non, il n'avait aucune raison, admit-elle. C'est un avertissement qui t'est clairement destiné. Anna était peut-être une erreur.

C'est moi. C'est moi qui aurais dû mourir.

Rizzoli reposa sa question :

— Alors, toubib, où veux-tu aller ?

— Je ne sais pas, répondit Maura. Je ne sais pas quoi faire…

Ballard intervint :

— En tout cas, je suggère que vous ne restiez pas plantée ici, où tout le monde peut vous voir.

Maura regarda en direction du trottoir, aperçut les silhouettes de curieux attirés par les lumières clignotantes de la voiture de patrouille. Des gens dont elle ne pouvait voir le visage parce qu'ils se tenaient dans l'ombre, alors qu'elle était là, sous le réverbère, éclairée comme la vedette d'un spectacle.

— J'ai une chambre d'amis, poursuivit Ballard.

Elle ne se tourna pas vers lui et continua à observer les ombres sans visage en pensant : Ça va trop vite. Trop de décisions à prendre à l'improviste. Trop de choix que je pourrais regretter.

— Toubib ? fit Rizzoli.

Maura regarda enfin Ballard et éprouva de nouveau cette attirance troublante.

— Je n'ai pas d'autre endroit où aller, dit-elle.

Il roulait derrière elle, si proche que ses phares se réfléchissaient dans son rétroviseur, comme s'il craignait qu'elle ne s'échappe, ou ne tente de le semer dans le labyrinthe de la circulation. Il la serrait toujours de près quand ils arrivèrent dans la banlieue tranquille de Newton. Il lui fit faire deux fois le tour de son pâté de maisons, pour s'assurer que personne ne les suivait. Quand elle s'arrêta enfin devant chez lui, il fut aussitôt à côté de la Lexus et tapota la vitre.

— Entrez dans mon garage.

— Je ne veux pas prendre votre place…

— Et moi je ne veux pas que votre voiture reste dans la rue. Je vous ouvre.

Elle s'engagea dans l'allée, regarda la porte se relever en bourdonnant pour révéler un garage bien rangé avec des outils accrochés sur un panneau, des boîtes de peinture soigneusement alignées sur des étagères. Même le béton du sol luisait de propreté. Elle pénétra dans le garage et la porte se referma immédiatement derrière elle. Un moment, Maura resta sans bouger, écoutant son moteur cliqueter, se préparant à la soirée qui l'attendait. Quelques minutes plus tôt, elle était encore convaincue que rentrer chez elle aurait été imprudent, dangereux. Elle se demandait à présent si le choix qu'elle avait fait était plus avisé.

Ballard ouvrit la portière de la Lexus.

— Venez, je vais vous montrer comment mettre le système d'alarme. Au cas où je ne serais pas là pour le faire.

Il la fit entrer dans la maison, la précéda dans un petit couloir débouchant sur le hall, tendit le bras vers un clavier installé près de la porte d'entrée.

— J'ai fait mettre un système plus moderne il y a quelques mois seulement. On tape le code, on appuie sur *ON*. Si quelqu'un ouvre une porte ou une fenêtre, ça déclenche une sonnerie si forte qu'on en a les oreilles qui tintent. Ça prévient aussi la société de gardiennage, qui appelle ici. Pour le débrancher, on tape le même code, on appuie sur *OFF*. C'est clair, jusqu'ici ?

— Oui. Vous allez me dire le code ?

— J'y viens. Vous vous rendez compte, naturellement, que c'est la clef numérique de chez moi que je vous confie.

— Vous vous demandez si vous pouvez me faire confiance ?

— Promettez-moi simplement de ne pas le communiquer à vos amis les moins recommandables.

— J'en ai tant que ça ?

— Oui, dit-il dans un rire. Et ils ont probablement tous une plaque de flic. Le code est 17-12. La date de naissance de ma fille. Vous vous en souviendrez, ou vous voulez que je vous l'écrive ?

— Je m'en souviendrai.

— Bien. Maintenant, branchez l'alarme, puisque nous ne ressortirons plus.

Tandis qu'elle composait le code, il se tenait derrière elle, si proche qu'elle sentait son souffle sur ses cheveux. Elle pressa le bouton *ON*, entendit un léger *bip*. Le cadran numérique afficha *SYSTÈME BRANCHÉ*.

— Une vraie forteresse, dit-il.

— C'est simple, finalement.

Elle se retourna, vit qu'il la regardait avec une telle intensité qu'elle eut soudain envie de reculer, ne serait-ce que pour rétablir une distance raisonnable entre eux.

— Vous avez dîné ? demanda-t-il.

— Je n'ai pas eu le temps. Il s'est passé tellement de choses…

— Venez, alors. Je ne peux pas vous laisser mourir de faim.

La cuisine était exactement comme Maura l'avait imaginée, avec de solides éléments en érable, des billots de boucher en guise de plans de travail. Des casseroles et des poêles accrochées au mur en bon ordre. Pas de touches extravagantes, rien que l'espace de travail d'un homme pratique.

— Je ne veux pas vous déranger, dit-elle. Des œufs, ça suffira.

Il ouvrit le réfrigérateur, y prit une boîte d'œufs.

— Brouillés ?

— Je peux m'en occuper, Rick.

— Je mangerais bien, moi aussi. Si vous nous faisiez des toasts ? Le pain est là-bas.

Elle prit deux tranches de pain de mie dans le paquet, les glissa dans le toaster. En regardant Ballard battre des œufs dans un bol, elle se rappela leur dernier repas ensemble, tous les deux pieds nus, hilares, chacun appréciant la compagnie de l'autre. Jusqu'à ce que le coup de téléphone de Jane la rende méfiante envers lui. Si Jane n'avait pas appelé, ce soir-là, que se serait-il passé entre eux ? Il versa les œufs dans une poêle, alluma un brûleur de la cuisinière. Maura sentit son visage s'empourprer, comme si Ballard avait allumé un autre feu en elle.

Elle détourna les yeux et son regard tomba sur la porte du réfrigérateur, ornée de photos. Katie bébé dans les bras de sa mère, puis assise dans une chaise haute. Une progression d'images conduisant à la photo d'une adolescente blonde au sourire réticent.

— Elle change si vite, dit Ballard. Je n'arrive pas à croire que ces photos représentent toutes la même gosse.

Maura le regarda par-dessus son épaule.

— Qu'est-ce que vous avez décidé de faire pour le joint trouvé dans son casier ?

— Ah, ça... soupira-t-il. Carmen l'a privée de sorties. Plus dur encore, pas de télé pendant un mois. Je vais devoir mettre la mienne sous clef pour être sûr que Katie ne vienne pas ici la regarder en douce pendant que je ne suis pas là.

— Vous et votre femme parvenez à maintenir un front uni.

— Nous n'avons pas le choix. Aussi amer que puisse être un divorce, il faut être solidaires, dans l'intérêt de la petite.

Il éteignit le gaz, fit glisser les œufs dans une assiette.

— Vous n'avez pas d'enfants ?

— Non, heureusement.

— Heureusement ?

— Mon ex et moi n'aurions pas réussi à garder des relations aussi courtoises que vous deux.

— Ça ne se passe pas si bien que ça. Surtout depuis…

— Oui ?

— Nous préservons les apparences, c'est tout.

Ils s'installèrent à la table l'un en face de l'autre, avec les œufs brouillés et les toasts. La conversation sur leurs mariages manqués les avait rendus peu bavards.

Nous nous remettons tous les deux de blessures sentimentales, pensa Maura. Quelle que soit l'attirance que nous éprouvons l'un pour l'autre, le moment est mal choisi pour s'engager de nouveau.

Mais plus tard, lorsqu'il la conduisit à l'étage, elle était sûre que les mêmes possibilités dansaient dans leurs têtes.

— Voilà, dit-il en ouvrant la porte de la chambre de Katie.

Elle entra, se trouva face au regard aguicheur de Britney Spears qui la fixait d'un poster géant punaisé au mur. Des poupées Britney et des CD garnissaient les étagères.

Cette pièce va me donner des cauchemars, se dit Maura.

— Vous avez votre propre salle de bains, derrière cette porte, expliqua Ballard. Il devrait y avoir une ou deux brosses à dents neuves dans l'armoire de toilette. Et vous pouvez utiliser le peignoir de Katie.

— Elle n'y verra pas d'objection ?

— Elle est chez Carmen, cette semaine. Elle ne saura même pas que vous avez dormi ici.

— Merci, Rick.

Il resta un moment sur le seuil de la chambre, comme s'il attendait qu'elle ajoute quelque chose. Des mots qui changeraient tout.

— Maura…

— Oui ?

— Je prendrai soin de vous. Je veux que vous le sachiez. Ce qui est arrivé à Anna ne vous arrivera pas, j'y veillerai.

Il se tourna à demi, lui souhaita bonne nuit à voix basse et referma la porte derrière lui.

« Je prendrai soin de vous. »

N'est-ce pas ce que nous voulons tous ? pensa Maura. Quelqu'un pour veiller sur nous. Elle avait oublié ce que c'était. Même quand elle était mariée à Victor, elle ne s'était jamais sentie protégée : il était trop imbu de sa personne pour s'occuper d'autre chose que de lui-même.

Étendue dans le lit, elle écoutait le réveil tictaquer sur la table de chevet. Les pas de Ballard dans la pièce voisine. Lentement, la maison sombra dans le silence. Maura suivit la progression des heures sur le réveil. Minuit. Une heure. Impossible de dormir. Elle serait épuisée demain.

Et lui, est-il éveillé, aussi ?

Elle le connaissait à peine, tout comme elle connaissait à peine Victor quand elle l'avait épousé. Et quel gâchis, ce mariage : trois ans de sa vie fichus, à cause d'une attirance… d'un courant électrique qui était passé entre eux. Elle ne se fiait plus à son propre jugement en matière d'hommes. Celui avec qui vous aviez envie de coucher pouvait se révéler le pire des choix.

Deux heures du matin.

La lumière des phares d'une voiture passa devant la fenêtre. Un moteur ronronna dans la rue. Elle se raidit, se raisonna : Ce n'est rien, probablement un voisin qui rentre tard. Puis elle entendit des pas dans la véranda et retint sa respiration. Soudain, la nuit se mit à hurler. Maura se redressa d'un bond.

Le système d'alarme. Il y a quelqu'un dans la maison !

Ballard martela la porte de la chambre.

— Maura ? appela-t-il. Maura ?

— Tout va bien !

— Fermez votre porte à clef ! Ne sortez pas !

— Rick…

— Surtout, ne bougez pas !

Elle se leva précipitamment, tourna la clef dans la serrure et s'accroupit, les mains plaquées sur les oreilles pour ne plus entendre le ululement de l'alarme, qui couvrait tout le reste. Elle se représenta Ballard descendant l'escalier. Imagina une maison pleine d'ombres. Quelqu'un à l'affût en bas. Où es-tu, Rick ? Elle n'entendait que le son perçant de la sirène. Dans l'obscurité de sa chambre, elle était à la fois aveugle et sourde à ce qui se dirigeait peut-être vers sa porte.

Le ululement cessa brusquement. Dans le silence qui suivit, Maura perçut enfin le bruit de forge de sa respiration, les battements de son cœur.

Et des voix :

— Bon Dieu ! J'aurais pu te tirer dessus ! criait Ballard.

Une voix d'adolescente, maintenant :

— Tu avais mis la chaîne de sûreté ! Je n'ai pas pu entrer pour débrancher le système d'alarme !

Maura ouvrit sa porte, fit un pas dans le couloir. Les voix montaient en volume, sous le coup de la colère. Par-dessus la rampe, elle aperçut Rick, en jean, le torse nu, un pistolet glissé dans sa ceinture. Sa fille le fixait d'un regard noir.

— Il est deux heures du matin, Katie. Comment tu es venue ici ?

— Quelqu'un m'a conduite.

— En pleine nuit ?

— Je suis venue prendre mon sac, d'accord ? J'avais oublié que j'en avais besoin pour demain. Je n'ai pas voulu réveiller maman.

— C'est qui, ce quelqu'un qui t'a amenée ?

— Il s'est sûrement tiré, avec tout ce bazar, il a eu peur.

— C'est un garçon ? Qui est-ce ?

— Je ne veux pas qu'il ait des ennuis, lui aussi !

— Qui est ce garçon ?

— Papa, s'il te plaît…

— Non, assieds-toi, il faut que je te parle. Katie, reste ici…

Des pas résonnèrent sur les marches, s'arrêtèrent. Immobile dans l'escalier, l'adolescente regardait Maura.

— Redescends ! ordonna Rick.

— Ouais, murmura Katie sans quitter Maura des yeux. Maintenant, je sais pourquoi tu avais mis la chaîne !

— Katie…

Rick se tut, interrompu par la sonnerie du téléphone. Il se tourna pour décrocher.

— Allô ?.. Oui, c'est Rick Ballard, tout va bien… Non, pas la peine d'envoyer quelqu'un. Ma fille est rentrée, elle n'a pas débranché le système d'alarme à temps…

Katie dévisageait Maura avec une franche hostilité.

— Alors, vous êtes sa nouvelle copine…

— Je ne suis pas sa copine. J'avais simplement besoin d'un endroit où dormir.

— Et vous vous êtes dit : Pourquoi pas avec lui ?

— Katie, c'est la vérité, je…

— Personne ne dit jamais la vérité, dans cette famille.

En bas, le téléphone se remit à sonner. Rick décrocha de nouveau.

— Carmen… Carmen, calme-toi. Katie est ici… Oui, elle va bien. Un garçon l'a amenée prendre son sac…

Katie lança un dernier regard venimeux à Maura avant de redescendre.

— C'est ta mère qui appelle, annonça inutilement Rick.

— Tu vas lui parler de ta nouvelle copine ? Comment tu peux faire ça à maman ?

— Katie, tu dois accepter le fait que ta mère et moi ne vivons plus ensemble. Les choses ont changé.

Maura retourna dans la chambre et ferma la porte. En s'habillant, elle les entendit continuer à discuter en bas, la voix de Rick mesurée et ferme, celle de sa fille vibrante de rage. Lorsqu'elle descendit, elle trouva l'inspecteur et l'adolescente assis dans le salon. Katie était recroquevillée sur le canapé comme un porc-épic en colère.

— Rick, je m'en vais, annonça Maura.

Il se leva.

— Vous ne pouvez pas…

— Ça ira, assura-t-elle. Vous avez besoin d'être seul avec votre famille.

— Ce n'est pas prudent de retourner chez vous.

— J'irai à l'hôtel. Ne vous inquiétez pas pour moi.

— Maura, attendez…

— Elle veut s'en aller, OK ? intervint sèchement Katie. Laisse-la partir.

— Je vous appellerai de l'hôtel, dit Maura.

Quand elle sortit la Lexus du garage, Rick l'observa de l'allée. Leurs regards se croisèrent à travers la vitre et il s'approcha de la voiture, comme pour tenter encore de la persuader de rester, de regagner la sécurité de sa maison.

Un autre faisceau lumineux balaya la rue. Une voiture s'arrêta le long du trottoir, Carmen en descendit, les cheveux blonds en bataille, la chemise de nuit dépassant d'un peignoir de bain. Autre parent tiré du lit par une adolescente en vadrouille. Carmen jeta un coup d'œil dans la direction de Maura, dit quelques mots à Ballard et entra dans la maison. À travers la fenêtre du salon, Maura vit la mère et la fille s'étreindre.

Ballard restait planté dans l'allée. Regardant la maison puis de nouveau Maura, comme s'il était partagé.

Elle prit la décision pour lui en démarrant. Dans son rétroviseur, elle le vit se retourner et rentrer. Retour dans la famille. Même le divorce ne peut effacer tous les liens forgés par des années de mariage, pensa-t-elle.

Longtemps après la signature des papiers, ces liens sont toujours là, et le plus puissant de tous est inscrit dans la chair et le sang d'un enfant.

Maura prit une profonde inspiration. Se sentit soudain libérée de la tentation. Libre.

Comme elle l'avait promis à Ballard, elle ne rentra pas chez elle mais prit la direction de la route 95, qui décrit un long arc de cercle à la lisière de Boston. Elle s'arrêta au premier motel qu'elle trouva. La chambre sentait la fumée de cigarette et le savon Ivory. L'abattant de la cuvette des toilettes était barré d'une bande de papier portant l'inscription *Désinfecté* et les verres à dents de la salle de bains étaient des gobelets en plastique sous cellophane. Le grondement de la circulation sur la nationale proche faisait vibrer les cloisons. Maura ne se rappelait pas la dernière fois qu'elle avait dormi dans un motel aussi sordide. Elle appela Rick, rien qu'un bref coup de fil pour lui dire où elle était, puis elle éteignit son portable et se coucha entre des draps élimés.

Cette nuit-là, elle dormit plus profondément qu'elle ne l'avait fait de toute la semaine.

19

Personne ne m'aime, tout le monde me déteste, je vais m'en aller manger des vers. Des vers, des vers, des vers…

Arrête de penser à ça !

Mattie ferma les yeux, serra les dents mais ne parvint pas à chasser de son esprit cette comptine insipide. Cette rengaine tournait dans sa tête, la ramenant toujours à ces vers.

Sauf que je ne les mangerai pas, c'est eux qui me mangeront.

Oh ! pense à autre chose ! Des choses jolies, agréables. Des fleurs, des robes. Une robe blanche en mousseline brodée de perles. Le jour de ton mariage. Oui, pense à ça.

Elle se rappela le moment où, se regardant dans le miroir de la salle mise à la disposition de la mariée à l'église méthodiste St John, elle avait pensé : C'est le plus beau jour de ma vie, j'épouse l'homme que j'aime. Elle se rappela sa mère venant l'aider à mettre son voile, baissant la tête et soupirant, soulagée : « Jamais je n'aurais cru que je verrais ce jour ! » Le jour où un homme épouserait enfin sa fille.

Sept mois plus tard, Mattie se remémorait ces propos de sa mère et ne les trouvait pas particulièrement aimables. Mais, le jour du mariage, rien n'avait terni sa joie. Ni ses nausées matinales, ni ses escarpins qui lui faisaient mal, ni le fait que Dwayne avait bu tellement de champagne qu'il s'était endormi dans le lit de leur chambre d'hôtel avant même qu'elle ne sorte de la salle de bains. Rien ce soir-là n'avait d'importance hormis qu'elle était Mme Purvis et que sa vie, sa vraie vie, commençait enfin.

Et elle va se terminer ici, dans cette caisse, si Dwayne ne me sauve pas.

Va-t-il le faire ? Veut-il me retrouver ?

Oh ! c'était encore pire que de penser aux vers !

Change de sujet, Mattie !

Et s'il ne veut plus de moi ? S'il espère que je vais disparaître pour qu'il puisse être avec cette femme ? Si c'est lui qui…

Non, pas Dwayne. S'il avait voulu sa mort, pourquoi l'aurait-il enfermée dans une boîte ? Pourquoi l'aurait-il gardée en vie ?

Elle inspira profondément et ses yeux s'emplirent de larmes. Elle voulait vivre. Elle était prête à faire n'importe quoi pour rester en vie, mais elle ne savait pas comment sortir de cette caisse. Elle avait passé des heures à chercher un moyen de s'échapper, elle avait martelé les parois de ses poings, donné des coups de pied dans le couvercle. Elle avait pensé à démonter la torche électrique, à se servir des pièces pour… pour faire quoi ?

Une bombe ?

Elle imagina Dwayne se moquant d'elle : « Mattie MacGyver. »

Qu'est-ce que je dois faire, alors ?

Les vers…

Ils se glissaient de nouveau dans ses pensées, dans son avenir. Ils se faufileraient sous sa peau, dévoreraient sa chair. Ils étaient là à se tortiller dans la terre, sous la caisse. À attendre qu'elle meure. Puis ils viendraient festoyer.

Elle trembla, se tourna sur le côté.

Il devait y avoir un moyen de sortir de cette boîte.

20

Penché au-dessus du cadavre, Yoshima tenait dans sa main gantée une seringue avec une aiguille de 16. Le corps était celui d'une jeune femme, si décharnée que son ventre pendait comme une toile de tente sur les os de ses hanches. Il tendit la peau de l'aine, piqua l'aiguille dans la veine fémorale, ramena le piston en arrière. Un sang sombre, presque noir, emplit la seringue.

L'assistant ne releva pas la tête quand Maura entra dans la salle et demeura concentré sur sa tâche. Elle le regarda en silence retirer l'aiguille, répartir le sang dans plusieurs tubes en verre avec l'efficacité tranquille d'un homme qui a prélevé du sang à d'innombrables cadavres.

Si je suis la Reine des Morts, Yoshima en est sûrement le roi, pensa-t-elle. Il les déshabille, il les pèse, leur palpe l'aine et le cou pour trouver une veine, il dépose leurs organes dans des bocaux de formol… Et quand l'autopsie est terminée, quand j'ai fini d'inciser, c'est lui qui prend du fil et une aiguille pour les recoudre.

Yoshima jeta la seringue dans la poubelle et baissa les yeux vers la femme à qui il venait de prélever du sang.

— Elle est arrivée ce matin, dit-il. Son copain l'a trouvée morte sur le canapé en se réveillant.

Maura remarqua les nombreuses traces de piqûre sur les bras du cadavre et murmura :

— Quel gâchis !

— C'est toujours un gâchis.

— Qui s'occupe d'elle ?

— Le Dr Costas. Le Dr Bristol est au tribunal aujourd'hui, répondit Yoshima.

Il approcha un chariot de la table, y disposa des instruments. Dans le silence chargé de gêne, le claquement du métal semblait désagréablement fort. Le ton de leur échange avait été aussi sérieux et professionnel que d'habitude, mais Yoshima n'avait pas regardé Maura. Il semblait éviter son regard, s'abstenait de faire allusion à ce qui s'était passé la veille dans le parking, mais c'était là, entre eux, impossible à ignorer.

— Je crois savoir que l'inspecteur Rizzoli vous a téléphoné chez vous, hier soir… commença-t-elle.

Il se raidit, les mains immobiles au-dessus du chariot.

— Yoshima, je suis navrée si elle a insinué d'une manière ou d'une autre…

— Docteur Isles, savez-vous depuis combien de temps je travaille au service de médecine légale ? la coupa-t-il.

— Depuis plus longtemps que n'importe lequel d'entre nous, je le sais.

— Dix-huit ans. Le Dr Tierney m'a embauché juste après l'armée. J'étais dans l'unité mortuaire. C'était dur, vous savez, de travailler sur tant de jeunes. Des accidentés ou des suicidés, pour la plupart, mais ça fait partie du boulot. Les jeunes, ils prennent des risques. Ils se battent, ils roulent trop vite. Ou leur femme les quitte, alors, ils prennent leur arme et ils se tirent une balle dans la tête. Je me disais : Au moins, je peux faire quelque chose pour eux, les traiter avec le respect dû à un soldat. Certains n'étaient que des gosses, à peine assez âgés pour avoir à se raser. C'était perturbant, cette jeunesse, mais j'arrivais à le supporter. Comme je le supporte ici, parce que c'est mon travail. Je ne me rappelle pas la dernière fois que j'ai manqué parce que j'étais malade…

Il marqua une pause, reprit :

— Mais aujourd'hui, j'ai failli ne pas venir.

— Pourquoi ?

Il se tourna vers Maura.

— Vous savez ce que c'est, après avoir travaillé dix-huit ans ici, d'être traité comme un suspect ?

— Je suis désolée si Rizzoli vous a donné cette impression. Je sais qu'elle peut être brusque…

— Non, au contraire. Elle a été très polie, très amicale. C'est la *nature* de ses questions qui m'a fait comprendre ce qui se passait. « C'est comment, le boulot, avec le Dr Isles ? Vous vous entendez bien ? » Pourquoi elle me demandait ça, à votre avis ?

— Elle faisait son métier. Ce n'était pas une accusation.

— Moi, je l'ai pris comme ça.

Yoshima alla préparer les bocaux pour les prélèvements de tissu.

— Docteur Isles, nous travaillons ensemble depuis près de deux ans.

— Oui.

— Pas une fois – à ma connaissance, du moins – vous n'avez eu à me faire un reproche.

— Jamais, reconnut-elle. Je suis très heureuse de vous avoir comme assistant.

Il se tourna vers elle. Dans la lumière crue des tubes fluorescents, elle remarqua que ses cheveux noirs étaient striés de gris. Avec son visage lisse et placide, sa silhouette mince, il lui avait toujours paru sans âge. Elle découvrait maintenant les rides inquiètes autour de ses yeux, elle le voyait pour ce qu'il était : un homme glissant doucement dans l'âge mûr.

Comme moi.

— Pas un instant, pas une seule seconde, je n'ai pensé que vous pourriez…

— Mais maintenant, vous y pensez forcément, dit-il. Maintenant que l'inspecteur Rizzoli a posé la question, vous devez envisager la possibilité que j'aie vandalisé votre voiture. Que je suis celui qui vous harcèle.

— Non, Yoshima. Pas du tout. Je m'y refuse.

Il soutint le regard de Maura et repartit :

— Alors, vous n'êtes pas honnête envers vous-même, ou envers moi. Parce que cette idée est là. Et tant qu'il y aura le plus léger doute, vous serez mal à l'aise avec moi. Je le sens, vous le sentez aussi.

Il ôta ses gants, écrivit le nom de la morte sur des étiquettes. Maura pouvait voir sa tension dans la rigidité de ses épaules, de sa nuque.

— Nous nous en remettrons, affirma-t-elle.

— Peut-être.

— Non, pas peut-être. Nous nous en remettrons, il le faut. Nous devons continuer à travailler ensemble.

— À vous de décider, je suppose.

Elle le regarda un moment en se demandant comment restaurer les rapports cordiaux qui étaient les leurs auparavant. Peut-être pas si cordiaux, finalement, se dit-elle. Je présumais qu'ils l'étaient alors qu'il me dissimulait ses sentiments comme je lui dissimulais les miens. Quelle paire nous faisons ! Les Deux Impassibles. Chaque semaine, la tragédie passe sur notre table d'autopsie mais je n'ai jamais vu ses larmes, il ne m'a jamais vue pleurer. Nous faisons simplement notre boulot mortuaire, comme deux ouvriers dans une usine.

Yoshima finit d'étiqueter les bocaux et découvrit en se retournant que Maura était toujours derrière lui.

— Vous avez besoin de quelque chose, docteur Isles ? demanda-t-il.

Ni sa voix ni son expression ne trahissaient ce qui venait de se passer entre eux. Elle retrouvait le Yoshima qu'elle avait toujours connu, calme, efficace, prêt à proposer son aide.

Adoptant la même attitude, Maura prit deux radiographies dans l'enveloppe qu'elle avait apportée et les fixa sur le négatoscope.

— J'espère que vous vous souvenez de cette affaire, dit-elle après avoir appuyé sur l'interrupteur. Elle remonte à cinq ans. Les faits se sont produits à Fitchburg.

— Le nom de la victime ?

— Nikki Wells.

Les yeux plissés, Yoshima examina l'une des radios. Se concentra aussitôt sur les os du fœtus enchâssés dans le bassin maternel.

— C'était cette femme enceinte ? Tuée avec sa sœur ?

— Vous vous en souvenez, donc.

— Les deux corps ont brûlé ?

— Exact.

— Je m'en souviens, c'est le Dr Hobart qui s'en est chargé.

— Je ne l'ai pas connu.

— Non, vous ne pouviez pas. Il est parti deux ans avant votre arrivée dans le service.

— Où exerce-t-il, maintenant ? J'aimerais lui parler.

— Ce serait difficile. Il est mort.

— Quoi ?

Yoshima secoua la tête d'un air triste.

— Ça a été un coup pour le Dr Tierney. Il se sentait responsable, même s'il n'avait pas eu le choix.

— Qu'est-ce qui est arrivé ?

— Il y avait… des problèmes avec le Dr Hobart. D'abord, il a égaré des frottis. Ensuite il a mal étiqueté des organes et la famille s'en est aperçue. Elle a porté plainte contre le service. Ça a fait toute une histoire, mais le Dr Tierney a soutenu Hobart. Puis de la drogue a disparu d'un sac d'affaires personnelles, et là, il n'a plus eu le choix. Il a demandé au Dr Hobart de démissionner.

— Et après ?

— Hobart est rentré chez lui et a avalé une poignée d'oxycontin. On n'a découvert le corps que trois jours plus tard.

Avec un soupir, Yoshima ajouta :

— C'était une autopsie que personne ici n'avait envie de faire.

— Sa compétence était en cause ?

— Il avait peut-être commis quelques erreurs.

— Graves ?

— Je ne vois pas de quoi vous voulez parler.

Maura pointa l'index vers la radio, vers le fragment brillant pris dans l'os pubien.

— Je me demande si ceci ne lui aurait pas échappé. Son rapport sur Nikki Wells n'explique pas ce morceau de métal.

— Il y en a d'autres, fit observer l'assistant. Je vois une agrafe de soutien-gorge, ici. Et là, un bouton-pression, peut-être.

— Oui, mais regardez cette vue latérale. Le morceau de métal est *dans* la symphyse. Pas dessus. Le Dr Hobart vous avait fait une remarque à ce sujet ?

— Pas que je me souvienne. Ce n'est pas dans son rapport ?

— Non.

— Alors, il a dû penser que ce n'était pas important.

Ce qui signifie que la question n'a probablement pas été abordée non plus au procès, pensa Maura.

Yoshima retourna à son travail, mit en place les cuvettes et les seaux, rassembla les papiers sur sa tablette. Bien qu'une jeune femme morte fût étendue sur une table à un mètre d'elle, Maura concentrait son attention non sur ce nouveau cadavre mais sur la radiographie de Nikki Wells et de son fœtus, sur leurs os fondus par le feu en une seule masse calcinée.

Pourquoi les as-tu fait brûler ? Dans quel but ?

Amalthea avait-elle éprouvé du plaisir en regardant les flammes les dévorer ? Ou espérait-elle que ces flammes feraient disparaître autre chose, quelque chose qu'elle ne voulait pas qu'on retrouve ?

Son regard passa du crâne du fœtus à l'écharde brillante enfoncée dans le pubis de Nikki. Une écharde aussi mince que…

La pointe d'un couteau.

Mais Nikki était morte d'un coup à la tête. Pourquoi enfoncer un couteau dans le corps d'une femme dont on vient de fracturer le crâne avec un démonte-pneu ? Maura fixait le fragment métallique depuis un moment quand sa signification lui apparut tout à coup. Elle alla au téléphone, appuya sur un bouton.

— Louise ?

— Oui, docteur Isles ?

— Vous pouvez m'appeler le Dr Daljeet Singh ? Au service de médecine légale du Maine, à Augusta.

— Tout de suite.

Quelques instants plus tard, la secrétaire annonça :

— J'ai le Dr Singh en ligne.

— Daljeet ?

— Non, je n'ai pas oublié que je vous dois un dîner ! claironna-t-il.

— C'est peut-être moi qui vous en devrai un si vous pouvez répondre à une question.

— Laquelle ?

— Les restes que nous avons exhumés à Fox Harbor, vous les avez déjà identifiés ?

— Non. Cela pourrait prendre un moment. Il n'y a pas parmi les personnes portées disparues dans les comtés de Waldo ou de Hancock de signalement correspondant à ces restes. Ou ils sont très anciens, ou ces gens n'étaient pas de la région.

— Avez-vous déjà pris contact avec le FRC ? demanda Maura.

Le Fichier des recherches criminelles, géré par le FBI, offrait une base de données sur les cas de personnes disparues dans tout le pays.

— Oui, mais comme je ne peux pas circonscrire les recherches à une période précise, j'ai reçu en réponse des pages et des pages de noms. Tout ce qui concerne la Nouvelle-Angleterre.

— Je peux peut-être vous aider à réduire le champ des recherches…

— Comment ?

— En vous limitant à la période 1955-1965.

— Puis-je vous demander pourquoi cette décennie particulière ?

Parce que c'est la période où ma mère vivait à Fox Harbor, pensa-t-elle. Ma mère, qui a peut-être tué d'autres personnes.

— Simple supposition, répondit-elle.

— Vous êtes bien mystérieuse…

— Je vous expliquerai tout de vive voix.

Pour une fois, Rizzoli laissait Maura conduire mais uniquement parce qu'elles avaient pris sa Lexus pour se rendre dans le Maine par l'autoroute. Pendant la nuit, un front orageux venu de l'ouest avait touché la ville et le crépitement de la pluie sur le toit avait réveillé Maura. Elle avait préparé le café, lu le journal, toutes ces choses qu'elle faisait chaque matin. Comme la routine se réinstallait rapidement, même face à la peur ! La veille, elle n'était pas retournée au motel, elle était rentrée chez elle. Elle avait fermé toutes les portes à clef et laissé la lumière de la véranda allumée, piètre protection contre les menaces de la nuit. Elle avait cependant dormi malgré le déchaînement de l'orage et s'était sentie à son réveil de nouveau maîtresse de sa vie.

J'en ai assez d'avoir peur, avait-elle pensé. Je ne me laisserai pas chasser encore une fois de ma maison.

À présent qu'elle roulait avec Rizzoli en direction du Maine, où des nuages plus sombres encore s'amoncelaient, elle se sentait prête à se battre, à retourner la situation.

Qui que tu sois, je te traquerai et je te trouverai. Je peux devenir un chasseur, moi aussi.

Il était deux heures de l'après-midi lorsqu'elles arrivèrent au bâtiment du service de médecine légale du Maine, à Augusta. Le Dr Daljeet Singh les accueillit dans le hall et les conduisit à la salle d'autopsie, en bas, où les deux caisses d'ossements les attendaient sur un plan de travail.

— Je n'ai pas fait de cette affaire une priorité, avoua-t-il en dépliant une feuille de plastique.

Il la posa sur une table d'acier, qu'elle épousa dans un murmure de soie de parachute.

— Ces os sont probablement restés sous terre pendant des dizaines d'années, continua-t-il. Quelques jours de plus n'y changeront pas grand-chose.

— Vous avez reçu la nouvelle réponse du FRC ? s'enquit Maura.

— Ce matin. J'ai imprimé la liste de noms, elle est sur ce bureau, là-bas.

— Les radiographies dentaires ?

— J'ai chargé les dossiers qu'ils m'ont envoyés par e-mail, je n'ai pas encore eu le temps de les regarder. J'ai préféré attendre que vous soyez là toutes les deux.

Il ouvrit le premier carton, commença à y prendre des os, qu'il déposa doucement sur le plastique : une tête de mort au crâne enfoncé, un bassin maculé de terre, des os longs, une colonne vertébrale en morceaux. Puis un paquet de côtes, qui claquèrent les unes contre les autres comme les bambous d'un carillon éolien.

Hormis ce bruit, tout était silencieux dans la salle, aussi propre et brillante que celle de Maura à Boston. Les bons médecins légistes sont par nature perfectionnistes, et Daljeet révélait à cet instant cet aspect de sa personnalité. Il avait l'air de danser autour de la table, avec des mouvements d'une grâce presque féminine pour placer les os dans leur position anatomique.

— C'est lequel, celui-là ? voulut savoir Rizzoli.

— L'homme, répondit-il. La dimension fémorale indique qu'il devait mesurer entre un mètre quatre-vingts et un mètre quatre-vingt-cinq. Fracture évidente du temporal droit. Également une fracture de Pouteau-Colles plus ancienne, bien soignée.

Devant l'expression perplexe de Rizzoli, il précisa :

— Fracture du poignet.

— Pourquoi les médecins font-ils ça ?

— Quoi ?

— Inventer des noms compliqués. Pourquoi ne pas dire simplement « fracture du poignet » ?

Daljeet sourit.

— Certaines questions n'ont pas de réponse simple, inspecteur.

Rizzoli regarda les os.

— Qu'est-ce qu'on sait d'autre sur lui ?

— Pas de traces d'arthrite ni d'ostéoporose sur la colonne vertébrale. C'était un jeune adulte, blanc. Quelques soins dentaires : plombages des 18 et 19.

L'inspecteur montra l'os temporal enfoncé.

— C'est la cause de la mort ?

— On peut assurément qualifier le coup de mortel, répondit Daljeet, qui se tourna vers l'autre caisse. La femme, maintenant. On l'a retrouvée à une vingtaine de mètres de l'homme.

Sur la seconde table d'autopsie, il étendit une autre feuille de plastique puis Maura et lui disposèrent la deuxième série de restes, tels des serveurs psychorigides dressant le couvert pour un dîner de gala. Des os claquèrent sur la table : un bassin recouvert de terre ; un autre crâne, plus petit, avec des crêtes sub-orbitaires plus délicates ; des os des jambes et des bras, un sternum ; un faisceau de côtes et des os carpiens et tarsiens détachés.

— Voilà donc notre Mme X, déclara Daljeet en inspectant le résultat. Je ne peux pas vous donner la cause de la mort, je n'ai pas d'élément sur quoi m'appuyer. Elle était blanche elle aussi, apparemment jeune, entre vingt et trente-cinq ans. Un mètre soixante environ, pas d'anciennes fractures. Excellente dentition. Une canine légèrement ébréchée, ici, et une couronne en or sur la 4.

Maura se tourna vers le négatoscope, sur lequel deux radios étaient fixées.

— Ce sont celles de leurs dents ?

— Oui. L'homme à gauche, la femme à droite.

Daljeet alla à l'évier laver ses mains couvertes de terre, les essuya avec une serviette en papier.

— Les voilà donc : M. et Mme X.

Rizzoli prit la liste que le FRC avait envoyée le matin.

— Bon Dieu, des dizaines de noms… Il y en a tant que ça, des personnes disparues ?

— Et uniquement pour la Nouvelle-Angleterre. Individus de race blanche âgés de vingt à quarante-cinq ans.

— Toutes ces disparitions se sont produites dans les années 1950 et 1960…

— C'est la période indiquée par Maura, répondit Daljeet en se dirigeant vers son ordinateur portable. Bon, regardons ces radios…

Il ouvrit le dossier que le FRC lui avait expédié par e-mail. Une rangée d'icônes numérotées apparut. Il cliqua sur la première et une radiographie emplit l'écran : une série de dents mal alignées, semblables à des dominos blancs basculant l'un sur l'autre.

— Sûrement pas l'un des nôtres, déclara-t-il. Regardez ces dents ! Un cauchemar d'orthodontiste.

— Ou une mine d'or, rectifia Rizzoli.

Daljeet cliqua sur l'icône. Autre radio dentaire, avec des incisives espacées.

— Non plus.

L'attention de Maura revint à la table d'autopsie, aux os de l'inconnue. Elle regarda le crâne, la ligne mince des arcades sourcilières, l'os malaire délicat. Un visage aux proportions harmonieuses. Elle entendit Daljeet s'exclamer :

— Tiens, tiens… Je crois que je connais ces dents.

Elle se retourna, vit sur l'écran de l'ordinateur des molaires inférieures et la tache brillante de plombages.

Daljeet alla à la table où le squelette de l'homme était disposé, prit la mâchoire inférieure et revint la comparer à l'image de l'ordinateur.

— Plombages des 18 et 19… Oui. Oui, ça correspond.

— La radio est à quel nom ? demanda Rizzoli.

— Robert Sadler.

Elle feuilleta la liste.

— Sadler… Sadler… J'ai trouvé ! Sadler, Robert. Blanc, vingt-neuf ans, un mètre quatre-vingts, cheveux châtains, yeux marron…

Elle interrogea Daljeet du regard.

— C'est compatible avec nos restes.

— Il était entrepreneur en bâtiment, poursuivit-elle. Vu pour la dernière fois à Kennebunkport, sa ville natale. Porté disparu le 3 juin 1960 en même temps que sa…

Elle s'interrompit, se tourna vers la table sur laquelle les deux médecins légistes avaient placé les os de l'inconnue.

— En même temps que sa femme.

— Comment s'appelait-elle ? demanda Maura.

— Karen. Karen Sadler. J'ai le numéro de dossier.

— Donnez-le-moi, réclama Daljeet, qui retourna à son ordinateur. Voyons si nous avons ses radios…

Maura le rejoignit, regarda par-dessus son épaule tandis qu'il cliquait sur l'icône et qu'une image apparaissait sur l'écran. C'était une radio prise quand Karen était vivante, assise dans le fauteuil de son dentiste. Effrayée, peut-être, par la perspective d'une carie et de l'inévitable fraisage qui s'ensuivrait. Comment aurait-elle pu imaginer, en pressant l'ailette en carton pour maintenir en place la pellicule vierge, que l'image capturée par son dentiste ce jour-là brillerait des années plus tard sur l'écran de l'ordinateur d'un médecin légiste ?

Maura vit une rangée de molaires, l'éclat métallique d'une couronne. Elle compara la radio au panoramique que Daljeet avait fait des dents de l'inconnue.

— C'est elle, murmura Maura. Ces restes sont ceux de Karen Sadler.

— Nous avons donc une double identification, conclut son confrère. Le mari et la femme.

Derrière eux, Rizzoli cherchait dans ses papiers le rapport concernant la disparition de Karen Sadler.

— Oui, la voilà. Blanche, vingt-cinq ans. Cheveux blonds, yeux bleus…

Elle s'interrompit tout à coup.

— Ça ne colle plus, là. Regardez mieux ses radios.

— Pourquoi ? demanda Maura.

— Regardez.

Maura examina le panoramique puis l'écran de l'ordinateur.

— Ça correspond, Jane. Quel est le problème ?

— Il nous manque une autre série d'os.

— Quels os ?

— Ceux d'un fœtus, dit Rizzoli, l'air sidérée. Karen Sadler était enceinte de huit mois.

Il y eut un silence que Daljeet brisa en rappelant :

— Nous n'avons pas trouvé d'autres restes.

— Ils ont pu vous échapper, argua Rizzoli.

— Nous avons fouillé tout le site avec soin, passé la terre au crible.

— Des charognards les ont peut-être emportés…

— Oui, c'est toujours possible. Mais cette femme est bel et bien Karen Sadler.

Maura retourna à la table et regarda fixement le bassin de Karen Sadler en pensant aux os d'une autre femme.

Nikki Wells était enceinte, elle aussi.

Elle amena la loupe montée sur un bras articulé au-dessus de la table, alluma la lumière, fit le point sur une branche du pubis. Une terre rougeâtre recouvrait la symphyse, où les deux branches se rejoignaient, reliées par un cartilage semblable à du cuir.

— Daljeet, je peux avoir un Coton-Tige ou une compresse humide ? Quelque chose pour enlever cette terre ?

Il remplit une cuvette d'eau, ouvrit un paquet de Cotons-Tiges, posa le tout sur un chariot, près de Maura.

— Que cherchez-vous ?

Sans répondre, elle entreprit d'humecter la terre. La croûte se fendilla, des parcelles se détachèrent. La dernière tomba et Maura sentit son pouls s'accélérer quand elle découvrit ce que la loupe lui montrait. Elle se redressa, se tourna vers Daljeet.

— Qu'est-ce que c'est ? demanda-t-il.

— Regardez. Juste au bord, là où les os s'articulent.

Il se pencha vers la loupe.

— Cette petite entaille ? C'est de ça que vous parlez ?

— Oui.

— Elle est minuscule.

— Mais elle est là. J'ai apporté une radio, elle est dans ma voiture. Je crois que vous devriez y jeter un coup d'œil.

L'averse cingla le parapluie de Maura quand elle se rendit au parking. En pressant le bouton de télécommande de sa clef, elle ne put s'empêcher de regarder les rayures de la portière. Une marque de griffe, destinée à l'effrayer.

Cela n'a servi qu'à me mettre en colère. À me donner envie de me battre.

Elle prit l'enveloppe sur la banquette arrière, l'abrita sous sa veste et retourna dans le bâtiment.

Elle accrocha les radios de Nikki Wells sur le négatoscope, sous le regard étonné de Daljeet.

— Qu'est-ce que vous me montrez là ?

— Une affaire de meurtre commis à Fitchburg, Massachusetts, il y a cinq ans. La victime a eu le crâne enfoncé avant d'être brûlée.

Le médecin légiste d'Augusta examina la première des radios.

— Femme enceinte… Fœtus quasiment à terme…

— Oui, mais c'est ceci qui a retenu mon attention, dit Maura en indiquant le fragment brillant pris dans la symphyse pubienne. Je pense que c'est la pointe brisée d'un couteau.

— Nikki Wells a été tuée avec un démonte-pneu, objecta Rizzoli. On lui a défoncé le crâne.

— C'est exact, convint Maura.

— Alors, pourquoi utiliser aussi un couteau ?

Maura pointa l'index vers la photo. Vers le squelette fœtal lové sur le pelvis.

— Voilà pourquoi. Voilà ce que le tueur voulait vraiment.

Daljeet garda un moment le silence mais Maura savait, sans qu'il eût à prononcer un mot, qu'il avait compris ce qu'elle pensait. Il se tourna vers les restes de Karen Sadler, souleva le bassin.

— Une incision à partir de la taille, jusqu'au bas de l'abdomen, dit-il. La lame toucherait l'os, exactement là où est cette entaille…

Maura songea au couteau d'Amalthea ouvrant le ventre d'une jeune femme d'un coup si résolu que la lame ne s'arrête que parvenue à l'os. Elle songea à sa profession, où les couteaux jouaient un rôle très important, aux journées passées en salle d'autopsie à inciser de la peau et des organes.

Nous découpons, toutes les deux, ma mère et moi. Moi de la chair morte, elle de la chair vivante…

— Voilà pourquoi vous n'avez pas trouvé d'os de fœtus dans la tombe de Karen Sadler, dit-elle.

— Mais dans cette autre affaire on n'a pas prélevé le fœtus, argua Daljeet en indiquant la radio de Nikki Wells. Il a brûlé avec la mère. Pourquoi pratiquer une incision afin de l'extraire si c'est pour le tuer de toute façon ?

— Parce que le bébé de Nikki Wells présentait une malformation congénitale. Une bande amniotique.

— Qu'est-ce que c'est ? demanda Rizzoli.

— Un cordon membraneux qu'on trouve parfois dans la poche amniotique. S'il s'enroule autour d'un membre, il peut bloquer la circulation sanguine, voire couper ce membre. Cette anomalie avait été détectée durant le deuxième trimestre de la grossesse de Nikki. Vous voyez : le fœtus n'a pas de jambe sous le genou droit.

— Ce n'est pas une infirmité mortelle…

— Non, il aurait survécu. Mais l'assassin a probablement remarqué cette malformation immédiatement. Amalthea a vu que le bébé n'était pas parfait, c'est pour ça qu'elle n'en a pas voulu, je pense.

Maura se retourna et se retrouva face à la grossesse manifeste de Rizzoli. Au renflement de son ventre, à la rougeur œstrogénique de ses joues.

— Elle voulait un bébé parfait.

— Mais celui de Karen Sadler n'aurait pas été parfait non plus, objecta l'inspecteur. Elle était enceinte de huit mois seulement. Les poumons n'étaient pas complètement formés, il aurait fallu mettre le bébé dans une couveuse pour qu'il survive…

Maura baissa les yeux vers les os de Karen Sadler, pensa à l'endroit où on les avait retrouvés. Pensa aux os du mari, enterrés vingt mètres plus loin. Séparément. Pourquoi creuser deux trous ? Pourquoi ne pas enterrer mari et femme ensemble ?

La bouche subitement sèche, elle trouva la réponse, qui la laissa abasourdie :

— Ils n'ont pas été enterrés au même moment.

21

Le cottage se recroquevillait sous les branches d'arbres alourdies par la pluie comme s'il cherchait à leur échapper. Quand Maura l'avait vu pour la première fois, elle l'avait trouvé simplement déprimant : une petite boîte sombre lentement étranglée par les bois envahissants. À présent qu'elle le contemplait, de sa voiture, il lui semblait que ses fenêtres lui renvoyaient durement son regard, tels des yeux malveillants.

— C'est la maison où Amalthea a grandi, dit-elle. Anna n'a sans doute pas eu de mal à l'apprendre. Il suffisait de consulter les dossiers scolaires d'Amalthea ou de chercher le nom de Lank dans un vieil annuaire téléphonique.

Elle se tourna vers Rizzoli.

— La propriétaire, Mlle Clausen, m'a informée qu'Anna avait demandé cette maison en particulier.

— Donc elle savait qu'Amalthea y avait vécu, conclut l'inspecteur.

Et comme moi, elle tenait absolument à en savoir davantage sur notre mère, pensa Maura. À comprendre cette femme qui nous a donné le jour puis nous a abandonnées.

La pluie glissait en un rideau argenté sur le pare-brise. Rizzoli remonta la fermeture de son ciré, rabattit la capuche sur sa tête.

— Bon, allons-y, grommela-t-elle.

Elles s'élancèrent sous l'averse, grimpèrent rapidement les marches de la véranda, se secouèrent pour faire tomber l'eau de leurs vêtements. Maura tira de sa poche la clef qu'elles étaient passées prendre à l'agence immobilière de Mlle Clausen, la glissa dans la serrure. D'abord, elle refusa de tourner, comme si la maison résistait, résolue à ne pas les laisser entrer. Lorsque enfin Maura parvint à ouvrir, la porte grinça de manière sinistre, en un dernier acte de résistance.

L'intérieur était encore plus sombre, plus propice à la claustrophobie que dans le souvenir de Maura. L'air sentait le moisi, comme si l'humidité extérieure avait traversé les murs pour imprégner les rideaux, les meubles. Le jour passant par la fenêtre donnait à la salle de séjour toutes sortes de nuances gris terne. Cette maison ne veut pas de nous, se dit-elle. Elle ne veut pas que nous découvrions ses secrets.

Elle toucha le bras de Rizzoli, lui indiqua les deux verrous et les chaînes de sûreté.

— Flambant neufs, commenta l'inspecteur.

— Anna les avait fait installer. Ça donne à réfléchir, non ? Qui voulait-elle empêcher d'entrer ?

— Si ce n'était pas Charles Cassell, tu veux dire ?

Rizzoli alla à la fenêtre du séjour, contempla un rideau de feuilles dégouttant de pluie.

— L'endroit est terriblement isolé. Pas de voisins. Rien que des arbres. Moi aussi, j'aurais fait installer de nouveaux verrous.

Avec un rire embarrassé, elle poursuivit :

— Je n'ai jamais aimé ça, les bois. Une fois, on était toute une bande du lycée à camper dans une forêt. On était montés dans le New Hampshire, on avait étendu nos sacs de couchage autour du feu. Je n'ai pas fermé l'œil. Je n'arrêtais pas de penser : Comment être sûr qu'il n'y a pas quelqu'un ou quelque chose qui nous guette, perché dans un arbre, tapi dans les fourrés ?

— Viens, dit Maura, je veux te montrer le reste de la maison.

Elle précéda Rizzoli dans la cuisine, abaissa l'interrupteur. Les tubes fluorescents s'allumèrent avec un bourdonnement, projetèrent leur lumière crue sur toutes les fissures, toutes les bosses du vieux linoléum. Elle baissa les yeux vers le motif à damier noir et blanc jauni par l'âge, songea au lait répandu, à la boue traînée à l'intérieur qui, au fil des ans, avaient sûrement laissé des traces microscopiques sur le sol. Que s'était-il infiltré d'autre dans ces fentes ? Quels terribles événements avaient laissé leur marque ?

— Là aussi, les verrous sont neufs, fit observer Rizzoli devant la porte de derrière.

Maura s'approcha de la porte de la cave.

— Voilà ce que je voulais te montrer.

— Encore un verrou ?

— Oui, mais tu remarqueras que le métal ne brille plus. Il n'est pas neuf. Il est là depuis longtemps. D'après Clausen, il était déjà installé quand elle a acheté la maison à une vente aux enchères il y a vingt-huit ans. Mais le plus étrange…

— Oui ?

— C'est que cette porte ne mène qu'à la cave.

— Alors pourquoi ce verrou ?

— C'est ce que je me suis demandé.

Quand Rizzoli ouvrit la porte, une odeur de terre humide monta de l'obscurité.

— Bon Dieu, maugréa-t-elle, j'ai horreur de descendre dans les caves.

— Il y a un cordon pour allumer, juste au-dessus de ta tête.

L'inspecteur tendit le bras, tira sur la chaînette. La lueur anémique d'une ampoule nue se répandit sur un escalier étroit dont le bas demeurait dans le noir.

— Tu es sûre qu'il n'y a pas un autre accès ? demanda Rizzoli. Un soupirail, une trappe donnant sur l'extérieur ?

— J'ai fait le tour de la maison, je n'ai vu ni trappe ni porte conduisant à la cave.

— Tu es descendue ?

— Je n'avais aucune raison de le faire.

Jusqu'à maintenant.

Rizzoli tira de sa poche une minitorche électrique et soupira :

— Je crois qu'il faut aller jeter un coup d'œil.

L'ampoule se balançait au-dessus des deux femmes, faisant bouger les ombres tandis qu'elles descendaient les marches grinçantes. Rizzoli progressait lentement, comme si elle vérifiait la solidité de chaque marche avant de lui confier tout son poids. Jamais Maura ne l'avait vue aussi prudente, aussi hésitante, et l'appréhension de l'inspecteur renforçait la sienne. Lorsqu'elles parvinrent en bas, la porte de la cuisine paraissait bien loin au-dessus d'elles, dans une autre dimension.

L'ampoule du bas était grillée. Rizzoli balaya du faisceau de sa lampe un sol de terre battue imprégné d'eau de pluie. La lumière révéla une pile de boîtes de peinture et un tapis roulé moisissant contre un mur. Dans un coin, une caisse contenant des fagots de petit bois pour la cheminée. Rien dans cette cave ne semblait anormal, rien ne justifiait la sensation de menace que Maura avait éprouvée en haut de l'escalier.

— Tu avais raison, dit Rizzoli. Il n'y a pas d'autre issue.

— Rien que cette porte, là-haut, dans la cuisine.

— Dans ce cas, le verrou ne rime à rien. À moins que…

Le rayon de la lampe s'arrêta sur le mur du fond.

— C'est quoi, ça ?

Rizzoli traversa la cave.

— Qu'est-ce que ça fait ici ? À quoi ça pouvait servir ?

Maura rejoignit l'inspecteur. Sentit un frisson lui parcourir l'échine quand elle découvrit ce que la torche éclairait. Un anneau d'acier, fixé à l'une des pierres massives du mur. « À quoi ça pouvait servir ? » avait demandé Rizzoli. La réponse qui traversa l'esprit de Maura la fit reculer d'un pas, effrayée par les images que cette réponse avait fait naître.

Ce n'est pas une cave, c'est une geôle.

Le faisceau de la lampe se braqua brusquement vers le haut.

— Il y a quelqu'un dans la maison, murmura Rizzoli.

Par-dessus les battements de son cœur, Maura entendit le plancher grincer. Des pas lourds traversaient la maison. Se dirigeant vers la cuisine. Une silhouette apparut soudain dans l'encadrement de la porte et la lumière d'une torche inonda l'escalier, si vive que Maura, aveuglée, détourna la tête.

— Docteur Isles ? appela une voix.

Maura cligna des yeux.

— Je ne vous vois pas.

— Inspecteur Yates. Les experts de scène de crime viennent d'arriver aussi. Vous voulez nous faire visiter la maison avant qu'on s'y mette ?

Après une longue expiration, elle répondit :

— Nous montons.

Quand les deux femmes émergèrent de l'escalier, quatre hommes se tenaient dans la cuisine. Maura avait fait la connaissance des inspecteurs Corso et Yates, de la police de l'État du Maine, la semaine précédente, dans la clairière. Les deux techniciens de scène de crime qui les avaient rejoints se présentèrent simplement par leurs prénoms, Pete et Gary, et on procéda à une tournée de poignées de main.

— C'est une sorte de chasse au trésor ? demanda Yates.

— Sans garantie de trouver quelque chose, répondit Maura.

Les techniciens parcouraient la cuisine des yeux, inspectaient le sol.

— Il est drôlement usé, ce lino, fit observer Pete. On s'intéresse à quelle période ?

— Les Sadler ont disparu il y a quarante-cinq ans. La suspecte vivait sans doute encore ici avec son cousin. Après leur départ, la maison est restée vide pendant des années avant d'être vendue aux enchères.

— Quarante-cinq ans ? Ouais, le lino peut bien avoir cet âge.

— Le tapis du séjour est plus récent : une vingtaine d'années seulement. Il faudra l'enlever pour examiner le sol.

— Jusqu'ici, on n'a pas essayé au-delà de quinze ans, dit Pete. Ce serait un nouveau record, pour nous.

Il indiqua la fenêtre de la cuisine.

— Il ne fera pas noir avant deux heures, au moins.

— Alors, commençons par la cave, décida Maura. Il fait assez sombre, en bas.

Tout le monde donna un coup de main pour décharger la camionnette : caméras vidéo et appareils photo, trépieds, caisses d'équipement de protection, vaporisateurs et eau distillée, glacière contenant des bouteilles de produits chimiques, câbles électriques et projecteurs. Ils descendirent le tout à la cave, qui parut soudain exiguë quand six personnes y eurent pris place avec du matériel vidéo.

Une demi-heure plus tôt, Maura considérait ce lieu sombre avec inquiétude. À présent que des techniciens y installaient des trépieds, y déroulaient des rallonges électriques, l'endroit avait perdu le pouvoir de l'effrayer. Ce n'est que de la pierre humide et de la terre battue, pensa-t-elle. Il n'y a pas de fantômes, ici.

Pete tourna vers l'arrière la visière de sa casquette de base-ball des Sea Dogs.

— Je sais pas trop, avoua-t-il. Dans un sol en terre battue, on a une forte teneur en fer. Ça pourrait briller partout. Ce sera dur à interpréter.

— Je pensais surtout aux murs, dit Maura. Des taches, des éclaboussures…

Elle montra le bloc de granit dans lequel était fixé l'anneau de fer.

— Commençons par celui-ci.

— Il nous faut d'abord une photo de référence. J'installe le trépied. Inspecteur Corso, vous pouvez tenir le mètre ruban devant le mur ? Il est luminescent, ça nous fera un point de comparaison.

Maura se tourna vers Rizzoli.

— Tu devrais remonter, Jane. Ils vont préparer le Luminol, il vaudrait mieux que tu n'y sois pas exposée.

— Je croyais que ce n'était pas toxique…

— Ne prends quand même pas le risque. Pas avec le bébé.

— Ouais, d'accord, soupira-t-elle avant de remonter lentement les marches. Mais je n'apprécie pas d'être privée du spectacle.

La porte se referma derrière elle.

— Elle devrait pas être en congé maternité ? s'étonna Yates.

— Il lui reste six semaines, répondit Maura.

Un des techniciens s'esclaffa.

— C'est comme cette femme flic dans *Fargo*, hein ? Comment on peut faire la chasse aux criminels quand on est en cloque jusqu'aux yeux ?

À travers la porte de la cave, Rizzoli répliqua :

— Je suis peut-être en cloque mais je ne suis pas sourde !

— Elle est armée, en plus, prévint Maura.

— Bon, on pourrait commencer ? marmonna Corso.

— Il y a des masques et des lunettes dans cette caisse, dit Pete. Faites passer.

Corso tendit un masque à gaz et une paire de lunettes protectrices à Maura. Elle les mit, regarda Gary mélanger divers produits chimiques.

— On va utiliser une préparation Weber, annonça-t-il. Elle est un peu plus sensible et moins dangereuse à utiliser. Ce truc vous irrite déjà suffisamment la peau et les yeux…

— Vous mélangez des solutions toutes faites ? demanda Maura, la voix étouffée par le masque.

— Ouais, on les garde dans le frigo du labo. Et on mélange les trois sur le terrain, avec de l'eau distillée.

Gary referma le bidon dans lequel il avait versé les produits, le secoua vigoureusement.

— Quelqu'un porte des verres de contact ?

— Moi, dit Yates.

— Il vaudrait mieux que vous remontiez, inspecteur. Vos yeux seront plus sensibles, même avec ces lunettes.

— Non, je veux regarder.

— Alors, reculez-vous quand on commencera.

Le technicien secoua une dernière fois le bidon avant de verser le contenu dans un vaporisateur.

— Bon, on est prêts. Je prends d'abord une photo. Inspecteur, vous pouvez vous éloigner de ce mur ?

Corso s'écarta et Pete appuya sur le déclencheur. À la lumière du flash, l'appareil prit une photo de référence du mur qu'ils allaient recouvrir de Luminol.

— J'éteins, maintenant ? s'enquit Maura.

— Attendez que Gary soit en place. Dans le noir, on risque tous de trébucher. Chacun choisit un endroit et y reste, d'accord ? Y a que Gary qui bouge.

Gary s'approcha du mur et leva le vaporisateur rempli de Luminol. Avec ses lunettes et son masque, il avait l'air d'un agent de désinsectisation sur le point d'asperger des cafards.

— Vous pouvez éteindre, docteur Isles ?

Maura tendit le bras vers le projecteur placé derrière elle et l'éteignit, plongeant la cave dans un noir d'encre.

— Vas-y, Gary.

Ils entendirent le sifflement du vaporisateur. Des particules bleu-vert luirent soudain dans l'obscurité, telles des étoiles dans un ciel de nuit. Un cercle fantomatique apparut et sembla flotter dans le vide. L'anneau de fer.

— Ce n'est peut-être pas du sang, prévint Pete. Le Luminol réagit à des tas de choses : rouille, métaux. Eau de Javel. Cet anneau en fer brillerait probablement de toute façon, qu'il y ait du sang dessus ou non. Gary, tu veux bien t'écarter que je prenne la photo ? Le temps d'exposition sera de quarante secondes, alors, bougez pas.

Quand l'obturateur cliqueta enfin, le technicien réclama :

— Lumière, s'il vous plaît, docteur Isles.

Maura chercha à tâtons l'interrupteur du projecteur. Quand la lumière revint, Corso demanda :

— Qu'est-ce que vous en pensez ?

— Pas très impressionnant, répondit Pete avec un haussement d'épaules. On va avoir un tas de fausses réponses positives. Il y a de la terre sur toutes ces pierres. On va essayer les autres murs, mais à moins de tomber sur une empreinte de main ou une grosse éclaboussure, ce ne sera pas facile de repérer du sang sur un fond comme ça.

Maura vit Corso couler un regard à sa montre. Les deux inspecteurs de la police de l'État du Maine avaient fait une longue route pour venir et ils devaient commencer à se demander s'ils ne perdaient pas leur temps.

— On continue, décida-t-elle.

Pete déplaça le trépied, régla son appareil sur le mur suivant, prit une photo au flash et dit :

— On éteint !

La cave fut de nouveau plongée dans le noir.

Le vaporisateur grésilla, d'autres particules bleu-vert apparurent comme par magie, pareilles à des lucioles clignotant dans l'obscurité, le Luminol réagissant aux métaux oxydés de la pierre, produisant des points de luminescence. Gary projeta un autre arc de produit sur le mur et produisit un nouvel essaim d'étoiles, éclipsé par sa silhouette quand il se déplaça. On entendit un bruit sourd et sa forme sombre bascula en avant.

— Meeerde…

— Ça va, Gary ? fit Yates.

— Me suis cogné le tibia contre quelque chose. L'escalier, je crois. On n'y voit rien dans cette…

Il s'interrompit puis murmura :

— Hé ! regardez !

Quand il s'écarta, une plaque bleu-vert se détacha de l'obscurité comme si elle flottait dans l'air, tel un ectoplasme.

— Qu'est-ce que c'est que ça ? dit Corso.

— Lumière ! cria Pete.

Maura alluma, la flaque bleu-vert disparut et la légiste ne vit à sa place que l'escalier montant vers la cuisine.

— C'était là, sur cette marche, expliqua Gary. Quand j'ai trébuché, elle a reçu un peu de produit.

— Attends que je change la position du trépied. Ensuite, tu remontes jusqu'à la porte. Tu crois que tu pourras redescendre dans le noir si on éteint ?

— Je sais pas. Si je vais assez lentement…

— Tu vaporiseras les marches en descendant.

— Non. Non, je préfère commencer par le bas et monter. J'ai pas trop envie de descendre à reculons dans l'obscurité.

— Fais comme tu le sens, répondit Pete.

Le flash se déclencha.

— OK, j'ai ma photo de référence. Quand tu veux, Gary.

— Ouais. Vous pouvez éteindre, toubib.

Maura pressa l'interrupteur.

Une fois de plus, ils entendirent le sifflement du vaporisateur projetant sa bruine de Luminol. Près du sol, une éclaboussure bleu-vert apparut, puis une autre au-dessus, comme des flaques fantômes. On entendait la respiration lourde de Gary à travers son masque, le craquement de l'escalier qu'il montait à reculons sans cesser de vaporiser. Les marches s'illuminèrent l'une après l'autre en une cascade luminescente.

Une cascade de sang.

Ça ne peut pas être autre chose, pensa Maura. La tache s'étalait en travers de chaque marche, débordait en filets sur les côtés de l'escalier.

— Nom de Dieu ! fit Gary à voix basse. C'est encore plus brillant ici en haut, sur la dernière marche. On dirait que ça vient de la cuisine. Ça a glissé sous la porte, coulé dans l'escalier…

— Personne ne bouge. Je prends la photo. Quarante-cinq secondes.

Rizzoli les attendait dans la cuisine quand ils remontèrent avec le matériel.

— J'ai raté le spectacle, on dirait, maugréa-t-elle.

— Je pense qu'il n'est pas terminé, lui répondit Maura.

— Par où vous voulez qu'on commence ? demanda Pete à Corso.

— Ici. Le sol autour de la porte de la cave.

Cette fois, Rizzoli ne quitta pas la pièce quand la lumière s'éteignit. Elle recula et regarda de loin le technicien projeter son brouillard de Luminol. Une forme géométrique se mit soudain à luire à leurs pieds, un damier bleu-vert de sang pris dans le motif répété du linoléum. La luminescence s'étendit tel un feu de prairie bleuâtre, monta le long d'une surface verticale en larges coulées, en arcs de gouttelettes.

— Allumez, demanda Yates.

Corso abaissa l'interrupteur.

Les taches s'évanouirent. Tous les regards étaient rivés au mur de la cuisine, parfaitement anodin. Au linoléum usé, avec son motif de carrés noirs et blancs. Les policiers et les techniciens ne voyaient là rien d'horrible, simplement une pièce au sol jaunissant, aux appareils électroménagers fatigués. Et cependant, l'instant d'avant, partout où ils avaient regardé, il y avait du sang, du sang qui hurlait.

Cette image brûlait encore dans la tête de Maura.

— C'était une éclaboussure de sang artériel, dit-elle. C'est dans cette pièce que cela s'est passé. C'est ici qu'ils sont morts.

— Mais il y avait aussi des traces de sang dans la cave, objecta Rizzoli.

— Sur les marches.

— Bon, nous savons qu'une des victimes au moins est morte dans cette pièce, récapitula l'inspecteur.

Elle se mit à aller et venir dans la cuisine, son attention concentrée sur le sol, s'arrêta.

— Comment savons-nous qu'il n'y a pas eu d'autres victimes ? Comment savons-nous que ce sang provient des Sadler ?

— Nous n'en savons rien.

Elle alla à la porte de la cave, l'ouvrit, se tint un moment immobile, plongeant le regard dans l'obscurité, puis se tourna vers Maura.

— Un sol de terre battue…

Il y eut un silence.

— On a un équipement GPR dans la camionnette, dit enfin Gary. On s'en est servi y a deux jours, dans une ferme de Machias.

— Amenez-le dans la maison, dit Rizzoli. Nous allons regarder ce qu'il y a sous cette terre battue.

22

Le GPR, radar à pénétration du sol, utilise des ondes électromagnétiques pour sonder la terre. L'appareil SIR Système-2 que les techniciens déchargèrent de la camionnette est un engin équipé de deux antennes, l'une pour émettre une série d'impulsions d'énergie électromagnétique à haute fréquence dans le sol, l'autre pour mesurer les ondes renvoyées par des éléments situés sous la surface. Un écran d'ordinateur montre les données, représente les différentes couches sous forme de strates horizontales. Tandis que les techniciens descendaient le matériel, Yates et Corso traçaient des lignes espacées d'un mètre sur le sol de la cave pour le quadriller.

— Avec cette pluie, la terre sera très humide, annonça Pete en déroulant un câble.

— Ça change quelque chose ? demanda Maura.

— La réponse GPR varie selon le taux d'humidité sous la surface. Il faut ajuster la fréquence EM pour en tenir compte.

— Deux cents mégahertz ? suggéra Gary.

— Pour commencer. Si on monte plus, on aura trop de détails.

Pete brancha des fils sur la console glissée dans un sac à dos, mit l'ordinateur portable en marche.

— Ça va pas être facile, avec tous ces bois autour, prédit-il.

— Qu'est-ce que les arbres viennent faire là-dedans ? dit Rizzoli.

— Cette maison est construite sur un terrain anciennement boisé. Il y a probablement dessous quelques cavités laissées par des racines pourries. Elles troubleront l'image.

— Aide-moi à mettre le sac à dos, demanda Gary à son collègue.

— C'est bon, comme ça ? Faut régler les bretelles ?

— Non, c'est nickel.

Gary prit sa respiration, considéra le sol de la cave.

— Je vais commencer par là.

Tandis qu'il déplaçait le GPR au-dessus de la terre battue, des bandes ondulantes dessinaient le profil du sous-sol sur l'écran de l'ordinateur. La formation médicale de Maura l'avait familiarisée avec l'exploration du corps humain par ultrasons et scanners, mais elle ne savait absolument pas comment interpréter ces ondulations sur l'écran.

— Qu'est-ce que vous voyez ? demanda-t-elle à Gary.

— Ces zones noires, ici, sont des échos radar positifs. Les échos négatifs apparaissent en blanc. On cherche quelque chose d'anormal. Une réflexion hyperbolique, par exemple.

— Qu'est-ce que c'est ? fit Rizzoli.

— Un renflement qui soulève les strates. Causé par quelque chose enfoui dans la terre et dispersant les ondes dans toutes les directions.

Il s'arrêta, étudia l'écran.

— Vous voyez, ici ? On a quelque chose, à trois mètres de profondeur environ, qui donne une réflexion hyperbolique.

— Qu'est-ce que vous en pensez ? interrogea Yates.

— C'est peut-être simplement une racine, répondit Gary. On la localise et on continue.

Pete enfonça un piquet dans la terre pour indiquer l'endroit.

Gary se remit en mouvement, passant d'un carré de la grille à un autre tandis que les échos radar ondulaient sur l'écran. De temps en temps, il s'immobilisait, demandait à Pete de planter un piquet pour marquer un autre endroit qu'il sonderait à nouveau lors d'un deuxième passage. Il avait fait demi-tour et revenait sur ses pas en suivant le milieu de la grille quand il fit brusquement halte.

— Ça, c'est intéressant.

— Qu'est-ce que vous voyez ? voulut savoir Yates.

— Attendez, je vérifie…

Il recula, fit repasser le GPR sur l'endroit qu'il venait de sonder. Avança de quelques centimètres, le regard rivé à l'écran. S'arrêta de nouveau.

— On a une grosse anomalie, là.

Yates le rejoignit.

— Montrez-moi.

— À moins d'un mètre de profondeur. Une grande poche, là. Vous la voyez ?

Gary indiqua l'écran où une bosse déformait les échos radar. Baissant les yeux vers le sol, il déclara :

— Il y a quelque chose à cet endroit. Et c'est pas très profond.

Il se tourna vers Yates.

— Qu'est-ce que vous voulez faire ?

— Vous avez des pelles dans la camionnette ?

— On en a une. Plus deux déplantoirs.

— Apportez-les. Il nous faudra un meilleur éclairage, aussi.

— J'ai un autre projecteur dans le bahut. Avec des rallonges.

Corso se dirigeait déjà vers l'escalier en annonçant :

— Je vais les chercher.

— Je vais vous aider, dit Maura, qui lui emboîta le pas en direction de la cuisine.

Dehors, l'averse s'était réduite à un crachin. Ils fouillèrent la camionnette, trouvèrent la pelle et le projecteur, que Corso porta dans la maison. Maura referma la portière et s'apprêtait à le suivre avec la boîte d'outils d'excavation lorsqu'elle aperçut des phares entre les arbres. Plantée dans l'allée, elle vit un pick-up familier quitter la route et se garer à côté de la camionnette.

Mlle Clausen descendit, enveloppée d'un immense ciré qui flottait derrière elle comme une cape.

— Je pensais que vous auriez fini, dit-elle. Je me demandais pourquoi vous ne me rapportiez pas ma clef.

— Nous en avons encore pour un moment.

La patronne de l'agence immobilière regarda les véhicules stationnés dans l'allée.

— Je croyais que vous vouliez simplement jeter un autre coup d'œil. Qu'est-ce que les techniciens du labo font ici ?

— Cela va prendre un peu plus longtemps que je ne pensais. Toute la soirée, peut-être.

— Pourquoi ? Les affaires de votre sœur ne sont même plus là, je les ai mises dans une caisse pour que vous puissiez les emporter…

— Il ne s'agit pas seulement de ma sœur, mademoiselle Clausen. La police est ici pour enquêter sur quelque chose d'autre. Quelque chose qui est arrivé il y a longtemps.

— Il y a combien de temps ?

— Quarante-cinq ans. Avant même que vous achetiez la maison.

— Quarante-cinq ans ? À l'époque où…

Mlle Clausen s'interrompit.

— Où quoi ?

Son regard tomba sur la boîte d'outils que tenait Maura.

— C'est pour quoi faire, ça ? Qu'est-ce que vous fabriquez dans ma maison ?

— La police fouille la cave.

— Avec des déplantoirs ? Vous voulez dire qu'ils creusent ?

— Ils devront peut-être le faire.

— Je n'ai pas donné mon autorisation.

Elle se mit en mouvement, monta d'un pas lourd sur la véranda, le bas de son ciré traînant sur les marches. Maura la suivit à l'intérieur, posa sa boîte à outils sur le comptoir de la cuisine.

— Attendez. Vous ne comprenez pas…

— Je ne veux pas qu'on fasse des trous dans ma cave ! explosa Mlle Clausen.

Elle ouvrit brusquement la porte de la cave, lança un regard furieux à l'inspecteur Yates, qui maniait une pelle. Il avait déjà commencé à creuser et un monticule de terre s'élevait à ses pieds.

— Mademoiselle Clausen, laissez-les faire leur travail… plaida Maura.

— Cette maison m'appartient ! rugit la propriétaire de l'agence. Vous n'avez pas le droit d'y faire des trous sans ma permission !

— Madame, je vous promets qu'on les rebouchera quand on aura fini, dit Corso. On a juste besoin de regarder ce qu'il y a là-dessous.

— Pourquoi ?

— Notre GPR nous renvoie un écho anormal.

— Votre *quoi* ? Qu'est-ce qu'il y a, là, en bas ?

— On va le savoir très vite. Si vous nous laissez continuer, bien sûr.

Maura tira Mlle Clausen dans la cuisine et referma la porte.

— S'il vous plaît, laissez-les faire. Si vous refusez, ils devront simplement revenir avec un mandat.

— Mais pourquoi ils creusent ici, pour commencer ?

— À cause du sang.

— Quel sang ?

— Il y a du sang partout dans cette cuisine.

Mlle Clausen baissa les yeux, inspecta le linoléum.

— Je ne vois rien.

— On ne peut pas le voir, il faut vaporiser un produit chimique pour le rendre visible. Mais croyez-moi, il est bien là. Des traces microscopiques sur le sol, sur le mur. Passant sous la porte de la cave et coulant dans l'escalier. Quelqu'un a essayé de le faire disparaître en lavant le sol, en essuyant le mur. Quelqu'un a peut-être cru l'avoir totalement fait disparaître, parce qu'on ne le voyait plus. Mais le sang est toujours là. Infiltré dans les fentes, dans les crevasses. Depuis des années. Il est pris dans cette maison. Dans les murs eux-mêmes.

Mlle Clausen se tourna vers Maura, la regarda fixement et murmura :

— Le sang de qui ?

— C'est ce que la police veut savoir.

— Vous ne pensez quand même pas que j'ai quelque chose à voir avec…

— Non. Ce sang est très vieux. Il était probablement déjà dans cette maison quand vous l'avez achetée.

Hébétée, Mlle Clausen se laissa tomber sur une chaise de la cuisine. Le capuchon de son ciré était retombé en arrière, révélant des touffes hérissées de cheveux gris. Dans cet imperméable trop grand, elle semblait plus frêle, plus âgée. Une femme se rapetissant déjà à l'approche du tombeau.

— Personne n'en voudra plus, maintenant, marmonna-t-elle. Quand les gens connaîtront cette histoire, je ne pourrai plus la vendre.

Maura s'assit en face d'elle et lui demanda :

— Pourquoi ma sœur a-t-elle voulu louer ce cottage ? Elle vous l'a dit ?

Pas de réponse. Mlle Clausen demeurait prostrée.

— D'après vous, elle a vu la pancarte *À VENDRE* au bord de la route et elle vous a téléphoné à l'agence.

Un hochement de tête.

— Qu'est-ce qu'elle vous a dit, exactement ?

— Elle voulait des renseignements sur le cottage. Qui y avait vécu. À qui il appartenait avant que je l'achète. Elle a dit qu'elle cherchait une maison dans la région.

— Vous lui avez parlé des Lank ?

Mlle Clausen se raidit.

— Qu'est-ce que vous savez d'eux ? demanda-t-elle.

— Je sais que cette maison était à eux. Un père et son fils. Et plus tard une nièce, une enfant nommée

Amalthea. Ma sœur vous a aussi posé des questions sur eux ?

— Oui, elle voulait savoir. Je le comprenais. Si vous envisagez d'acheter une maison, vous voulez savoir qui l'a fait construire. Qui y a vécu. Il s'agit d'eux, hein ? Il s'agit des Lank ?

— Vous avez grandi dans ce bourg ?

— Ouais.

— Vous avez dû connaître la famille.

Au lieu de répondre immédiatement, Mlle Clausen se leva et défit son ciré. Prit son temps pour l'accrocher à l'une des patères, près de la porte.

— Il était dans ma classe, dit-elle, le dos tourné à Maura.

— Qui ça ?

— Elijah Lank. Je ne connaissais pas très bien sa cousine Amalthea, parce qu'elle était cinq classes en dessous de nous, à l'école : une gamine. Mais Elijah…

Clausen avait réduit sa voix à un murmure, comme si elle répugnait à prononcer ce prénom.

— Je ne le connaissais que trop.

— Vous ne l'aimiez pas beaucoup, semble-t-il.

— C'est dur d'aimer quelqu'un qui vous fait peur.

À travers la porte de la cave, les deux femmes entendaient le bruit sourd de la pelle heurtant le sol. S'enfonçant dans les secrets d'une maison qui, quarante-cinq ans plus tôt, avait vu se perpétrer un acte horrible.

— Fox Harbor était une toute petite ville, docteur Isles. Pas comme maintenant, avec tous ces nouveaux venus qui arrivent de loin pour acheter des maisons. À l'époque, il n'y avait que les gens d'ici et on se connaissait. On savait quelles familles on pouvait fréquenter et quelles familles il valait mieux éviter. Pour Elijah Lank, j'ai compris quand j'avais quatorze ans qu'il faisait partie des garçons qu'il fallait à tout prix éviter.

Mlle Clausen retourna à la table et s'assit, fixa le plateau de formica comme si elle cherchait son reflet dans une flaque. Le reflet d'une adolescente de quatorze ans effrayée par le garçon qui vivait sur la colline.

Maura attendit, le regard sur la brosse raide de cheveux gris surmontant la tête penchée.

— Pourquoi aviez-vous peur de lui ?

— Je n'étais pas la seule. On avait tous peur de lui. Après que…

— Après que quoi ?

Mlle Clausen releva la tête.

— Après qu'il eut enterré cette fille vivante.

Dans le silence qui suivit, Maura entendit le brouhaha des voix des hommes continuant à creuser. Elle sentit son cœur cogner contre ses côtes. Seigneur, que vont-ils trouver ?

— Elle était nouvelle, à l'école, reprit Mlle Clausen. Alice Rose. Les autres filles s'asseyaient derrière elle et faisaient des remarques. Des plaisanteries. On pouvait raconter sur elle tout ce qu'on voulait sans se gêner, elle n'entendait rien. Elle ne se doutait jamais qu'on se moquait d'elle. Je sais que nous étions cruels, mais c'est le genre de choses que font les gosses à quatorze ans. Avant d'en avoir un avant-goût eux-mêmes.

Elle eut un soupir de regret pour les fautes commises dans l'enfance. Pour les leçons apprises trop tard.

— Qu'est-il arrivé à Alice ?

— Elijah a prétendu que ce n'était qu'une farce, qu'il avait toujours eu l'intention de la sortir de là au bout de quelques heures. Mais vous imaginez ce qu'elle a dû souffrir, dans ce trou ? Terrifiée au point de se souiller. Personne ne vous entend crier. Personne ne sait où vous êtes, à part le garçon qui vous y a mise.

Maura attendit, silencieuse. Craignant d'entendre la fin de l'histoire.

Décelant de l'appréhension dans son regard, Mlle Clausen la rassura :

— Oh ! Alice n'est pas morte. C'est le chien qui l'a sauvée. Il savait où elle était, il a aboyé comme un fou, il a conduit les gens à l'endroit où elle était enterrée.

— Elle a survécu ?

— On l'a retrouvée tard le soir, après qu'elle eut passé des heures dans ce trou. Quand on l'a sortie, elle pouvait à peine parler. C'était un zombie. Quelques semaines plus tard, sa famille a déménagé. Je ne sais pas où ils sont allés.

— Qu'est-il arrivé à Elijah ?

Mlle Clausen haussa les épaules.

— Il a soutenu jusqu'au bout que ce n'était qu'une farce. Comme celles que les autres gosses faisaient tous les jours à Alice. C'est vrai, nous la tourmentions tous. Nous la rendions tous malheureuse. Mais Elijah était passé à un autre niveau.

— Il n'a pas été puni ?

— Si vous n'avez que quatorze ans, on vous laisse une seconde chance. Surtout si votre famille a besoin de vous à la maison. Le père saoul la moitié du temps, la petite cousine de neuf ans venue vivre avec vous…

— Amalthea, dit Maura à voix basse.

Mlle Clausen acquiesça de la tête.

— Imaginez ce que ça devait être pour une gamine… Grandir dans une famille de bêtes.

« Une famille de bêtes… »

L'air se chargea soudain d'électricité. Les mains glacées, Maura se remémora les propos délirants d'Amalthea Lank. « Va-t'en. Avant qu'il te voie. »

Elle revit les griffures sur la portière de sa voiture.

La marque de la Bête.

La porte de la cave qui s'ouvrait en grinçant la fit sursauter. Maura tourna la tête, vit Rizzoli dans l'encadrement.

— Ils ont trouvé quelque chose.

— Quoi ?

— Du bois. Un panneau, quelque chose comme ça, à cinquante centimètres de profondeur, à peu près.

L'inspecteur tendit le bras vers la boîte de déplantoirs posée sur le comptoir.

— On va en avoir besoin.

Maura descendit la boîte, découvrit des tas de terre entourant une tranchée de près de deux mètres de long.

La taille d'un cercueil.

L'inspecteur Corso, qui maniait maintenant la pelle, leva les yeux vers Maura.

— Le panneau a l'air épais, dit-il. Mais écoutez…

Il frappa le bois.

— Il y a du vide là-dessous.

— Tu veux que je prenne le relais ? proposa Yates.

— Ouais, j'ai le dos en compote !

Quand Yates sauta dans le trou, ses pieds heurtèrent le bois avec un bruit sourd. Un son creux. Il s'attaqua à la terre battue avec détermination, la jetant sur un tas qui grandit rapidement. Les deux projecteurs éclairaient la tranchée d'une lumière dure et l'ombre du policier dansait comme une marionnette sur les murs de la cave. Les autres observaient en silence, tels des pilleurs de tombe, tandis qu'une partie de plus en plus grande du panneau apparaissait.

— J'ai dégagé un coin, dit Yates, pantelant. On dirait une caisse. Je l'ai déjà éraflée avec la pelle, je ne veux pas l'esquinter davantage.

— On va continuer avec les déplantoirs et les brosses, suggéra Maura.

Yates se redressa, sortit du trou.

— Débarrassez le reste de la terre sur le dessus. On prendra quelques photos avant de l'ouvrir.

Maura et Gary sautèrent dans la fosse et elle sentit le panneau trembler sous leur poids. Elle se demanda quelles horreurs gisaient sous les planches tachées et imagina que le bois cédait soudain sous elle, qu'elle s'enfonçait dans de la chair en décomposition. Ignorant les battements affolés de son cœur, elle s'agenouilla et entreprit de finir de dégager le panneau.

— Donnez-moi aussi une brosse, réclama Rizzoli.

— Non, pas vous, répondit Yates. Reposez-vous, plutôt.

— Je déteste rester sans rien faire.

Il eut un rire nerveux.

— Peut-être, mais j'ai pas envie que vous perdiez les eaux dans ce trou. Et je me vois mal expliquer ça à votre mari.

Maura intervint :

— Il n'y a pas assez de place pour trois, Jane.

— Alors, laissez-moi changer les projecteurs de place. Que vous puissiez voir ce que vous faites.

Rizzoli déplaça un des projecteurs et la lumière éclaira le coin dans lequel Maura travaillait. Agenouillée, elle utilisait la brosse pour nettoyer les planches et venait de faire apparaître des points de rouille.

— Je vois de vieilles têtes de clou, annonça-t-elle.

— J'ai un pied-de-biche dans la voiture, dit Corso. Je vais le chercher.

Maura continuait à faire tomber la terre, découvrant d'autres clous rouillés. Elle manquait de place, commençait à avoir mal au cou et aux épaules. Elle se redressa, entendit un claquement derrière elle.

— Hé ! regardez ça ! s'exclama Gary.

En se retournant, elle vit que le déplantoir du technicien avait heurté un morceau de tuyau.

— On dirait qu'il traverse le côté du panneau et qu'il monte…

D'un doigt, il explora le cylindre rouillé, perça la croûte de terre qui en recouvrait le haut.

— Quelle idée de planter un tuyau dans une…

Il s'interrompit. Regarda Maura.

— Un trou d'aération, acquiesça-t-elle.

Gary fixa les planches entre ses genoux.

— Qu'est-ce qu'il peut bien y avoir là-dedans ?

Yates tendit le bras à Maura pour l'aider à remonter et elle recula d'un pas, étourdie de s'être relevée trop brusquement. Elle cligna des yeux, éblouie par les flashs de l'appareil photo. Elle alla s'asseoir dans l'escalier, se souvint trop tard que la marche qu'elle occupait était imprégnée de traces de sang invisibles.

— On ouvre, dit Pete.

Corso s'accroupit au bord du trou et glissa l'extrémité du pied-de-biche sous un coin du couvercle. Il appuya, arracha un grincement aux clous rouillés.

— Ça bouge pas, constata Rizzoli.

Corso s'essuya le visage avec sa manche, laissant une traînée de terre sur son front.

— Je vais sentir mon dos, demain, grogna-t-il.

Il remit le pied-de-biche en position, parvint à l'enfoncer un peu plus. Il prit sa respiration, pesa de tout son poids sur le levier.

Les clous cédèrent.

Corso jeta le pied-de-biche sur le côté. Yates et lui descendirent dans la tranchée, saisirent le bord du couvercle et le soulevèrent. Pendant un moment, personne ne souffla mot. Tous fixaient le trou, à présent pleinement éclairé par les projecteurs.

— Je comprends pas, dit Yates.

La caisse était vide.

Elles rentrèrent dans la soirée, roulant sur une route luisante de pluie. Les essuie-glaces de la Lexus balayaient d'un mouvement lent et hypnotique un pare-brise embué.

— Tout ce sang dans la cuisine, dit Rizzoli. Tu sais ce que ça veut dire : Amalthea avait déjà tué avant. Nikki et Theresa Wells n'étaient pas ses premières victimes.

— Elle n'était pas seule dans cette maison, Jane. Son cousin Elijah y vivait aussi. C'est peut-être lui.

— Quand les Sadler ont disparu, elle avait dix-neuf ans. Elle était assez âgée pour savoir ce qui se passait dans sa cuisine.

— Ça ne veut pas dire que c'est elle.

Rizzoli se tourna vers Maura et lui demanda :

— Tu crois à l'hypothèse d'O'Donnell ? La Bête ?

— Amalthea est schizophrène. Explique-moi comment avec un esprit aussi perturbé elle a réussi à tuer deux femmes puis à faire preuve de suffisamment de logique pour brûler leurs corps afin de détruire les indices…

— Elle n'a pas tellement bien dissimulé ses traces, argua Rizzoli. Elle s'est fait prendre, tu te souviens ?

— La police de Virginie a eu de la chance. La pincer pour une infraction au Code de la route, ça n'était pas l'aboutissement d'un brillant travail d'investigation…

Maura regardait devant elle les volutes de brume qui s'enroulaient au-dessus de la chaussée déserte.

— Elle n'a pas pu tuer ces femmes toute seule, poursuivit-elle. Il y avait forcément quelqu'un pour l'aider, quelqu'un qui a laissé des empreintes dans la voiture. Quelqu'un qui était avec elle depuis le début.

— Son cousin…

— Elijah n'avait que quatorze ans quand il a enterré cette fille vivante. Quel genre de garçon ferait une chose pareille ? Quel genre d'homme est-il devenu ?

— Je n'ose pas l'imaginer.

— Je crois qu'on le sait toutes les deux, dit Maura. On a toutes les deux vu ce sang dans la cuisine.

La Lexus avalait la route en bourdonnant. La pluie avait cessé mais la brume couvrait encore le pare-brise de gouttelettes.

— S'ils ont bien tué les Sadler… qu'ont-ils fait du bébé de Karen ?

Maura continua à fixer la route sans répondre. Roule droit devant toi, pensait-elle. Pas de détours.

— Tu vois où je veux en venir ? reprit Rizzoli. Il y a quarante-cinq ans, les cousins Lank ont assassiné une femme enceinte. Les restes du bébé manquent à l'appel. Cinq ans plus tard, Amalthea Lank se présente au cabinet de Van Gates à Boston, avec deux nouveau-nés à vendre.

Les doigts de Maura s'engourdissaient sur le volant.

— Et si ces bébés n'étaient pas les siens ? poursuivit Rizzoli. Et si Amalthea n'était pas vraiment ta mère ?

23

Assise dans le noir, Mattie Purvis se demandait au bout de combien de temps on mourait de faim. Elle épuisait ses réserves trop vite, il ne restait plus dans le sac que six barres chocolatées, un demi-paquet de crackers et quelques lanières de bœuf séché. Je dois me rationner, se dit-elle. Je dois faire durer mes provisions pour…

Pour quoi ? Pour mourir de soif, plutôt que de faim ?

Elle détacha d'un coup de dents un précieux morceau de chocolat, fut cruellement tentée de mordre une deuxième fois dans la barre, parvint à résister à son envie. Soigneusement, elle la remballa pour plus tard.

Si je n'ai vraiment plus rien, je pourrai toujours manger le papier, pensa-t-elle. Ça se mange, non ? C'est fait avec du bois, et les cerfs affamés mangent bien l'écorce des arbres, ça doit avoir une valeur nutritive. Oui, conserve le papier.

À contrecœur, elle remit la barre entamée dans le sac. Fermant les yeux, elle songea aux hamburgers, aux poulets rôtis, à tous les plats interdits dont elle s'était privée depuis que Dwayne avait dit que les femmes enceintes lui faisaient penser à des vaches. Ce qui signifiait qu'elle lui faisait penser à une vache. Pendant deux semaines, elle n'avait mangé que des salades, jusqu'au jour où, prise de vertiges, elle s'était assise par terre au beau milieu d'un grand magasin. Dwayne était devenu écarlate tandis que des clientes pleines de sollicitude les entouraient, lui demandaient si sa femme allait bien. Il les avait chassées de la main en ordonnant à Mattie entre ses dents de se relever. « L'image, c'est essentiel », se plaisait-il à répéter, et Mister BMW se retrouvait là, au beau milieu du Macy's, avec sa grosse vache de femme se vautrant par terre dans son pantalon de grossesse extensible.

Oui, je suis une vache, Dwayne. Une vache qui porte ton enfant. Viens nous sauver, maintenant. Sauve-nous, sauve-nous.

Des pas crissèrent au-dessus de sa tête.

Mattie leva les yeux en entendant son ravisseur approcher. Elle avait appris à reconnaître son pas, léger et prudent comme celui d'un chat qui rôde. Chaque fois qu'il venait, elle le suppliait de la libérer. Chaque fois, il repartait, la laissant dans sa caisse. À présent, elle commençait à manquer de nourriture, et d'eau aussi.

— Madame.

Elle ne répondit pas. Qu'il s'interroge, se dit-elle. Il faudra qu'il ouvre cette caisse pour voir si je vais bien. Il doit me garder en vie s'il veut toucher la rançon.

— Parlez-moi, madame.

Elle garda le silence.

Jusqu'ici, rien n'a marché, mais cette fois il aura peut-être peur. Il me laissera peut-être partir.

Un coup sourd sur la terre.

— Vous êtes là ?

Où veux-tu que je sois, connard ?

Un long silence, puis :

— Si vous êtes déjà morte, pas la peine de vous déterrer…

Les pas s'éloignèrent.

— Attendez ! *Attendez !*

Mattie alluma la lampe, frappa du poing contre le couvercle.

— Revenez !

Elle écouta, le cœur battant. Rit presque de soulagement quand elle entendit les pas se rapprocher. C'était lamentable. Elle en était réduite à implorer son attention, comme une maîtresse délaissée.

— Vous êtes réveillée ?

— Vous avez parlé à mon mari ? Quand est-ce qu'il paiera la rançon ?

— Comment vous vous sentez ?

— Pourquoi ne répondez-vous jamais à mes questions ?

— Répondez d'abord aux miennes.

— Oh ! je me sens vraiment bien !

— Et le bébé ?

— Je commence à manquer de nourriture.

— Vous avez ce qu'il vous faut.

— C'est moi qui suis dans cette caisse, pas vous ! Je crève de faim. Comment toucherez-vous votre argent si je suis morte ?

— Restez calme. Reposez-vous. Tout ira bien.

— Non, non, ça ne va pas !

Pas de réponse.

— Vous êtes là ? *Vous êtes là ?*

Les pas s'éloignaient de nouveau.

— Attendez ! Revenez !

Elle martela le bois des deux poings, soudain consumée d'une rage qu'elle n'avait encore jamais éprouvée.

— Vous ne pouvez pas me traiter comme ça ! hurla-t-elle. Je ne suis pas un animal !

Elle s'effondra contre la paroi, les mains endolories, le corps secoué de sanglots. Des sanglots de fureur, pas de défaite.

— Je t'emmerde ! cria-t-elle. Je t'emmerde ! Et Dwayne aussi. Et tous les autres connards du monde !

Épuisée, elle s'étendit sur le dos. Passa un bras sur ses yeux pour essuyer ses larmes. Qu'est-ce qu'il veut, ce type ? Dwayne a dû le payer. Pourquoi je suis encore ici ? Qu'est-ce qu'il attend ?

Le bébé lui donna un coup de pied. Mattie pressa sa main contre son ventre, contact apaisant à travers la peau qui les séparait. Elle sentit son utérus se resserrer, l'amorce d'une contraction. Pauvre petite chose. Pauvre…

Bébé.

Elle se figea, réfléchit. Se rappela toutes les conversations à travers la grille d'aération. Jamais un mot sur Dwayne. Jamais un mot sur la rançon. Ça ne tient pas debout. Si ce connard veut de l'argent, c'est à Dwayne qu'il doit s'adresser. Mais il ne pose jamais de questions sur Dwayne, il ne parle jamais de lui. Et s'il ne lui a même pas téléphoné ? S'il n'a pas demandé de rançon ?

Qu'est-ce qu'il veut, alors ?

La lumière de la torche baissa : le second jeu de piles expirait. Il en restait deux autres, ensuite elle serait dans l'obscurité permanente. Cette fois, elle ne céda pas à la panique en plongeant la main dans le sac et en ouvrant un nouveau paquet. *J'ai déjà réussi, je peux le refaire.* Elle dévissa l'extrémité de la lampe, fit glisser les piles usagées hors du tube, en inséra calmement de nouvelles. Une lumière vive jaillit, répit avant le long adieu qu'elle redoutait.

Tout le monde meurt, mais je ne veux pas mourir enterrée dans cette caisse, là où personne ne retrouvera mes os.

Économise tes piles, économise tes piles le plus longtemps possible.

Mattie éteignit la torche et demeura étendue sans bouger tandis que la peur resserrait autour d'elle ses tentacules. *Personne ne sait*, pensa-t-elle. *Personne ne sait que je suis ici.*

Arrête, Mattie. Ressaisis-toi. Toi seule peux te sauver.

Elle se tourna sur le côté, entoura sa poitrine de ses bras. Entendit quelque chose rouler sur les planches. Une des piles vides, inutile maintenant.

Et si personne ne sait que j'ai été enlevée ? Et si personne ne sait que je suis encore en vie ?

Elle songea à toutes les conversations qu'elle avait eues avec son ravisseur. « Comment vous vous sentez ? » Il lui demandait toujours ça, comme s'il se souciait d'elle. Comme si quelqu'un qui enferme une femme enceinte dans une caisse se souciait de son état ! Mais il lui posait toujours la question et elle le suppliait toujours de la laisser partir.

Il attend une autre réponse.

En ramenant les genoux contre sa poitrine, elle heurta du pied quelque chose qui se mit à rouler. Mattie se redressa, alluma la lampe, rassembla les piles usagées. Elle en avait quatre, plus deux piles neuves dans le sac. Plus deux dans la torche. Elle éteignit : Économise la lumière.

Dans le noir, elle défit le lacet de sa chaussure.

24

Le Dr Joyce O'Donnell entra dans la salle de réunion de la brigade criminelle comme si elle était chez elle. Son tailleur chic d'un grand couturier avait probablement coûté plus que tout le budget vestimentaire annuel de Rizzoli. Des talons de huit centimètres mettaient en valeur sa taille déjà imposante. Malgré les trois flics qui l'observaient, elle ne montra pas le moindre signe de gêne en s'asseyant à la table. Elle savait monopoliser l'attention, talent que Rizzoli ne pouvait s'empêcher de lui envier en dépit de l'antipathie que la psychiatre lui inspirait.

Antipathie manifestement réciproque. O'Donnell posa sur Rizzoli un regard froid qu'elle fit rapidement passer sur Barry Frost avant de l'arrêter enfin sur le lieutenant Marquette, l'officier le plus élevé en grade de la brigade. O'Donnell ne perdait pas son temps avec des sous-fifres.

— C'est une invitation inattendue, lieutenant, dit-elle. On ne me convie pas souvent à Schroeder Plaza.

— Une idée de l'inspecteur Rizzoli.

— Encore plus inattendue, alors.

Inattendue parce que nous jouons dans des équipes opposées, pensa Rizzoli. J'attrape les monstres, tu les défends.

— Mais comme je l'ai dit au téléphone, continua la psychiatre, je ne peux vous aider que si vous m'aidez. Si vous voulez que je vous aide à trouver la Bête, vous devez partager avec moi les informations dont vous disposez.

En réponse, Rizzoli fit glisser un classeur en direction d'O'Donnell.

— Voilà ce que nous avons appris jusqu'ici sur Elijah Lank.

Elle vit une lueur s'allumer dans le regard d'O'Donnell quand celle-ci tendit la main vers le document. Voilà sa raison de vivre : entrevoir un monstre. Avoir la possibilité d'approcher du cœur palpitant du mal.

La psychiatre ouvrit le classeur.

— Son dossier scolaire…

— Lycée de Fox Harbor.

— Un QI de 136. Mais des notes moyennes.

— En dessous de ses possibilités.

« Capable d'excellents résultats s'il s'applique », avait écrit un professeur, sûrement à mille lieues d'imaginer dans quel domaine Elijah allait porter ses efforts.

— Après la mort de sa mère, il a été élevé par son père, Hugo. Un homme incapable de garder un emploi. Il passait la plupart de ses journées à boire, et il est mort d'une pancréatite quand Elijah avait dix-huit ans.

— C'est dans ce foyer qu'Amalthea a grandi…

— Ouais. Elle est venue vivre chez son oncle à l'âge de neuf ans, quand sa mère est morte. Personne n'a jamais su qui était son père. Les Lank de Fox Harbor :

un oncle ivrogne, un cousin sociopathe, une fillette qui devient schizophrène en grandissant. Une bonne petite famille américaine.

— D'après vous, Elijah serait un sociopathe ?

— Comment appeler autrement un garçon qui enterre vivante une fille de son école pour le plaisir ?

O'Donnell passa à la page suivante. En lisant ce dossier, n'importe qui aurait eu une expression horrifiée, mais ce que le visage de la psychiatre exprimait, c'était de la fascination.

— La fille qu'il a enterrée n'avait que quatorze ans, dit Rizzoli. Alice Rose était la nouvelle de l'école. Elle était aussi malentendante et c'était pour cette raison que les autres gosses la tourmentaient. C'est probablement aussi pour ça qu'Elijah l'a choisie. Alice était une proie facile. Il l'a invitée à venir chez lui et il l'a conduite à la fosse qu'il avait creusée dans les bois. Il l'a jetée dedans, a recouvert le trou avec des planches et entassé des pierres par-dessus. Plus tard, quand on l'a interrogé, il a affirmé que ce n'était qu'une farce, mais je suis convaincue qu'il voulait la tuer.

— Selon ce rapport, cette fille s'en est sortie indemne.

— Indemne ? Pas exactement.

— Mais elle a survécu…

— Les cinq années qui ont suivi, Alice Rose a souffert d'une grave dépression et d'accès d'angoisse. À dix-neuf ans, elle s'est allongée dans une baignoire et s'est ouvert les veines. Pour moi, Elijah Lank est responsable de sa mort. Elle a été sa première victime.

— Pouvez-vous prouver qu'il y en a eu d'autres ?

— Il y a quarante-cinq ans, Karen et Robert Sadler, un couple marié, ont disparu de Kennebunkport. Karen était enceinte. La semaine dernière, on a retrouvé leurs restes à l'endroit même où Elijah avait enterré Alice Rose vivante. Je pense que les Sadler ont été tués par Elijah. Et par Amalthea.

O'Donnell demeurait parfaitement immobile, comme si elle retenait sa respiration.

— Vous avez été la première à le suggérer, docteur, intervint le lieutenant Marquette. Vous avez soutenu qu'Amalthea avait un complice, quelqu'un qu'elle appelait la Bête. Quelqu'un qui l'aurait aidée à assassiner Nikki et Theresa Wells. C'est bien ce que vous avez dit ?

— Personne n'a cru à mon hypothèse.

— Eh bien, maintenant, nous y croyons, repartit Rizzoli. Nous pensons que la Bête est son cousin Elijah.

La psychiatre haussa un sourcil, l'air amusée.

— Un cas de cousins tueurs ?

— Ce ne serait pas le premier, souligna Marquette.

— Exact, approuva O'Donnell. Kenneth Bianchi et Angelo Buono, les Étrangleurs de la Colline, étaient cousins.

— Il y a donc un précédent, dit Marquette. Des cousins complices dans le crime.

— Je ne vous l'apprends pas.

— Vous avez soupçonné l'existence de la Bête avant tout le monde, reprit Rizzoli. Vous avez tenté de la retrouver, de prendre contact avec elle par l'intermédiaire d'Amalthea…

— Mais je n'ai pas réussi, inspecteur. Je ne vois donc pas comment je pourrais vous aider. Je ne sais même pas pourquoi vous m'avez fait venir ici, étant donné le peu de considération que vous avez pour mes travaux.

— Amalthea vous parle. Elle ne m'a pas dit un mot quand je l'ai vue, hier. Mais d'après les surveillantes, elle vous parle, à vous.

— Nos entretiens sont confidentiels. Amalthea est ma patiente.

— Pas son cousin. C'est lui que nous voulons.

— Quel est son dernier domicile connu ? Vous devez bien avoir des informations avec lesquelles commencer vos recherches…

— Quasiment aucune. Nous ignorons totalement où il a vécu pendant toutes ces années.

— Vous savez au moins s'il vit encore ?

Rizzoli soupira.

— Non, avoua-t-elle.

— Il aurait presque soixante-dix ans, aujourd'hui. C'est vieux, pour un tueur en série.

— Amalthea en a soixante-cinq, dit Rizzoli. Personne n'a pourtant jamais douté qu'elle a tué Theresa et Nikki Wells. Qu'elle leur a défoncé le crâne, a aspergé leurs corps d'essence et y a mis le feu…

O'Donnell se renversa contre le dossier de son siège et regarda Rizzoli.

— Pourquoi la police de Boston recherche-t-elle Elijah Lank ? Ce sont de vieux meurtres, et ils n'ont pas été commis dans votre juridiction. Pourquoi vous y intéressez-vous ?

— Ils ont peut-être un rapport avec l'assassinat d'Anna Leoni.

— Ah oui ? Lequel ?

— Juste avant sa mort, Anna posait beaucoup de questions sur Amalthea. Elle a peut-être appris trop de choses.

Rizzoli fit glisser un autre dossier vers O'Donnell.

— Qu'est-ce que c'est ?

— Vous connaissez le Fichier des recherches criminelles du FBI, je suppose ? Il propose une base de données sur les personnes disparues dans tout le pays.

— Oui, je le connais.

— Nous avons lancé une recherche avec comme mots clefs *femme* et *enceinte*. Voilà ce que nous avons obtenu du FBI. Toutes les affaires qui figurent dans leur fichier, depuis les années 1960. Toutes les femmes enceintes qui ont disparu aux États-Unis.

— Pourquoi des femmes enceintes ?

— Parce que Nikki Wells était enceinte de neuf mois. Parce que Karen Sadler était enceinte de huit mois. Vous ne trouvez pas la coïncidence étrange ?

O'Donnell ouvrit le dossier, se retrouva face à une liasse de feuillets imprimés et leva des yeux étonnés.

— Il y a des dizaines de noms, là-dedans !

— Des milliers de personnes disparaissent chaque année dans ce pays. Si une femme enceinte disparaît de temps en temps, ce n'est qu'un cas parmi tant d'autres : personne ne tire la sonnette d'alarme. Sauf qu'à raison d'environ une par mois pendant quarante-cinq ans, on arrive à un total impressionnant…

— Pouvez-vous lier ces personnes à Amalthea Lank ou à son cousin ?

— C'est la raison pour laquelle nous vous avons fait venir ici. Vous avez eu plus de dix entretiens avec Amalthea. Elle vous a parlé de voyages ? Elle vous a dit où elle vivait, où elle travaillait ?

O'Donnell referma le dossier.

— Vous me demandez d'enfreindre la règle de confidentialité des rapports médecin-patient. Pourquoi le ferais-je ?

— Parce que les meurtres continuent. Ils n'ont jamais cessé.

— Ma patiente ne peut tuer personne, elle est en prison.

— Pas son complice.

Rizzoli se pencha en avant, plus près de cette femme qu'elle méprisait. Mais elle avait besoin d'O'Donnell et elle parvint à surmonter son dégoût.

— La Bête vous fascine, n'est-ce pas ? Vous voulez en savoir plus. Vous voulez vous glisser dans sa tête, savoir ce qui la motive... Voilà pourquoi vous devriez nous aider. Pour pouvoir ajouter un monstre à votre collection.

— Et si nous nous trompions toutes les deux ? La Bête n'est peut-être qu'un produit de notre imagination.

Rizzoli se tourna vers Frost et lui dit :

— Allumez le projecteur, Barry.

Il mit l'appareil en position et abaissa l'interrupteur. En ce règne de l'informatique, un projecteur pouvait apparaître comme relevant d'une technologie de l'âge de pierre, mais Rizzoli et Frost avaient opté pour le moyen le plus rapide et le plus direct d'exposer leurs arguments.

Frost ouvrit un classeur, y prit plusieurs transparents sur lesquels ils avaient tracé des points avec des marqueurs de couleurs différentes.

Il glissa une feuille dans l'appareil, une carte des États-Unis apparut sur l'écran. Il la recouvrit du premier transparent et six points noirs s'ajoutèrent à l'image.

— Qu'est-ce que cela signifie ? demanda O'Donnell.

— Ce sont les cas rapportés par le FRC pour les six premiers mois de 1984, répondit-il. Nous avons choisi 1984 parce que c'est la première année complète où la base de données du FBI a fonctionné. Chacun de ces points représente une disparition de femme enceinte.

Frost dirigea un rayon laser sur l'écran et poursuivit :

— On constate une certaine dispersion géographique : un cas dans l'Oregon, un autre à Atlanta… Mais vous remarquerez ce petit regroupement, ici, dans le Sud-Ouest…

Il fit tourner le point lumineux du laser autour de la zone en question.

— Une femme disparue en Arizona, une au Nouveau-Mexique. Deux dans le sud de la Californie.

— Que dois-je en conclure ?

— Regardons la période suivante : de juillet à décembre 1984. Ça deviendra peut-être plus clair.

Frost posa le deuxième transparent sur la carte. De nouveaux points apparurent, cette fois en rouge.

— Là encore, vous noterez une dispersion… Mais nous avons un second regroupement.

Il traça un cercle autour de trois points proches.

— San José, Sacramento et Eugene, dans l'Oregon.

— Cela devient intéressant, fit O'Donnell à voix basse.

— Attendez de voir les six mois suivants, dit Rizzoli.

Avec le troisième transparent, d'autres points marquèrent la carte, en vert. Le schéma récurrent sautait maintenant aux yeux et la psychiatre le fixait avec une expression incrédule.

— Mon Dieu, murmura-t-elle, la grappe se déplace !

Rizzoli confirma d'un signe de tête.

— De l'Oregon, elle s'est dirigée vers le nord-est. Dans les six mois qui ont suivi, deux femmes enceintes ont disparu dans l'État de Washington, une troisième dans le Montana. Mais ça ne s'est pas arrêté là…

O'Donnell se pencha en avant, le regard à l'affût comme un félin sur le point de bondir.

— Quelle direction le regroupement a-t-il prise ?

— Pendant l'été et l'automne, il est allé droit vers l'est : Illinois, Michigan, New York et Massachusetts. Puis il est brusquement descendu vers le sud.

— Quel mois ?

Rizzoli se tourna vers Frost, qui feuilleta les imprimés.

— Le cas suivant s'est produit en Virginie le 14 décembre, répondit-il.

— Il se déplace avec le temps, dit O'Donnell.

Rizzoli la regarda.

— Quoi ?

— Vous voyez comme il traverse le Midwest pendant les mois de l'été ? En automne, il est en Nouvelle-Angleterre. Et en décembre, il se dirige tout à coup vers le sud. Au moment où le temps devient froid.

Les yeux plissés, Rizzoli examina la carte.

Bon Dieu, la psy a raison, pensa-t-elle. Pourquoi on n'a pas vu ça ?

— Et ensuite ? voulut savoir O'Donnell.

— Il fait un tour complet, dit Frost. Il traverse le Sud, de la Floride au Texas, et revient finalement en Arizona.

O'Donnell se leva, s'approcha de l'écran, étudia un moment la carte.

— Combien de temps a duré le cycle ? Combien pour faire un tour complet ?

— Cette fois-là, ça a pris trois ans et demi, dit Rizzoli.

— Pas très rapide.

— Ouais. Mais vous noterez qu'il ne reste jamais longtemps dans un même État, qu'il ne fait jamais trop de victimes dans une même région. Il se déplace sans cesse, pour que les autorités ne perçoivent jamais le schéma, pour qu'elles ne se rendent pas compte que ça dure depuis des années.

O'Donnell se retourna.

— Quoi ? Le cycle se répète ?

— Il repart et suit la même route, confirma Rizzoli. Comme les anciennes tribus nomades suivaient les troupeaux de bisons.

— Et la police n'a jamais rien remarqué ?

— Parce que ces chasseurs-là ne cessent de se déplacer. États différents, juridictions différentes. Quelques mois dans une région et ils s'en vont. Passent à d'autres terrains de chasse. Des endroits où ils reviennent à chaque cycle.

— Des territoires familiers.

— « Nous allons là où nous connaissons. Et nous connaissons là où nous allons », dit Rizzoli, citant un des principes du profilage géographique criminel.

— On a retrouvé des corps ?

— Dans aucun de ces cas. Vous avez là les affaires restées sans solution.

— Ils doivent avoir des caches où ils enterrent leurs victimes, où ils se débarrassent des corps…

— Des endroits écartés, probablement, dit Frost. Des zones rurales, des étendues d'eau. Puisque aucune de ces femmes n'a été retrouvée.

— On a retrouvé Nikki et Theresa Wells, objecta O'Donnell. Leurs corps n'ont pas été enfouis, mais brûlés.

— Elles ont été découvertes à la fin novembre. Nous avons consulté les archives de la météo, il y avait eu une tempête de neige inattendue, cette semaine-là : dix-huit centimètres en une seule journée. Le froid a pris le Massachusetts par surprise et il a fallu fermer un grand nombre de routes. Ils n'ont peut-être pas pu se rendre sur leur terrain d'enfouissement habituel.

— Ce serait pour cette raison qu'ils auraient brûlé les corps ?

— Comme vous l'avez souligné, les cas de disparitions semblent se déplacer selon les saisons, dit Rizzoli. Avec l'arrivée du froid, ils émigrent vers le sud. Mais cette année-là, la Nouvelle-Angleterre a connu un hiver précoce. Personne n'avait prévu cette tempête de neige. La voilà, votre Bête. Elle a laissé ses traces sur cette carte. Je pense qu'Amalthea l'a accompagnée partout.

— Qu'est-ce que vous attendez de moi ? demanda O'Donnell. Que je vous trace un profil psychologique ? Que je vous explique pourquoi ils ont tué ?

— Ça, nous le savons. Ils n'ont pas tué pour le plaisir, ou pour l'excitation que ça leur procurait.

— Pour quoi, alors ?

— Le plus terre à terre des mobiles, docteur O'Donnell. Et probablement fort ennuyeux pour un chasseur de monstres comme vous.

— Je ne trouve pas le meurtre ennuyeux. Pourquoi tuaient-ils, d'après vous ?

— Vous savez qu'il n'y a trace ni de lui ni d'elle dans les registres d'emploi ? Nous n'avons aucune preuve qu'ils aient travaillé quelque part, payé leurs cotisations sociales ou déclaré des revenus. Ils n'avaient pas de cartes de crédit, pas de comptes en banque. Pendant des dizaines d'années, ils ont vécu en marge de la société, invisibles. Comment ils faisaient pour manger ? Pour acheter de la nourriture, payer le gaz et le loyer ?

— En liquide, je suppose.

— D'accord. Mais d'où venait ce liquide ? demanda Rizzoli.

Elle retourna près de la carte, montra les points verts.

— Voilà comment ils gagnaient leur vie.

— Je ne vous suis pas…

— Il y a des gens qui pêchent, d'autres qui cueillent des pommes. À leur manière, Amalthea et son complice pratiquaient aussi la cueillette. Il y a quarante ans, Amalthea a vendu deux petites filles qui venaient de naître à des couples cherchant à adopter un enfant. Elle a reçu quarante mille dollars en échange des bébés. Je crois qu'ils n'étaient pas à elle.

O'Donnell fronça les sourcils.

— Vous parlez du Dr Isles et de sa sœur ?

Rizzoli éprouva une certaine satisfaction devant l'air abasourdi d'O'Donnell. La psy des monstres avait été prise au dépourvu.

— J'ai examiné Amalthea, dit-elle. Je pense comme mes confrères…

— Qu'elle est psychotique ?

— Oui. Celle que vous me décrivez en ce moment est une femme totalement différente.

— Saine d'esprit.

— Je ne sais pas. Je ne sais pas ce qu'elle est.

— Son cousin et elle ont tué pour de l'argent. Des espèces sonnantes et trébuchantes. Ça paraît bien éloigné de la folie.

— Peut-être.

— Vous vous entendez bien avec les meurtriers, docteur. Vous leur parlez, vous passez des heures avec des créatures comme Warren Hoyt. Vous les comprenez.

— J'essaie.

— Alors, quel genre de meurtrière est Amalthea ? Un monstre ? Ou une femme d'affaires ?

— Elle est ma patiente, c'est tout ce que je peux dire.

— Mais vous doutez maintenant de votre diagnostic, non ? insista Rizzoli en montrant la carte. Ce que vous voyez là, c'est un comportement logique. Des chasseurs nomades qui suivent leurs proies. Vous pensez toujours qu'elle est folle ?

— Je le répète, Amalthea est ma patiente. Je dois protéger ses intérêts.

— Je vous le redis, alors : ce n'est pas Amalthea qui nous intéresse, c'est l'autre, Elijah.

Rizzoli s'approcha de la psychiatre jusqu'à ce que leurs visages se touchent presque.

— Il n'a pas arrêté de chasser, vous savez.

— Comment ça ?

— Amalthea est en prison depuis près de cinq ans. Barry, montrez-nous les points indiquant les cas de disparitions depuis son incarcération…

Frost plaça un autre transparent sur la carte.

— Mois de janvier, une femme enceinte disparaît en Caroline du Sud, dit-il. En février, une disparition en Géorgie. En mars, Daytona Beach.

Il changea à nouveau de transparent.

— Six mois plus tard, un cas au Texas.

— Pendant tout ce temps, Amalthea est détenue, rappela Rizzoli, mais les enlèvements continuent. La Bête ne s'est pas arrêtée.

O'Donnell fixait la progression implacable sur la carte. Un point, une femme. Une vie.

— Où en sommes-nous du cycle ? demanda-t-elle à voix basse.

— Il y a un an, il est arrivé en Californie et a commencé à remonter de nouveau vers le nord, répondit Frost.

— Et maintenant ? Où est-il, maintenant ?

— Le dernier enlèvement signalé a eu lieu il y a un mois. À Albany, État de New York.

O'Donnell regarda Rizzoli.

— Albany ? Cela signifie…

— Qu'il est maintenant dans le Massachusetts, acheva l'inspecteur. La Bête arrive en ville.

Frost éteignit le projecteur et l'arrêt soudain du ventilateur plongea la salle dans un silence étrange. Bien que l'écran fût à présent vide, l'image de la carte semblait s'y attarder, gravée dans la mémoire de chacun. La sonnerie d'un portable se fît entendre, stridente.

— Excusez-moi, dit Frost avant de sortir.

— Parlez-nous de la Bête, demanda Rizzoli à O'Donnell. Comment faire pour la trouver ?

— Exactement comme vous faites pour n'importe quel autre homme de chair et de sang. Vous avez un nom. Prenez-le comme point de départ.

— Il n'a ni carte de crédit ni compte en banque. Pas facile de renifler sa piste.

— Je ne suis pas un chien de chasse.

— Vous avez parlé à la personne qui lui est la plus proche. Celle qui sait peut-être comment le trouver.

— Nos séances sont couvertes par le secret professionnel.

— Est-ce qu'il lui arrive de prononcer le nom de son complice ? Est-ce qu'elle laisse parfois entendre que c'est son cousin Elijah ?

— Je n'ai pas le droit de divulguer les conversations que j'ai avec ma patiente.

— Elijah Lank n'est pas votre patient.

— Mais Amalthea l'est, et vous essayez aussi de réunir des preuves contre elle.

— Amalthea ne nous intéresse pas. C'est lui que nous voulons.

— Mon métier ne consiste pas à vous aider à arrêter des suspects.

— Et votre responsabilité citoyenne ?

— Rizzoli, intervint Marquette.

Elle gardait les yeux sur O'Donnell.

— Pensez à cette carte. À tous ces points, à toutes ces femmes. Il est ici, maintenant. Il traque déjà la prochaine.

Le regard de la psychiatre tomba sur le ventre énorme de Rizzoli.

— Alors, vous feriez bien d'être prudente, inspecteur. Vous ne croyez pas ?

Rizzoli resta immobile et silencieuse tandis que O'Donnell tendait le bras vers sa serviette.

— Je doute de pouvoir vous aider, de toute façon, ajouta-t-elle. Comme vous l'avez souligné, ce meurtrier est mû par la logique et le sens pratique, pas par le désir. Ni par le plaisir. Il a tout simplement besoin de gagner sa vie. Il se trouve que le métier qu'il a choisi sort un peu de l'ordinaire. Un profilage criminel ne vous aidera pas à le pincer. Parce que ce n'est pas un monstre.

— Et vous savez les reconnaître, j'en suis sûre.

— J'ai appris à les reconnaître… Et vous aussi.

O'Donnell se dirigea vers la porte, fit halte et se retourna avec un sourire mielleux.

— À propos de monstres, inspecteur, votre vieil ami demande de vos nouvelles, vous savez. Chaque fois que je lui rends visite.

Elle n'avait pas besoin de prononcer le nom, les deux femmes savaient qu'elle parlait de Warren Hoyt. L'homme qui continuait à surgir dans les cauchemars de Rizzoli, dont le scalpel avait gravé ces cicatrices dans ses paumes, deux ans plus tôt.

— Il pense encore à vous, poursuivit la psychiatre avec un autre sourire, tranquille et narquois. Je me suis dit que ça vous ferait plaisir de savoir qu'on se souvient de vous.

Elle sortit.

Rizzoli sentit sur elle le regard de Marquette, qui guettait sa réaction. Et devait s'attendre à la voir péter les plombs, là, tout de suite. Elle fut soulagée quand il quitta lui aussi la pièce, la laissant seule. Elle rassembla les transparents, débrancha le projecteur, passa sa colère sur le cordon en l'enroulant en boucles serrées autour de sa main. Quand elle fit rouler l'appareil dans le couloir, elle faillit entrer en collision avec Frost, qui venait de refermer son téléphone portable.

— On file, dit-il.

— Où ?
— À Natick. Ils ont une femme disparue.
Rizzoli le regarda en plissant le front.
— Elle est…
— Enceinte, oui. De neuf mois.

25

— Si vous voulez mon avis, disait l'inspecteur Sarmiento, de la police de Natick, c'est juste une autre affaire Laci Peterson. Le couple qui part en sucette, le mari qui voit une maîtresse en douce…

— Il a reconnu avoir une liaison ? demanda Rizzoli.

— Pas encore, mais je le sens.

Sarmiento se tapota le nez et s'esclaffa.

— Une odeur de femme…

Ouais, il le sent sûrement, pensa-t-elle tandis que Sarmiento les précédait, Frost et elle, entre des bureaux sur lesquels luisaient des écrans d'ordinateur. Il avait l'air d'un homme qui connaissait l'odeur des femmes, avec sa démarche assurée de mec cool, le bras droit légèrement écarté du corps à cause du flingue porté à la hanche depuis des années, décrivant un arc de cercle révélateur qui braillait : « Regardez-moi ! Je suis flic ! » Barry Frost n'avait jamais acquis cette façon de plastronner. À côté de ce grand costaud brun, il avait l'air d'un employé de bureau pâlot muni de son bon vieux calepin.

— La disparue s'appelle Matilda Purvis, dit Sarmiento.

Il s'immobilisa devant son bureau pour prendre un dossier qu'il tendit à Rizzoli.

— Trente et un ans, blanche. Mariée depuis sept mois à Dwayne Purvis, concessionnaire BMW dans cette ville. Il a vu sa femme pour la dernière fois vendredi, quand elle est passée au garage. Apparemment, ils se sont disputés parce que, d'après plusieurs témoins, elle est repartie en pleurant.

— Quand est-ce qu'il a signalé sa disparition ? demanda Frost.

— Dimanche.

— Il lui a fallu deux jours pour s'en apercevoir ?

— Il dit qu'après leur dispute il a préféré laisser les choses se tasser et qu'il a dormi à l'hôtel. À son retour chez lui, dimanche, il a trouvé la voiture de sa femme dans le garage, le courrier de samedi encore dans la boîte, et il a pensé qu'il était arrivé quelque chose. On a pris sa déposition dimanche soir. Et ce matin, on a lu cet avis de recherche que vous avez envoyé concernant la disparition de femmes enceintes. Je suis pas sûr que cette affaire colle avec votre schéma. J'ai plutôt l'impression que c'est le crime passionnel classique.

— Vous avez vérifié, pour l'hôtel ? s'enquit Rizzoli.

Sarmiento eut un sourire ironique.

— La dernière fois que j'ai posé la question à Purvis, il se souvenait plus du nom.

Elle ouvrit le dossier, vit une photo de Matilda Purvis et de son époux prise le jour de leur mariage. S'ils n'étaient mariés que depuis sept mois, elle était déjà enceinte quand la photo avait été prise. La mariée avait un joli visage aux yeux marron, aux cheveux châtains, aux joues rondes de petite fille. Son sourire exprimait un bonheur sans mélange. Le bonheur d'une femme qui vient de réaliser le rêve de sa vie. À côté d'elle, Dwayne Purvis avait presque l'air de s'ennuyer. La photo aurait pu avoir pour légende : *Problèmes en perspective*.

Sarmiento descendit un couloir, entra dans une pièce sombre d'où, à travers un miroir sans tain, on pouvait voir la salle d'interrogatoire voisine, inoccupée pour le moment. Des murs blancs et nus, une table et trois chaises, une caméra vidéo dans un angle du plafond. Une pièce conçue pour faire cracher la vérité aux invités.

La porte s'ouvrit, deux hommes entrèrent. L'un d'eux était un flic au torse bombé et au crâne dégarni, avec un visage sans expression, le vide absolu. Le genre de figure sur laquelle on guette avec angoisse un signe d'émotion.

— C'est l'inspecteur Ligett qui se charge de l'interrogatoire, ce coup-ci, murmura Sarmiento. On va voir s'il arrive à tirer autre chose de Purvis.

« Asseyez-vous », entendirent-ils Ligett proposer. Purvis s'installa face à la glace sans tain. Pour lui, ce n'était qu'un miroir ordinaire. Se rendait-il compte que des yeux l'observaient de l'autre côté ? Un instant, son regard parut se braquer droit sur Rizzoli, qui réprima une envie de reculer, de se tapir dans l'obscurité. Non que Dwayne Purvis eût l'air particulièrement menaçant. Âgé d'une trentaine d'années, il était vêtu avec décontraction, chemise blanche sans cravate et pantalon de toile beige. À son poignet, une montre Breitling : mauvaise idée de sa part, se présenter à un interrogatoire de police en exhibant un bijou qu'un flic n'a pas les moyens de s'offrir. Il avait la beauté fade et l'arrogance que certaines femmes trouvent attirantes…

si elles aiment les hommes qui font étalage de montres coûteuses.

— Il doit en vendre un paquet, de BM, commenta Rizzoli.

— Il est endetté jusqu'aux yeux, dit Sarmiento. C'est la banque qui est propriétaire de sa maison.

— Une police d'assurance sur la femme ?

— Deux cent cinquante mille dollars.

— Pas assez pour que ça vaille le coup de la tuer.

— C'est quand même deux cent cinquante plaques ! Mais sans cadavre, il aura du mal à les toucher. Pour le moment, on n'en a pas trouvé.

Dans la pièce voisine, l'inspecteur Ligett commençait :

— OK, Dwayne, je veux juste revenir sur quelques détails.

Il avait la voix aussi dénuée d'expression que son visage.

— J'ai déjà parlé de tout ça à votre collègue, je me rappelle plus son nom. Celui qui ressemble à Benjamin Bratt, l'acteur.

— L'inspecteur Sarmiento ?

— Ouais.

Rizzoli entendit Sarmiento grogner de satisfaction à côté d'elle. C'est toujours agréable d'entendre dire qu'on ressemble à Benjamin Bratt.

— Je ne comprends pas pourquoi vous perdez votre temps ici, déclara Purvis. Vous devriez être en train de chercher ma femme.

— C'est ce qu'on fait, Dwayne.

— En m'interrogeant ?

— On ne sait jamais. On ne sait jamais quel petit détail dont vous vous souviendrez fera progresser les recherches. Par exemple…

— Quoi ?

— L'hôtel où vous avez dormi. Vous ne vous rappelez toujours pas son nom ?

— C'était un hôtel quelconque.

— Comment avez-vous payé ?

— Je ne vois pas le rapport.

— Avec une carte de crédit ?

— Je crois.

— Vous croyez ?

Purvis poussa un soupir exaspéré.

— Bon, d'accord. Avec ma carte de crédit.

— Alors, le nom de l'hôtel doit être sur le ticket. Suffit de regarder.

Un silence. Puis :

— Je me souviens, maintenant. C'était le Crowne Plaza.

— À Natick ?

— Non, celui de Wellesley.

Sarmiento décrocha le téléphone mural et murmura :

— Inspecteur Sarmiento, passez-moi l'hôtel Crowne Plaza, à Wellesley.

Dans la salle d'interrogatoire, Ligett faisait remarquer :

— C'est loin de chez vous, Wellesley, non ?

— J'avais besoin de respirer, argua Purvis. D'être un peu seul. Vous savez, Mattie est collante, ces temps-ci. Et au boulot, les clients sont de plus en plus exigeants.

— Une vie pas facile, hein ? dit l'inspecteur, sans la moindre trace des réflexions sarcastiques qu'il devait se faire.

— Ils veulent tous un rabais. Je dois leur sourire quand ils me demandent la lune. Je ne peux pas leur donner la lune. Pour une machine aussi belle qu'une BMW, il faut s'attendre à payer. Et l'argent, ils l'ont, c'est ça qui me tue. Ils ont l'argent et ils cherchent quand même à me pressurer, à m'arracher mon dernier *cent*...

Sa femme a disparu, elle est peut-être morte, pensa Rizzoli, et il pique une crise contre les amateurs de BM ?

— C'est pour ça que je me suis énervé. C'était à cause de ça, la dispute.

— Avec votre femme ?

— Ouais. C'était pas à cause de notre couple. C'est les affaires, ça marche mal, en ce moment.

— Les employés qui ont assisté à la scène…

— Quels employés ? Vous avez parlé à qui ?

— Un vendeur et un mécanicien. Ils ont tous les deux déclaré que votre femme avait l'air bouleversée quand elle est partie.

— Elle est enceinte, elle est bouleversée pour un oui pour un non. Toutes ces hormones, elle se contrôle plus. Les femmes enceintes, on peut pas discuter avec elles.

Rizzoli se sentit rougir. Se demanda si Frost pensait la même chose d'elle.

— En plus, elle est tout le temps fatiguée. Elle pleure pour un rien. Elle a mal au dos, elle a mal aux pieds. Elle va pisser toutes les dix minutes…

Purvis haussa les épaules et conclut :

— Je trouve que je réagis plutôt bien. Tout compte fait.

— Sympathique, le gars, chuchota Frost.

Sarmiento raccrocha brusquement et sortit. À travers le miroir sans tain, ils le virent passer la tête dans la salle d'interrogatoire et faire signe à Ligett. Les deux hommes allèrent dans le couloir. Resté seul, Purvis regarda sa montre, remua sur sa chaise. Leva les yeux vers le miroir et fronça les sourcils. Tira un peigne de sa poche et arrangea ses cheveux jusqu'à ce que chaque mèche soit parfaitement en place. Le mari affligé, se préparant pour les caméras des infos de dix-sept heures.

Sarmiento retourna auprès de Rizzoli et Frost, leur adressa un clin d'œil entendu et murmura :

— Je le tiens.

— Qu'est-ce que vous avez trouvé ?

— Regardez.

À travers la glace, ils virent Ligett retourner dans la salle d'interrogatoire. Il ferma la porte et resta un moment à fixer le suspect. Purvis ne bronchait pas sous son regard, mais on voyait son pouls battre sur son cou au-dessus de son col de chemise.

— Bon, et si vous me disiez plutôt la vérité ? lui lança le policier.

— À quel sujet ?

— Au sujet de ces deux nuits au Crowne Plaza.

Purvis eut un rire, réaction inappropriée étant donné les circonstances.

— Je ne vois pas ce que vous voulez dire.

— L'inspecteur Sarmiento vient d'avoir l'hôtel, ils confirment que vous y avez passé ces deux nuits.

— Ah ! vous voyez ! Je vous l'avais dit…

— C'est qui, la femme qui était avec vous, Dwayne ? Blonde, jolie. Elle a pris le petit déjeuner avec vous les deux fois dans la salle à manger.

Purvis avala sa salive.

— Votre femme est au courant, pour la blonde ? C'est à cause de ça que vous vous disputiez ?

— Non…

— Alors, elle ne savait rien ?

— Non ! Je veux dire, ce n'était pas la raison de notre dispute.

— Bien sûr que si.

— Vous présentez les faits sous le plus mauvais jour possible !

— Quoi, elle n'existe pas, ta copine ?

Ligett se rapprocha, amena son visage à quelques centimètres de celui de Purvis.

— On n'aura aucun mal à la trouver, poursuivit-il. C'est même probablement elle qui nous appellera. Quand elle verra ta tête à la télé, elle comprendra qu'elle a tout intérêt à venir nous raconter la vérité.

— Ça n'a rien à voir avec… Je sais que ça fait mauvaise impression, mais…

— Tu peux le dire !

— D'accord, soupira Purvis. D'accord, je me suis un peu écarté du droit chemin. Des tas de types en font autant, dans ma situation. C'est dur quand votre femme est si énorme que vous pouvez plus… Y a son gros ventre qui bloque. Et de toute façon, elle a pas envie.

Rizzoli regardait droit devant elle en se demandant si Frost et Sarmiento l'observaient. Ouais, encore un gros ventre. Et un mari en voyage. Elle fixait Purvis et imaginait Gabriel assis sur cette chaise, prononçant ces mots.

Seigneur, Jane, ne t'inflige pas ça, se dit-elle, ne te monte pas la tête. Ce n'est pas Gabriel mais un loser nommé Dwayne Purvis qui s'est fait prendre avec une autre femme et qui n'a pas voulu affronter les conséquences. Sa femme découvre qu'il voit une petite mignonne en douce et il se dit : Adieu les montres Breitling et la moitié de la maison, bonjour la pension pour le gosse pendant dix-huit ans… Aucun doute, ce connard est coupable.

Elle se tourna vers Frost, qui secoua la tête. Tous deux avaient compris qu'ils assistaient à une énième représentation de la bonne vieille tragédie qu'ils avaient déjà vue une dizaine de fois.

— Elle t'a menacé du divorce ? demanda Ligett.

— Non. Mattie n'est au courant de rien, je vous dis.

— Elle se pointe au garage et elle te fait une scène, comme ça ?

— C'était pour une raison idiote. J'en ai parlé à Sarmiento.

— Pourquoi tu t'es foutu en rogne, Dwayne ?

— Parce que ma femme roule avec un pneu crevé et qu'elle s'en rend même pas compte ! Enfin, faut vraiment être gourde pour ne pas sentir qu'on roule sur la jante ! Le vendeur l'a vu. Un pneu tout neuf. Il est fichu, maintenant, tout déchiré. Des trucs comme ça, ça me fait hurler. Et elle, elle a les larmes aux yeux et ça m'énerve encore plus parce que j'ai l'impression d'être un con.

Normal. Tu *es* un con, pensa Rizzoli.

— Je crois qu'on en a assez entendu, dit-elle à Sarmiento.

— Qu'est-ce que je vous avais dit ?

— Vous nous tenez au courant ?

— Ouais, ouais, répondit distraitement le policier de Natick, qui avait déjà reporté son regard sur Purvis. C'est facile quand ils sont aussi bêtes.

Rizzoli et Frost se dirigèrent vers la porte.

— Allez savoir combien de kilomètres elle avait roulé comme ça ! s'indignait Purvis. Si ça se trouve, le pneu était déjà à plat quand elle est allée voir son médecin !

Rizzoli s'immobilisa. Se tourna vers le miroir sans tain, regarda Purvis, le front plissé. Sentit son pouls battre soudain à ses tempes.

Bon Dieu, j'ai failli passer à côté !

— De quel médecin il parle ? demanda-t-elle à Sarmiento.

— Une nommée Fishman. Je l'ai interrogée hier.

— Pourquoi Mme Purvis la consultait ?

— Simple visite de contrôle prénatal, rien d'anormal.

— Le Dr Fishman est obstétricienne ?

— Elle a son cabinet dans une clinique de Bacon Street.

Le Dr Susan Fishman avait passé une grande partie de la nuit à la clinique et son visage était l'image même de l'épuisement. Ses cheveux châtains coiffés en queue de cheval avaient besoin d'un shampooing et les poches de la blouse blanche qu'elle portait étaient si pleines d'instruments d'examen que le tissu semblait tirer ses épaules vers le sol.

— Larry, du service de sécurité, m'a apporté les enregistrements des caméras de surveillance, dit-elle en escortant Rizzoli et Frost dans le couloir de la clinique.

Ses chaussures de tennis couinaient sur le linoléum.

— Il est en train d'installer le matériel vidéo dans la salle de derrière. Dieu merci, personne ne compte sur moi pour le faire. Je n'ai même pas un magnétoscope, à la maison.

— Votre clinique a encore les bandes de la semaine dernière ? fit Frost.

— Nous avons un contrat avec Minute Man Security. Ils les gardent pendant au moins sept jours. Nous leur avons demandé de le faire, étant donné toutes ces menaces…

— Quelles menaces ?

— C'est une clinique pour la liberté de choix. Nous ne faisons pas d'IVG, ici, mais le simple fait que nous nous appelions « Clinique pour Femmes » semble déplaire aux gens de droite. Nous tenons à garder un œil sur toutes les personnes qui pénètrent dans le bâtiment.

— Vous avez déjà eu des problèmes ?

— Qu'est-ce que vous croyez ? Des lettres de menace. Des enveloppes contenant du faux anthrax. Des crétins qui traînent autour de la clinique, prennent des photos de nos patientes. C'est pour cette raison que nous avons une caméra vidéo dans le parking.

Elle tourna dans un autre couloir, aux murs couverts de ces affiches qui ornent apparemment tous les cabinets d'obstétrique. Diagrammes sur l'allaitement, sur la nutrition maternelle, affichette illustrant les « Cinq signes qui démontrent que vous avez un partenaire violent ». Illustration anatomique d'une femme enceinte, l'intérieur de l'abdomen révélé en coupe. Rizzoli se sentit mal à l'aise de passer avec Frost devant cette affiche, comme si c'était sa propre anatomie qui était ainsi exhibée. Intestins, vessie, utérus. Fœtus recroquevillé en un écheveau de membres. Une semaine plus tôt, Matilda Purvis était passée devant cette affiche.

— Nous sommes tous bouleversés, pour Mattie, dit le Dr Fishman. C'est une femme adorable. Et tellement contente d'avoir un bébé.

— À la dernière consultation, tout allait bien ? demanda Rizzoli.

— Oh oui. Battements de cœur excellents, bonne position…

L'obstétricienne regarda l'inspecteur d'un air sombre.

— Vous pensez que c'est le mari ?

— Pourquoi cette question ?

— C'est généralement le mari, non ? Il n'est venu ici avec elle qu'une seule fois, tout au début. Il a eu l'air de s'ennuyer pendant toute la visite. Après ça, Mattie est venue seule à ses rendez-vous. C'est révélateur, pour moi. Si vous faites un bébé ensemble, vous venez aux consultations ensemble. Enfin, ce n'est que mon avis.

Fishman ouvrit une porte.

— Voilà notre salle de réunion.

Le dénommé Larry, de Minute Man Security Systems, les attendait, assis sur une chaise.

— J'ai préparé la vidéo, dit-il. Je l'ai réduite à la période qui vous intéresse. Docteur Fishman, il faut que vous restiez pour nous signaler quand vous verrez votre patiente sur l'enregistrement.

Avec un soupir, l'obstétricienne s'installa dans un fauteuil en face du moniteur.

— Je n'ai jamais eu à regarder une de ces bandes, dit-elle.

— Vous avez de la chance. La plupart du temps, c'est à crever d'ennui, répondit Larry.

Rizzoli et Frost prirent place de part et d'autre du médecin.

— Allons-y, dit Rizzoli.

Larry pressa le bouton *PLAY*, l'image de l'entrée principale de la clinique apparut sur l'écran. Belle journée, soleil se reflétant sur la rangée de voitures garées devant le bâtiment.

— Cette caméra est fixée sur un réverbère du parking, expliqua Larry. L'heure est indiquée, là en bas. Quatorze heures cinq.

Une Saab s'arrêta sur un emplacement, la portière s'ouvrit, une grande brune descendit, se dirigea d'un pas lent vers la clinique et disparut à l'intérieur.

— Mattie avait rendez-vous à une heure et demie, précisa Fishman. Vous devriez peut-être ramener la bande en arrière…

— Attendez, dit Larry. Là. Quatorze heures trente. C'est elle ?

Une femme venait de sortir du bâtiment. Elle se tint un moment immobile sous le soleil, plaça une main en visière au-dessus de ses yeux, comme si elle était éblouie.

— C'est elle, confirma Fishman.

Mattie Purvis s'éloignait maintenant de l'entrée avec cette démarche en canard des femmes très avancées dans leur grossesse. Elle prenait son temps, cherchait ses clefs dans son sac en marchant distraitement. Elle s'arrêta soudain, regarda autour d'elle d'un air dérouté, comme si elle ne se rappelait plus où elle avait garé sa voiture. Oui, cette femme est bien capable de ne pas remarquer qu'elle a un pneu crevé, pensa Rizzoli. Mattie se retourna, prit une direction totalement différente, sortit du champ de la caméra.

— C'est tout ce que vous avez ? demanda Rizzoli.

— C'est ce que vous vouliez, non ? répondit Larry. Une confirmation de l'heure à laquelle elle a quitté la clinique…

— Mais où est sa voiture ? On ne la voit pas monter dans sa voiture !

— Vous n'êtes pas sûrs qu'elle l'ait fait ?

— Je veux simplement la voir sortir du parking !

Larry se leva, alla à son système vidéo.

— Je peux vous montrer un enregistrement pris sous un autre angle, avec une caméra installée à l'autre bout du parking…

Il changea la bande, reprit :

— Je ne pense pas que ça puisse vous aider, c'est filmé de trop loin.

Il appuya de nouveau sur *PLAY*. Une autre image apparut. On ne voyait cette fois qu'un coin du bâtiment et les voitures occupaient la plus grande partie de l'écran.

— Nous partageons le parking avec la clinique chirurgicale d'en face, dit Larry. C'est pour ça que vous voyez tant de voitures, dans ce coin-là… Regardez, c'est elle, là, non ?

La tête de Mattie était visible au loin au-dessus d'une rangée de véhicules. Elle se baissa, disparut. Quelques instants après, une voiture bleue s'extirpa de la rangée et sortit du cadre.

— C'est tout ce que nous avons, dit Larry. Elle quitte la clinique, monte dans sa voiture et s'en va. Quoi qu'il ait pu lui arriver, ça ne s'est pas passé ici.

Il tendait la main vers la télécommande quand Rizzoli l'arrêta.

— Attendez.

— Oui ?

— Revenez en arrière.

— De combien ?

— Une trentaine de secondes.

Larry appuya sur *REWIND*, des pixels numériques filèrent brièvement sur l'écran, se reformèrent en une image de véhicules en stationnement. Mattie se baissait, montait dans sa voiture. Rizzoli se leva, s'approcha du moniteur, regarda Mattie s'éloigner. Une tache blanche apparut dans un coin du cadre, glissant dans la même direction que la BMW.

— Stop, dit l'inspecteur.

L'image se figea. Rizzoli toucha l'écran.

— Là. Cette camionnette blanche…

— Elle se déplace parallèlement à la voiture de la victime, fit remarquer Frost.

« La victime. » Il présumait déjà le pire.

— Et alors ? dit Larry.

Rizzoli se tourna vers le Dr Fishman.

— Vous reconnaissez cette camionnette ?

— Je n'y connais rien, en voitures. Les marques, les modèles : tous les mêmes, pour moi.

— Mais vous aviez déjà vu cette camionnette blanche ?

— Je ne sais pas. À mes yeux, elle ressemble à toutes les camionnettes blanches.

— Pourquoi vous vous intéressez à cette camionnette ? demanda Larry. Vous avez vu cette femme monter dans sa voiture et partir sans problème.

— Rembobinez.

— Vous voulez revoir ce moment ?

— Non. Je veux que vous remontiez plus loin. Docteur Fishman, le rendez-vous était à une heure et demie ?

— Oui.

— Remontez à une heure.

Larry manipula la télécommande jusqu'à ce que les chiffres indiquent *13: 02* en bas de l'écran.

— Pas loin, le complimenta Rizzoli. Allons-y.

Pendant que les secondes s'égrenaient, ils virent des voitures arriver, disparaître du champ. Une femme tira deux bambins de leurs sièges bébé et traversa le parking, tenant fermement leurs petites mains dans les siennes.

13: 08. la camionnette blanche apparut, roula lentement le long de la rangée de voitures, sortit du champ de la caméra.

13: 25. la BMW bleue entra dans le parking, se gara. Mattie était en partie cachée par les véhicules et ils ne virent que sa tête quand elle descendit de voiture et se mit à marcher vers le bâtiment.

— Ça vous suffit ? s'enquit Larry.

— Continuez.

— Qu'est-ce que vous cherchez ?

Rizzoli sentit son pouls s'accélérer.

— Ça, dit-elle à voix basse.

La camionnette blanche venait de réapparaître. Elle remonta la rangée de voitures, s'arrêta entre la caméra et la BMW.

— Merde, lâcha Rizzoli. Elle nous bloque la vue ! On ne voit pas ce que trafique le chauffeur…

Quelques secondes plus tard, la camionnette repartit sans qu'ils aient pu apercevoir le visage du conducteur ni la plaque d'immatriculation.

— Qu'est-ce que ça veut dire ? demanda le Dr Fishman.

Rizzoli regarda Frost. Pas besoin de prononcer un mot, ils avaient tous deux compris ce qui était arrivé dans ce parking. Le pneu crevé. Theresa et Nikki Wells avaient elles aussi un pneu crevé.

C'est comme ça qu'il les trouve, pensa-t-elle. Un parking de clinique. Des femmes enceintes se rendant à la consultation. Une entaille dans le pneu et il suffit d'attendre. De suivre la proie quand elle quitte le parking. Lorsqu'elle s'arrête, vous êtes là, derrière elle.

Prêt à proposer votre aide.

Tandis que Frost conduisait, Rizzoli songeait à la vie nichée en elle. À la minceur de la paroi de muscles et de peau qui protégeait son bébé. Pas la peine d'enfoncer profondément la lame : une incision sur toute la longueur de l'abdomen, du sternum au pubis, sans se soucier de la cicatrice, sans se soucier de la santé de la mère. Elle n'est qu'une cosse jetable qu'on ouvre pour prendre le trésor qu'elle contient. Rizzoli pressa ses mains sur son ventre, eut soudain la nausée en pensant à ce que Mattie Purvis subissait peut-être en ce moment. Mattie n'avait sûrement pas nourri des pensées aussi macabres en contemplant son reflet. Peut-être, devant les marques d'étirement étoilant son ventre, avait-elle songé avec tristesse qu'elle perdait son charme. Que son mari la regardait maintenant avec indifférence. Sans désir. Sans amour.

Tu savais que Dwayne avait une liaison, Mattie ?

Rizzoli se tourna vers Frost.

— Il lui faut un intermédiaire.

— Quoi ?

— Quand il met la main sur un bébé, qu'est-ce qu'il en fait ? Il le porte à un intermédiaire. Quelqu'un qui prend contact avec les parents, conclut l'affaire, rédige les papiers d'adoption… Et le paie en liquide.

— Van Gates.

— Nous savons qu'il l'a fait au moins une fois.

— Il y a quarante ans.

— Combien d'autres adoptions il a arrangées depuis ? Combien d'autres bébés il a remis à des parents prêts à payer ? Il a dû se faire plein de fric.

De quoi garder auprès de lui la femme-vitrine en lycra rose.

— Van Gates n'acceptera pas de coopérer.

— Aucune chance, non. Mais on sait maintenant ce qu'on doit chercher.

— La camionnette blanche.

Frost roula un moment en silence.

— Vous savez, finit-il par dire, si cette camionnette s'arrête devant chez lui, ça signifiera…

Il laissa sa phrase en suspens.

Que Mattie Purvis est déjà morte, pensa Rizzoli.

26

Mattie plaqua son dos contre une paroi, plaça les pieds contre la paroi opposée et poussa. Compta les secondes jusqu'à ce que ses jambes se mettent à trembler et que de la sueur perle sur son front. Allez, cinq secondes de plus. Dix. Elle se relâcha, pantelante, les mollets et les cuisses picotant d'une agréable brûlure. Pendant des jours, elle s'en était à peine servie, elle avait passé trop d'heures recroquevillée dans un coin, se vautrant dans l'apitoiement sur soi et laissant ses muscles se transformer en guimauve. Elle se souvint de la fois où une mauvaise grippe l'avait clouée au lit, frissonnante de fièvre. Quelques jours plus tard, quand elle s'était levée, elle s'était sentie si faible qu'elle avait dû aller à quatre pattes à la salle de bains. Rester trop longtemps allongé vous prive de vos forces. Mattie aurait bientôt besoin de ses muscles. Elle devait être prête quand il reviendrait.

Parce qu'il reviendrait.

Finie, la pause. On recommence, les pieds contre les planches. Pousse !

Elle grognait, le front couvert de transpiration. Elle se rappela le film *À armes égales*, dans lequel une

Demi Moore mince et en pleine forme soulevait des haltères. Mattie garda cette image dans sa tête en poussant contre les murs de sa prison. Se refaire des muscles. Rendre les coups. Et le crever, ce salaud.

Avec une exclamation étouffée, elle se laissa de nouveau aller contre la paroi et se reposa, respirant profondément tandis que la douleur diminuait dans ses jambes. Mattie s'apprêtait à recommencer l'exercice quand elle sentit quelque chose se serrer dans son ventre.

Une nouvelle contraction.

Elle attendit, retint sa respiration en espérant que ça passerait vite. Déjà, son ventre se relâchait. Simplement l'utérus qui essayait ses muscles, comme elle essayait les siens. Ce n'était pas douloureux, mais c'était signe que le moment approchait.

Attends, mon bébé. Il faut que tu attendes encore un peu.

27

Une fois de plus, Maura se défaisait de toutes les preuves de son identité. Elle mit son sac à main dans le casier, y ajouta sa montre, sa ceinture et ses clefs de voiture.

Mais même avec ma carte de crédit, mon permis de conduire et mon numéro de sécurité sociale, je ne sais toujours pas qui je suis, se dit-elle. La seule personne qui connaisse la réponse m'attend de l'autre côté de la barrière.

Elle entra dans le sas des visiteurs, ôta ses chaussures, les posa sur le comptoir pour les soumettre à l'inspection et passa au détecteur de métal.

Une surveillante l'observait.

— Docteur Isles ?

— Oui.

— Vous avez demandé une salle d'entretien privée ?

— J'ai besoin de parler à la détenue en tête à tête.

— Vous serez quand même filmées, vous savez.

— Tant que notre conversation demeure confidentielle...

— C'est dans cette pièce que les prisonnières voient leurs avocats. Vous y serez tranquilles.

La gardienne fit passer Maura devant le foyer et la précéda dans un couloir. Puis elle ouvrit une porte avec une clef, lui fit signe d'entrer.

— On vous l'amène. Asseyez-vous.

Maura s'avança dans la pièce, se retrouva devant une table et deux chaises. Elle s'assit sur celle qui faisait face à la porte. Une fenêtre en Plexiglas donnait sur le couloir et deux caméras de surveillance étaient installées dans des coins opposés de la pièce. Elle attendit, les mains moites malgré la climatisation. Leva la tête, faillit sursauter en découvrant les yeux vides d'Amalthea qui la fixaient par la fenêtre.

La gardienne accompagna la détenue dans la pièce, la fit asseoir.

— Elle est pas très bavarde, aujourd'hui. Je sais pas si elle va vous causer, mais bon, la voilà.

Elle se baissa, attacha une cheville d'Amalthea au pied de la table avec des menottes.

— C'est vraiment nécessaire ? demanda Maura.

— J'applique le règlement, pour votre sécurité, se justifia la gardienne en se redressant. Quand vous aurez fini, appuyez sur le bouton de l'interphone, là, dans le mur. On viendra la chercher.

Elle tapota l'épaule d'Amalthea.

— Tu parles gentiment à la dame, hein, ma chérie ? Elle a fait un long chemin pour te voir.

Avec un regard souhaitant silencieusement bonne chance à Maura, la gardienne sortit, referma la porte à clef derrière elle.

Un moment passa.

— Je suis déjà venue la semaine dernière, attaqua Maura. Vous vous souvenez ?

Le dos voûté, Amalthea gardait les yeux baissés vers la table.

— Vous m'avez dit quelque chose au moment où je partais. Vous avez dit : « Maintenant, tu vas mourir, toi aussi. » Qu'est-ce que cela signifiait ?

Silence.

— Vous me mettiez en garde ? Vous m'enjoigniez de vous laisser tranquille ? Vous ne vouliez pas que je fouille dans votre passé ?

Nouveau silence.

— Personne ne nous écoute, Amalthea. Il n'y a que vous et moi dans cette pièce.

Maura posa les mains sur la table pour montrer qu'elle n'avait ni magnétophone ni bloc-notes.

— Je ne suis pas de la police, je ne suis pas procureur. Vous pouvez me dire ce que vous voulez, cela restera entre nous.

Elle se pencha en avant et ajouta, à voix basse :

— Je sais que vous comprenez, alors, regardez-moi. Arrêtez cette comédie.

Amalthea ne releva pas la tête mais la soudaine tension de ses bras, la contraction de ses muscles n'échappèrent pas à Maura.

Elle écoute. Elle attend la suite.

— C'était une menace, n'est-ce pas ? Quand vous m'avez dit que j'allais mourir, cela signifiait que je finirais comme Anna si je continuais à m'intéresser à lui. J'ai d'abord pris ça pour du délire psychotique, mais vous parliez sérieusement. Vous le protégez, c'est ça ? Vous protégez la Bête.

Lentement, la prisonnière releva la tête. Posa sur Maura un regard si froid, si vide, que le médecin légiste recula.

— Nous savons des choses sur lui, poursuivit Maura. Nous savons des choses sur vous deux.

— Qu'est-ce que tu sais ?

Maura ne s'attendait pas à ce qu'elle parle et la voix était si basse qu'elle se demanda si elle avait bien entendu la question. Elle avala sa salive, prit une inspiration, troublée par le vide noir de ces yeux. Ce n'était pas de la folie, rien qu'une absence totale d'émotion.

— Vous êtes aussi saine d'esprit que moi, mais vous ne le montrez à personne, dit Maura. C'est plus facile de vous cacher derrière un masque de schizophrène. Plus facile de jouer à la psychotique parce que les fous, on les laisse tranquilles. Vous, on ne vous interroge pas. On ne cherche pas plus loin, parce que c'est du délire, de toute façon. On ne vous donne même plus de médicaments parce que vous mimez à la perfection les effets secondaires.

Maura se força à plonger plus profond dans ces yeux vides et poursuivit :

— Ils ne savent pas que la Bête est réelle. Vous, si. Et vous savez où elle est.

Amalthea demeurait parfaitement immobile mais son visage s'était crispé. Des muscles s'étaient contractés autour de sa bouche, d'autres formaient comme des cordes le long de son cou.

— C'était la seule issue pour vous, n'est-ce pas ? Plaider la folie. Vous ne pouviez pas nier les preuves : le sang sur le démonte-pneu, les portefeuilles volés. Mais si vous parveniez à les convaincre que vous étiez psychotique, ils ne chercheraient peut-être pas plus loin. Ils ne découvriraient peut-être pas toutes vos autres victimes. Les femmes que vous avez assassinées en Floride et en Virginie. Au Texas et dans l'Arkansas. Des Etats où la peine de mort est en vigueur.

Maura se pencha de nouveau en avant.

— Pourquoi ne le livrez-vous pas, Amalthea ? Il vous a tout laissé endosser. Lui, il est libre, il tue toujours. Il continue sans vous, il se rend aux mêmes endroits, sur les mêmes terrains de chasse. Il vient encore d'enlever une femme à Natick. Vous pourriez l'arrêter, Amalthea. Vous pourriez mettre fin à tout cela.

Amalthea semblait retenir sa respiration, attendre.

— Regardez-vous, coincée dans cette prison ! lui lança Maura avec un rire. Quelle paumée ! Pourquoi resteriez-vous enfermée alors qu'Elijah est en liberté ?

La détenue cligna des yeux. Un instant, ses muscles parurent perdre de leur rigidité.

— Parlez-moi, insista Maura. Il n'y a personne d'autre dans cette pièce. Rien que vous et moi.

Le regard d'Amalthea se porta sur l'une des caméras vidéo installée dans un coin.

— Oui, ils peuvent nous voir, admit Maura. Mais pas nous entendre.

— Tout le monde peut nous entendre, murmura la prisonnière, les yeux braqués sur la visiteuse.

Son regard sans fond était devenu effroyablement normal, comme si une autre créature était subitement apparue et la fixait.

— Pourquoi es-tu venue ici ?

— Je veux savoir. Elijah a tué ma sœur ?

Il y eut un silence pendant lequel, curieusement, une lueur amusée s'alluma dans les yeux d'Amalthea.

— Pourquoi il aurait fait ça ?

— Vous savez pourquoi Anna a été assassinée ?

— Pose-moi donc une question dont je connais la réponse. La question pour laquelle tu es vraiment venue, dit Amalthea d'une voix basse, insinuante. C'est de toi qu'il s'agit, hein ? Qu'est-ce que tu veux savoir ?

Maura la regardait, le cœur battant. Une seule question palpitait dans sa gorge, comme une douleur.

— Je veux que vous me disiez…

— Oui ?

— Qui était vraiment ma mère.

Un sourire étira les lèvres d'Amalthea.

— Enfin, tu ne vois pas la ressemblance ?

— Dites-moi la vérité.

— Regarde-moi. Et regarde-toi dans un miroir. La voilà, ta vérité.

— Je ne reconnais rien de vous en moi.

— Moi, je me reconnais en toi.

À son propre étonnement, Maura parvint à rire.

— Je ne sais pas pourquoi je suis venue. Cette visite est une perte de temps.

Elle repoussa sa chaise en arrière, fit mine de se lever.

— Tu aimes travailler sur les morts ?

Surprise par la question, Maura se figea, à demi debout.

— C'est bien ce que tu fais ? Tu les ouvres. Tu sors leurs organes. Tu découpes leur cœur. Pourquoi fais-tu ça ?

— C'est mon métier.

— Pourquoi as-tu choisi ce métier ?

— Je ne suis pas ici pour parler de moi.

— Bien sûr que si. Il s'agit avant tout de toi. De qui tu es vraiment.

Lentement, Maura se rassit.

— Dites-le-moi.

— Tu éventres des corps, tu plonges les mains dans le sang et tu te crois différente ?

Amalthea s'était penchée en avant, de manière si lente, si imperceptible que Maura sursauta en se rendant soudain compte qu'elle était aussi proche.

— Regarde-toi dans un miroir. Tu me verras.

— Nous ne sommes même pas de la même espèce.

— Si c'est ce que tu veux croire, je ne chercherai pas à te faire changer d'avis. Il y a toujours les analyses d'ADN…

Maura eut la respiration coupée.

Elle bluffe, pensa-t-elle. Elle croit que je n'aurai pas le courage de lui faire étaler son jeu. Si je veux connaître la vérité, l'ADN ne ment pas. Avec un échantillon de salive, je peux avoir ma réponse. Je peux avoir la confirmation de mes pires craintes.

— Tu sais où me trouver. Reviens quand tu seras prête à affronter la réalité.

Amalthea se mit debout en faisant tinter les menottes de sa cheville contre le pied de la table et leva les yeux vers la caméra, signifiant ainsi qu'elle voulait partir.

— Si vous êtes ma mère, dites-moi qui est mon père.

La prisonnière ramena son regard sur Maura en souriant de nouveau.

— Tu ne l'as pas deviné ?

La porte s'ouvrit, la surveillante passa la tête à l'intérieur de la pièce.

— Tout va bien ?

La transformation fut stupéfiante. L'Amalthea qui observait Maura d'un regard froid et calculateur disparut, remplacée par une coquille vide qui tirait sur ses menottes d'un air hébété comme si elle ne comprenait pas ce qui la retenait.

— Partir… Veux partir, bredouillait-elle.

— Oui, ma chérie, on y va, dit la gardienne, qui se tourna vers la visiteuse. Vous en avez fini avec elle, je suppose ?

— Pour le moment, répondit Maura.

Rizzoli fut surprise quand le sergent de l'accueil l'appela pour l'informer qu'un Dr Cassell voulait la voir. Lorsqu'elle sortit de l'ascenseur et le découvrit dans le hall, elle fut frappée par son changement d'aspect. Cassell semblait avoir vieilli de dix ans en une semaine. Il avait perdu du poids, son visage était maintenant hâve, blême. La veste de son costume, probablement coupée par un tailleur de luxe, semblait pendre, informe, sur ses épaules voûtées.

— Il faut que je vous parle, dit-il. J'ai besoin de savoir ce qui se passe.

L'inspecteur adressa un signe de tête au sergent.

— Je l'emmène là-haut.

En pénétrant avec elle dans la cabine, Cassell se plaignit :

— On ne me dit rien.

— C'est la procédure normale, pendant une enquête.

— Vous allez m'inculper ? D'après Ballard, ce n'est qu'une question de temps.

— Il dit ça, Ballard ?

— Chaque fois qu'il m'appelle. C'est une tactique ? Pour m'effrayer, m'amener à conclure un accord ?

Rizzoli ne répondit pas. Elle ignorait que Ballard harcelait Cassell au téléphone.

Quand ils sortirent de l'ascenseur, elle le conduisit à la salle d'interrogatoire et ils s'assirent l'un en face de l'autre, de part et d'autre de la table.

— Vous avez quelque chose de nouveau à me déclarer ? demanda-t-elle. Parce que sinon, cette conversation est inutile.

— Je ne l'ai pas tuée.

— Vous l'avez déjà dit.

— Vous ne m'avez pas entendu.

— Vous avez quelque chose d'autre à me dire ?

— Vous avez vérifié avec la compagnie aérienne ? L'information que je vous ai donnée ?

— Northwest Airlines confirme que vous avez pris ce vol, mais vous n'avez toujours pas d'alibi pour le soir du meurtre d'Anna.

— Et l'oiseau mort dans sa boîte aux lettres ? Vous n'avez même pas cherché à savoir où je me trouvais quand c'est arrivé. J'étais en voyage, ma secrétaire peut le confirmer.

— Comprenez que ça ne prouve pas votre innocence. Vous avez pu engager quelqu'un pour tordre le cou à cet oiseau et le glisser dans la boîte d'Anna.

— Je reconnais ce que j'ai vraiment fait. Oui, je l'ai suivie. Je suis passé en voiture devant chez elle une dizaine de fois. Oui, je l'ai frappée, un soir, et je n'en suis pas fier. Mais je n'ai pas envoyé de menaces de mort. Je n'ai pas étranglé d'oiseau.

— C'est tout ce que vous aviez à me dire ? En ce cas…

Rizzoli commença à se lever. Cassell lui saisit le bras et le pressa si fort qu'elle réagit en lui tordant la main. Il eut un grognement de douleur et se renversa en arrière, abasourdi.

— Vous voulez que je vous casse les doigts ? Refaites votre petit truc et…

— Je suis désolé, murmura-t-il, de la souffrance dans le regard. Seigneur, je suis désolé…

Elle le regarda se rapetisser sur sa chaise et pensa : Son chagrin est sincère.

— J'ai besoin de savoir ce qui se passe, répéta-t-il. J'ai besoin de savoir si vous faites quelque chose.

— Je fais mon travail, docteur Cassell.

— Vous vous contentez d'enquêter sur moi.

— C'est faux. Nous menons l'enquête dans plusieurs directions.

— D'après Ballard…

— Ce n'est pas Ballard qui dirige l'enquête, c'est moi. Et j'envisage l'affaire sous tous les angles possibles.

Cassell prit une inspiration, se redressa.

— C'est ce que je voulais savoir. Que vous faites tout pour retrouver l'assassin d'Anna, que vous ne négligez aucun détail. Quoi que vous pensiez de moi, je l'aimais.

Il passa une main dans ses cheveux.

— C'est terrible quand on vous quitte.

— Oui.

— Quand on aime quelqu'un, on s'accroche. On commet des actes insensés, désespérés…

— Y compris un meurtre ?

Cassell regarda Rizzoli dans les yeux.

— Je ne l'ai pas tuée. Mais, oui, j'aurais été capable de tuer pour elle.

Le portable de Rizzoli se mit à sonner. Elle se leva, quitta la pièce. C'était Frost :

— L'équipe de surveillance a vu une camionnette blanche. Elle est passée devant la maison des Van Gates il y a un quart d'heure, mais elle ne s'est pas arrêtée.

Comme il est possible que nos gars se soient fait repérer, ils ont décroché et se sont installés plus bas dans la rue.

— Qu'est-ce qui vous fait croire que c'est la bonne camionnette ?

— Les plaques étaient volées.

— Quoi ?

— Ils ont noté le numéro. Les plaques ont été piquées sur un Dodge Caravan il y a trois semaines, à Pittsfield.

Pittsfield, pensa Rizzoli. Tout de suite après la frontière, en face d'Albany.

Où une femme a disparu, le mois dernier.

Le téléphone pressé contre l'oreille, elle entendait le martèlement de son pouls.

— Où est la camionnette, maintenant ?

— L'équipe ne l'a pas suivie. Le temps qu'on reçoive l'info, pour les plaques, elle était partie.

— Déplacez la voiture dans une rue parallèle, faites venir une deuxième équipe pour surveiller la maison. Si la camionnette revient, on pourra faire une filature saute-mouton. Deux voitures, à tour de rôle.

— D'accord, je suis en route pour les rejoindre.

Rizzoli mit fin à la communication. Se retourna pour regarder dans la salle où Charles Cassell était toujours assis à la table, tête baissée.

Est-ce de l'amour ou de l'obsession que j'ai sous les yeux ? s'interrogea-t-elle.

Quelquefois, on n'arrive pas à faire la différence.

28

Le jour baissait quand Rizzoli remonta Dedham Parkway. Elle repéra Frost, se gara derrière lui, descendit de sa voiture et monta dans celle de son collègue.

— Alors ? dit-elle. Qu'est-ce qui se passe ?

— Rien du tout.

— Merde. Ça fait plus d'une heure. On lui a fait peur ?

— Il se peut que ce ne soit pas Lank.

— Une camionnette blanche avec des plaques volées à Pittsfield ?

— Elle n'a pas ralenti. Et elle n'est pas revenue.

— Van Gates est sorti quand, la dernière fois ?

— Sa femme et lui sont allés faire des courses à l'épicerie vers midi. Depuis, ils n'ont pas bougé de chez eux.

— On passe devant, je veux jeter un coup d'œil.

Frost passa devant la maison, assez lentement pour permettre à Rizzoli de bien regarder Tara-sur-Sprague Street. Ils roulèrent jusqu'à la voiture de surveillance, garée au bout du pâté de maisons, tournèrent à droite et s'arrêtèrent.

— Vous êtes sûr que les Van Gates sont chez eux ? demanda Rizzoli.

— Les gars n'ont vu sortir ni l'un ni l'autre depuis midi.

— Cette maison me paraît drôlement sombre…

Ils attendirent en silence tandis que l'obscurité s'épaississait, que l'appréhension de Rizzoli croissait. Elle n'avait vu de lumière nulle part. Les Van Gates dormaient-ils tous les deux ? Étaient-ils sortis en échappant à la vigilance de l'équipe de surveillance ? Et la camionnette ? Que faisait-elle dans le quartier ?

— Ça suffit comme ça, assez perdu de temps, décida-t-elle. On va leur rendre visite.

Frost revint devant la maison, se gara. Ils sonnèrent, frappèrent à la porte. Pas de réponse. Rizzoli descendit de la véranda, recula dans l'allée, leva les yeux vers la façade façon maison de planteur, avec ses colonnes blanches priapiques. Pas de lumière non plus à l'étage.

La camionnette, pensa-t-elle. Elle est bien venue pour quelque chose.

— Qu'est-ce qu'on fait ? dit Frost.

Elle inclina la tête sur le côté et il reçut le message : *On entre par-derrière.*

Elle se dirigea vers le côté de la maison, poussa un portillon, vit une allée de brique courant le long d'une clôture. Pas de place pour un jardin, à peine de quoi accueillir les deux poubelles. Ils n'avaient pas de mandat de perquisition mais il se passait quelque chose, elle le sentait au picotement dans ses paumes, là où la lame de Warren Hoyt avait laissé des cicatrices. Un monstre laisse sa marque dans votre chair, dans votre instinct. Après, vous sentez toujours quand votre chemin croise celui d'une autre créature de la même espèce.

Frost sur les talons, elle passa devant des fenêtres sombres, un appareil de climatisation qui souffla de l'air chaud sur sa peau glacée. Du calme, du calme. Ils étaient déjà en train de commettre une effraction, mais tout ce qu'elle voulait, c'était regarder à l'intérieur par les fenêtres, examiner la porte de derrière.

En tournant le coin du bâtiment, Rizzoli découvrit un petit jardin clos dont la grille de derrière était ouverte. Elle s'en approcha, considéra l'allée qui s'étirait au-delà. Personne. Elle se dirigea vers la maison et était presque parvenue à la porte de derrière quand elle s'aperçut qu'elle était entrouverte.

Frost et elle échangèrent un regard. Dégainèrent leurs armes. D'un geste rapide, automatique, dont ils avaient à peine conscience. Il poussa la porte qui se rabattit en arrière, révélant un pan de carrelage.

Et du sang.

Frost entra, abaissa l'interrupteur. La lumière de la cuisine s'alluma. Du sang hurlait sur les murs, les plans de travail et le comptoir, si fort que Rizzoli recula en titubant, comme si on l'avait poussée. Dans son ventre, le bébé, alarmé, donna un coup de pied.

Frost traversa la cuisine, s'avança dans le couloir, mais Rizzoli demeura immobile, les yeux rivés sur Terence Van Gates, qui gisait tel un nageur aux yeux vitreux dans une mare écarlate.

Le sang n'est même pas encore sec.

— Rizzoli ! entendit-elle Frost crier. La femme… elle vit encore !

Elle faillit glisser en se mettant à courir, lourde et maladroite avec son gros ventre. Le couloir était un rouleau dévidant une suite d'horreurs : traînée de sang artériel, gouttelettes projetées sur les murs. Elle suivit les traces jusqu'au séjour où Frost, accroupi, réclamait par radio une ambulance tout en pressant une main sur le cou de Bonnie Van Gates. Du sang gouttait entre ses doigts.

Rizzoli s'agenouilla près de la femme blessée. Les yeux grands ouverts de Bonnie se révulsaient de terreur, comme si elle pouvait voir la Mort en personne, planant au-dessus d'elle et s'apprêtant à l'accueillir.

— J'y arrive pas ! cria Frost tandis que le sang continuait à couler entre ses doigts.

Rizzoli arracha la housse de l'accoudoir du canapé et l'enroula autour de son poing, se pencha pour presser cette compresse de fortune contre le cou de Bonnie. Frost enleva sa main, libérant un flot de sang juste avant que Rizzoli ne bâillonne la plaie. Le tissu fut immédiatement trempé.

— Elle saigne aussi de la main ! dit Frost.

Baissant les yeux, Rizzoli vit un flux rouge régulier s'écouler de la paume tailladée de Bonnie.

On ne pourra pas tout arrêter…

— L'ambulance ? demanda-t-elle.

— Elle arrive.

La main de Bonnie saisit le bras de Rizzoli.

— Restez étendue ! Ne bougez pas !

La blessée tressauta, les deux mains battant l'air à présent, tel un animal affolé tentant de griffer son assaillant.

— Tenez-la, Frost !

— Bon Dieu, elle est costaud !

— Bonnie, arrêtez ! On essaie de vous aider !

Un autre saut de carpe fit glisser la main de Rizzoli. Un liquide chaud lui aspergea le visage, son goût de cuivre lui donna un haut-le-cœur. Bonnie se tourna sur le flanc, agita les jambes comme des pistons.

— Elle a une attaque ! dit Frost.

Rizzoli réussit à plaquer la joue de Bonnie contre le sol, pressa de nouveau la housse sur la blessure. Il y avait du sang partout : sur la chemise de Frost, sur la veste de Rizzoli.

Tout ce sang… Mon Dieu, combien une personne peut-elle en perdre ?

Des pas résonnèrent dans la maison. L'équipe de surveillance. Rizzoli ne leva même pas la tête quand deux hommes firent irruption dans la pièce. Frost leur cria de venir tenir la blessée, mais c'était maintenant inutile : les spasmes de l'attaque s'étaient réduits à des frissons d'agonie.

— Elle ne respire plus, annonça Rizzoli.

— Mettez-la sur le dos ! Allez, allez.

Frost posa sa bouche sur celle de Bonnie et souffla. Releva la tête, les lèvres bordées de sang.

— Plus de pouls !

L'un des policiers plaqua ses mains sur la poitrine de la mourante et appuya. Relâcha, appuya, les paumes enfouies dans le décolleté hollywoodien de Bonnie. À chaque poussée, il ne coulait de la blessure qu'un filet de sang. Il ne lui en restait plus assez dans les veines pour alimenter les organes vitaux. Ils pompaient un puits à sec.

Les ambulanciers arrivèrent avec leurs tubes et leurs moniteurs, leurs flacons à perfusion. Rizzoli s'écarta pour leur faire de la place et, tout à coup prise de vertige, dut s'asseoir. Elle s'effondra dans un fauteuil, baissa la tête. Se fit la réflexion qu'elle tachait probablement le tissu blanc du siège avec le sang imprégnant ses vêtements.

Lorsqu'elle releva la tête, Bonnie était intubée. Les ambulanciers avaient déchiré son chemisier, coupé son soutien-gorge. Des fils d'ECG lui quadrillaient la poitrine.

Une semaine plus tôt, cette femme lui avait fait penser à une poupée en plastique, une Barbie idiote avec son haut rose moulant et ses sandales à hauts talons. Une poupée en plastique, c'était exactement ce dont elle avait l'air, avec sa chair cireuse, ses yeux sans âme. Rizzoli repéra une des sandales sur le sol et se demanda si Bonnie avait essayé de s'enfuir juchée sur ces chaussures invraisemblables. Elle l'imagina faisant frénétiquement claquer ses talons dans le couloir et laissant derrière elle une traînée de sang. Après que les ambulanciers eurent emporté Bonnie sur leur chariot, Rizzoli continua à fixer la sandale inutile.

— Elle ne s'en tirera pas, dit Frost.

— Je sais.

Elle leva les yeux vers lui.

— Vous avez du sang sur la bouche.

— Vous devriez vous regarder dans une glace. Je dirais qu'on a été sérieusement aspergés, tous les deux.

Elle pensa aux terribles choses que le sang pouvait porter. Sida. Hépatite. Et parvint à répondre :

— Elle avait l'air en parfaite santé.

— Quand même, dit Frost. Vous êtes enceinte, et tout.

Qu'est-ce qu'elle faisait là, trempée du sang d'une agonisante ? Je devrais être chez moi devant la télé, pensa-t-elle, mes jambes gonflées relevées par des coussins. Ce n'est pas une vie pour une future mère. Ce n'est une vie pour personne.

Quand elle tenta de se propulser hors du fauteuil, Frost lui tendit une main et pour la première fois elle la prit, le laissant tirer pour la mettre debout. Il faut parfois savoir accepter l'aide d'une main secourable, se dit-elle. Il faut parfois admettre qu'on ne peut pas toujours se débrouiller seul. Son chemisier était raide, ses mains couvertes d'une croûte brune. Les experts de scène de crime arriveraient bientôt… suivis des médias. Toujours ces foutus médias.

Il était temps de se nettoyer et de se mettre au travail.

En descendant de voiture, Maura se retrouva face à un assaut déroutant de flashs et de micros braqués vers elle. Les rampes lumineuses des voitures radio éclairaient en bleu et blanc les curieux agglutinés près du périmètre délimité par les rubans de plastique jaune. Elle n'hésita pas une seconde, ne donnant aux médias aucune chance de la coincer tandis qu'elle se dirigeait d'un pas vif vers la maison et adressait un signe de tête au flic posté devant. Il lui rendit son salut d'un air perplexe et bredouilla :

— Euh… Le Dr Costas est déjà là…

— Moi aussi, répliqua Maura en passant sous le ruban.

— Docteur Isles…

— Il est à l'intérieur ?

— Oui, mais…

Elle continua à avancer, certaine qu'il n'oserait pas l'en empêcher. Peu de policiers se risquaient à défier l'autorité qui émanait d'elle. Elle fit halte devant la porte pour enfiler des gants et des couvre-chaussures, accessoires vestimentaires indispensables sur un lieu de crime, puis entra dans la maison, où les techniciens lui accordèrent à peine un regard. Ils la connaissaient tous, ils n'avaient aucune raison de mettre en cause sa présence. Elle passa du hall au living, vit le tapis taché de sang, jonché par ce que les ambulanciers y avaient laissé : seringues, pansements, compresses souillées. Pas de corps.

Elle s'engagea dans un couloir où la violence avait imprimé sa marque jusque sur les murs. D'un côté, des gerbes de sang artériel ; de l'autre, les gouttelettes projetées par la lame de l'agresseur.

— Toubib ? l'appela Rizzoli de l'autre bout du couloir.

— Pourquoi ne m'as-tu pas téléphoné ?

— Costas s'occupe de cette affaire.

— Il paraît, oui.

— Tu n'as pas besoin d'être là.

— Tu aurais pu me prévenir, Jane.

— Cette affaire n'est pas pour toi.

— Elle me concerne, il s'agit de ma sœur.

— C'est justement pour ça qu'elle n'est pas pour toi, répliqua Rizzoli en s'approchant d'elle. Je ne devrais même pas avoir à te le dire, tu le sais.

— Je ne demande pas d'être le légiste de cette affaire, je te reproche seulement de ne pas m'avoir informée.

— Je n'ai pas eu le temps, d'accord ?

— Tu n'as rien trouvé de mieux comme explication ?

— Mais c'est vrai, bon Dieu ! On a deux victimes, du sang partout. Je n'ai pas mangé, je n'ai même pas eu le temps d'aller aux toilettes ! J'ai autre chose à faire que me justifier à tes yeux !

Rizzoli fit demi-tour.

— Jane…

— Rentre chez toi. Laisse-moi faire mon boulot.

— Jane, je m'excuse. Je n'aurais pas dû dire ça.

Elle se retourna et Maura remarqua alors seulement ce qui lui avait échappé jusque-là : les yeux enfoncés, les épaules voûtées.

Elle tient à peine debout.

— Je m'excuse, moi aussi, marmonna Rizzoli. On l'a raté de ça, dit-elle, rapprochant le pouce et l'index. On avait une équipe en planque dans la rue. Je ne sais pas comment il a repéré la voiture, mais il est passé sans s'arrêter… et il est revenu par-derrière.

Elle secoua la tête, poursuivit :

— D'une manière ou d'une autre, il savait. Il savait qu'on était sur sa piste. Voilà pourquoi Van Gates posait problème…

— C'est elle qui l'a averti.

— Qui, elle ?

— Amalthea. Forcément. Un coup de téléphone, une lettre. Par l'intermédiaire d'une des surveillantes. Elle protège son complice.

— Tu penses qu'elle est assez saine d'esprit pour ça ?

— Oui.

Maura hésita, avant d'ajouter :

— Je suis allée la voir aujourd'hui.

— Tu comptais m'en parler quand ?

— Elle détient des secrets qui me concernent. Elle a les réponses.

— Elle entend des voix, bon Dieu !

— Non, non. Je suis convaincue qu'elle n'est pas folle et qu'elle sait parfaitement ce qu'elle fait. Elle le protège, Jane. Elle ne le laissera jamais tomber.

Rizzoli la regarda un moment en silence.

— Viens voir, dit-elle enfin. Autant que tu saches à quoi t'en tenir.

Maura la suivit en direction de la cuisine, s'immobilisa sur le seuil, stupéfaite. Son confrère, le Dr Costas, était accroupi près du corps. Il leva vers Maura un regard étonné.

— Je ne savais pas que tu étais aussi sur cette affaire…

— Je ne le suis pas. J'avais simplement besoin de…

Elle regarda le cadavre de Terence Van Gates, avala sa salive.

Costas se releva.

— Un tueur très efficace, dit-il. Pas de blessures de défense, rien qui indique que la victime ait eu la possibilité de résister. Une seule entaille, quasiment d'une oreille à l'autre. Il s'est approché par-derrière. L'incision part d'en haut à gauche, traverse la trachée et se termine un peu plus bas sur le côté droit.

— Un agresseur gaucher.

— Et fort.

Costas se pencha, inclina doucement la tête du mort en arrière, révélant un anneau de cartilage luisant.

— La lame a pénétré jusqu'à la colonne vertébrale.

Il lâcha la tête qui retomba en avant, les bords de la plaie s'embrassant de nouveau.

— Une exécution, murmura Maura.

— Exactement.

— Et la seconde victime ? Dans le séjour…

— La femme. Elle est morte aux urgences, il y a une heure.

— Là, il n'a pas été aussi efficace, intervint Rizzoli. Nous pensons que le meurtrier a liquidé d'abord le mari. Van Gates attendait peut-être sa visite. Il l'a peut-être même fait entrer dans la cuisine, mais il ne s'attendait pas à ce que l'autre lui saute dessus. Aucun signe de lutte. Il a tourné le dos à son assassin, qui l'a égorgé comme un agneau.

— Et la femme ?

— Bonnie, ça a dû être une autre paire de manches…

Rizzoli baissa les yeux vers Van Gates, vers les touffes d'implants teints, vestiges de la vanité d'un vieil homme.

— Je crois qu'elle est tombée sur eux. Elle entre dans la cuisine, elle voit le sang. Son mari assis par terre, la gorge quasi tranchée. Le tueur est là aussi, le couteau à la main. La climatisation marche, toutes les fenêtres sont fermées. Double vitrage, pour une bonne isolation. Nos gars en planque au bout de la rue n'ont pas entendu ses cris. Si elle a crié…

Rizzoli se tourna vers la porte donnant sur le couloir, marqua une pause comme si la morte s'y tenait encore.

— Elle voit le tueur se ruer vers elle et, à la différence de son mari, elle se défend. Quand il porte son coup, elle tente de saisir le couteau. La lame s'enfonce dans la paume de sa main, coupe la peau, les tendons, jusqu'à l'os.

Rizzoli indiqua le couloir.

— Elle s'enfuit par là, la main ruisselante de sang. Il est juste derrière elle et il la coince dans le séjour. Elle résiste encore, pare les coups avec ses bras, mais il parvient à lui trancher la gorge. Pas aussi profondément que pour le mari, mais une belle entaille quand même.

Elle se tourna vers Maura.

— Elle vivait encore quand on l'a trouvée. On a vraiment failli l'avoir, ce type.

Maura regarda Van Gates, affalé contre un élément bas. Elle pensa à la petite maison dans les bois, où une jeune fille et son cousin avaient scellé un pacte.

Un pacte qui durait encore aujourd'hui.

— Tu te rappelles ce qu'Amalthea t'a dit, la première fois que tu es allée la voir ? demanda Rizzoli.

Maura acquiesça.

« Maintenant, tu vas mourir, toi aussi. »

— Nous avons cru toutes les deux à un délire psychotique, reprit Rizzoli. Il est clair à présent que c'était un avertissement. Une menace.

— Pourquoi ? Je n'en sais pas plus que toi.

— Ce n'est peut-être pas pour ce que tu sais mais pour ce que tu *es*, toubib. La fille d'Amalthea.

Un courant d'air glacé remonta l'échine de Maura.

— Mon père… Si je suis vraiment la fille d'Amalthea, qui est mon père ?

Rizzoli n'eut pas besoin de prononcer le nom d'Elijah Lank.

— Tu es la preuve vivante de leur complicité, dit-elle. La moitié de ton ADN vient de lui.

Elle ferma la porte d'entrée à clef, tourna le verrou. Resta un moment immobile, songeant à Anna et aux serrures, aux chaînes de sûreté neuves qui décoraient le cottage du Maine.

Je deviens ma sœur, pensa-t-elle. Bientôt, je me recroquevillerai derrière des barrières, ou je fuirai ma maison pour une nouvelle ville, une nouvelle identité…

Des phares balayèrent les doubles rideaux de la salle de séjour. Maura jeta un coup d'œil dehors, vit passer une voiture de police. Pas de Brookline, cette fois, mais de Boston, d'après l'inscription peinte sur la portière. Probablement Rizzoli qui en a fait la demande, se dit-elle.

Elle alla dans la cuisine se servir un verre. Rien de compliqué, pas son cosmopolitan habituel, une simple vodka-orange avec de la glace. Assise à la table, elle but lentement en faisant tinter les glaçons. Picoler seule, mauvais signe, mais tant pis. Elle avait besoin de cet anesthésique pour cesser de penser à ce qu'elle avait vu ce soir.

Au plafond, le climatiseur soufflait son haleine froide. Pas de fenêtres ouvertes, cette nuit. Tout était fermé, verrouillé. Le verre glacé lui refroidissait les doigts. Elle le posa et examina sa main, le réseau bleuâtre des veines.

Leur sang coule-t-il en moi ?

On sonna à la porte.

Maura se redressa vivement, tourna la tête vers le séjour. Son cœur battait au rythme d'un quickstep, tous ses muscles étaient contractés. Elle se leva lentement, suivit silencieusement le couloir jusqu'à la porte. S'arrêta, songea qu'une balle traverserait sans doute facilement le bois. Elle approcha de la fenêtre et découvrit Ballard sur la véranda. Avec un soupir de soulagement, elle ouvrit.

— J'ai appris, pour Van Gates, dit-il. Ça va ?

— Je suis un peu retournée mais ça va, oui.

Non, ça ne va pas. J'ai les nerfs à vif et je picole seule dans ma cuisine.

— Entrez.

Ballard n'avait jamais mis les pieds chez elle. Il s'avança, referma la porte et dit, en regardant le verrou :

— Il vous faut un système d'alarme.

— J'ai l'intention d'en acheter un.

— Faites-le rapidement, d'accord ? Je peux vous aider à choisir le meilleur.

— J'apprécierais. Vous voulez boire quelque chose ?

— Pas ce soir, merci.

Ils passèrent dans la salle de séjour et Ballard s'arrêta pour regarder le piano.

— Je ne savais pas que vous jouiez du piano.

— Depuis l'enfance. Je ne pratique pas assez.

— Anna en jouait, elle aussi… Vous ne le saviez probablement pas.

— Non. C'est étrange, Rick, chaque fois que j'apprends quelque chose sur elle, elle me ressemble encore plus.

— Elle jouait à la perfection.

Il s'approcha du piano, ouvrit le couvercle du clavier, plaqua quelques accords, referma le couvercle et contempla un moment la surface noire et brillante.

— Je me fais du souci pour vous, Maura. Surtout après ce qui est arrivé à Van Gates.

Elle soupira, s'affala sur le canapé.

— J'ai perdu le contrôle de ma vie. Je ne peux même plus dormir la fenêtre ouverte.

Ballard s'assit lui aussi. En face d'elle, pour qu'elle soit obligée de le regarder si elle levait la tête.

— Vous ne devriez pas être seule ici ce soir.

— Je suis chez moi. Je n'ai pas l'intention de partir.

— D'accord, ne partez pas.
Après une pause, il demanda :
— Vous voulez que je reste avec vous ?
Elle croisa son regard.
— Pourquoi faites-vous ça, Rick ?
— Parce que vous avez besoin de quelqu'un pour veiller sur vous.
— Et ce quelqu'un, c'est vous ?
— Qui d'autre le fera ? Regardez-vous ! Vous vivez en solitaire dans cette maison. Il pourrait vous arriver n'importe quoi. Quand Anna a eu besoin de moi, je n'étais pas là. Mais je serai là pour vous.
Il prit les mains de Maura dans les siennes.
— Si vous voulez, je serai toujours là quand vous aurez besoin de moi.
Elle baissa les yeux vers les mains de Ballard couvrant les siennes.
— Vous l'aimiez, n'est-ce pas ?
Comme il ne répondait pas, elle plongea ses yeux dans les siens.
— N'est-ce pas, Rick ?
— Elle avait besoin de moi.
— Ce n'est pas ce que je vous ai demandé.
— Je ne pouvais pas laisser cet homme lui faire du mal.
J'aurais dû comprendre dès le début, se dit Maura. C'était là, dans sa façon de me regarder, de me toucher…
— Si vous l'aviez vue ce soir-là, aux urgences… dit-il. L'œil poché, les hématomes. Un regard à son visage et j'ai eu envie de démolir celui qui avait fait ça. Il n'y a pas beaucoup de choses qui me font perdre mon calme, mais un homme qui bat une femme…
Il prit sa respiration, poursuivit :

— J'étais résolu à ce que ça ne lui arrive plus jamais. Cassell s'accrochait, il la harcelait au téléphone, la suivait. J'ai dû intervenir. J'ai aidé Anna à installer des verrous. J'ai pris l'habitude de passer tous les jours pour voir comment elle allait. Et puis un soir, elle m'a demandé de rester dîner…

Il eut un haussement d'épaules fataliste.

— Ça a commencé comme ça. Elle avait peur, elle avait besoin de moi. C'est une question d'instinct, vous savez. L'instinct du flic, peut-être. Le désir de protéger.

Particulièrement si la femme est attirante.

— Je me suis efforcé d'assurer sa sécurité, c'est tout. Et, oui, j'ai fini par tomber amoureux d'elle.

— Mais ça, Rick, qu'est-ce que c'est ? demanda Maura en regardant les mains de Ballard qui pressaient toujours les siennes. C'est pour moi ou pour elle ? Je ne suis pas Anna. Je ne suis pas sa remplaçante.

— Je suis ici parce que vous avez besoin de moi.

— Il ne s'agit pas d'une pièce qu'on rejoue. Vous vous êtes attribué le même rôle d'ange gardien. Et moi, je ne suis que la doublure qui a hérité par hasard de celui d'Anna.

— Non, pas du tout…

— Si vous n'aviez pas connu ma sœur, si nous nous étions rencontrés à une soirée, tous les deux, vous seriez quand même ici ?

— Oui, absolument.

Il se pencha vers elle, ses mains pressant fortement celles de Maura.

— J'en suis sûr.

Ils demeurèrent un moment silencieux. J'ai envie de le croire, ce serait si simple de le croire, pensa-t-elle. Mais elle dit :

— Je ne crois pas que vous devriez rester ici ce soir.

Ballard se redressa avec lenteur. Ses yeux restaient rivés à ceux de Maura, mais il y avait maintenant de la distance entre eux deux. Et de la déception.

Elle se leva ; il l'imita.

En silence, ils allèrent jusqu'à la porte d'entrée. Là, il s'arrêta et se tourna vers elle. Porta une main au visage de Maura, le toucha avec douceur. Elle ne chercha pas à fuir ce contact.

— Soyez prudente, dit-il.

Il sortit.

Elle ferma la porte à clef derrière lui.

29

Mattie mangea la dernière lanière de bœuf. La mordilla comme un animal sauvage se nourrissant d'une charogne desséchée et se dit : Des protéines pour être forte. Pour remporter la victoire ! Elle songea aux athlètes qui se préparent pour le marathon, qui affûtent leur corps pour la performance de leur vie.

Ce sera un marathon, aussi. Ma seule chance de gagner.

Perds et tu es morte.

Le bœuf était dur comme du cuir et elle eut presque un hoquet en l'avalant mais elle réussit à le faire passer avec une gorgée d'eau. Le deuxième bidon était quasiment vide.

C'est la fin, pensa-t-elle, je ne tiendrai plus très longtemps. Elle avait un autre souci : ses contractions commençaient à être désagréables. Pas encore douloureuses, mais c'était le signe annonciateur de ce qui allait suivre.

Où était-il, bon sang ? Pourquoi la laissait-il seule aussi longtemps ? Sans montre, elle ignorait s'il s'était écoulé des heures ou des jours depuis sa dernière visite.

Elle se demandait si elle avait provoqué sa colère en criant, l'autre fois. Était-ce sa façon de la punir ? Essayait-il de l'effrayer, de lui faire comprendre qu'elle devait être polie, qu'elle devait lui montrer un peu de respect ? Toute sa vie, elle avait été polie, et voilà où ça l'avait menée. Les filles polies, on leur marche dessus. Elles restent coincées au bout de la queue, où personne ne fait attention à elles. Elles se marient avec des hommes qui oublient vite qu'elles existent.

Eh bien, fini d'être polie, décida Mattie. Si jamais je sors d'ici, je me laisserai pousser des piquants.

Mais il faut d'abord que je sorte d'ici. Et pour ça, je dois faire semblant d'être polie.

Elle but une autre gorgée d'eau. Se sentit curieusement rassasiée, comme après un festin arrosé de vin. Sois patiente, se dit-elle, il reviendra.

Enveloppant ses épaules de la couverture, elle ferma les yeux.

Se réveilla, prise dans l'étau d'une contraction. Oh ! elle fait mal, celle-là ! pensa-t-elle. Elle fait vraiment mal. Étendue dans le noir, couverte de sueur, elle tenta de se rappeler ses cours d'accouchement sans douleur, mais ils lui semblaient loin, vague souvenir d'une autre vie. De la vie d'une autre.

Inspirez, expirez. Purifiez-vous… Inspirez, ex…

— Madame.

Elle se raidit. Leva les yeux vers la grille d'où le murmure était sorti. Son pouls s'accéléra.

C'est le moment de passer à l'action, GI Jane.

Mais là, allongée dans l'obscurité, inhalant sa propre odeur de peur, une autre pensée lui vint : Je ne suis pas prête, je ne le serai jamais. Pourquoi me suis-je mis dans la tête que j'étais capable de faire ça ?

— Madame. Parlez-moi.

C'est ta seule chance. Saisis-la.

Elle prit sa respiration et gémit :

— J'ai besoin d'aide.

— Pourquoi ?

— Mon bébé…

— Oui ?

— Il arrive. J'ai des douleurs. Oh ! je vous en prie, laissez-moi sortir ! Je ne sais pas dans combien de temps…

Elle eut un sanglot.

— Laissez-moi sortir, mon bébé va naître.

Pas de réponse.

Mattie étreignait la couverture, retenait sa respiration de crainte de ne pas entendre la voix murmurer. Pourquoi ne répondait-il pas ? Était-il reparti ? Il y eut un coup sourd, suivi d'un raclement.

Une pelle. Il commençait à creuser.

Une seule chance, pensa-t-elle. Je n'aurai qu'une seule chance.

D'autres coups sourds. Des raclements plus longs, aussi insupportables qu'un crissement de craie sur un tableau. Mattie respirait vite à présent, son cœur cognait contre sa poitrine.

Ou je m'en tire ou je meurs, se dit-elle. Tout se joue maintenant.

Les raclements cessèrent.

Ses doigts glacés maintenaient la couverture autour de ses épaules. Elle entendit le bois craquer, puis les gonds grincèrent. De la terre se répandit dans sa prison, sur ses yeux.

Seigneur, non, je ne verrai plus rien. Il faut que je voie !

Elle tourna la tête sur le côté pour protéger son visage de la terre qui tombait sur ses cheveux. Battit des paupières encore et encore pour la chasser de ses yeux. Dans cette position, elle ne pouvait pas le voir, là-haut. Et lui, que voyait-il dans la fosse ? Sa prisonnière recroquevillée sous une couverture, sale, vaincue. Tenaillée par les douleurs de l'accouchement.

— C'est le moment de sortir, dit-il.

Sa voix, qui, maintenant, ne traversait plus une grille, paraissait tout à fait ordinaire. Comment le mal pouvait-il sembler aussi banal ?

— Aidez-moi, geignit-elle. Je ne pourrai pas, toute seule.

Elle entendit un frottement, sentit quelque chose heurter le bois à côté d'elle. Une échelle. Levant les yeux, elle vit une silhouette se détacher sur les étoiles. Après l'obscurité totale de sa prison, le ciel nocturne semblait baigné de lumière.

L'homme alluma une lampe électrique, la braqua sur les barreaux.

— C'est pas très haut, dit-il.

— J'ai tellement mal…

— Je vous donnerai la main. Mais vous devez monter à l'échelle.

Mattie se leva en reniflant, vacilla, retomba sur les genoux. Elle ne s'était pas tenue debout depuis des jours et elle fut consternée par la faiblesse qu'elle ressentait malgré ses tentatives pour se refaire des muscles, malgré l'adrénaline qui parcourait ses veines.

— Si vous voulez sortir, faut vous lever, dit-il.

Elle poussa un grognement, se remit debout, chancelante comme un veau nouveau-né. Sa main droite demeurait sous la couverture qu'elle tenait contre sa poitrine. De la gauche, elle agrippa l'échelle.

— C'est ça ! Grimpez.

Elle posa le pied sur le barreau le plus bas, attendit de recouvrer l'équilibre avant de gravir le suivant. Le trou n'était pas très profond. Quelques barreaux de plus et elle en serait sortie. Déjà, sa tête et ses épaules étaient au niveau de la taille de l'homme.

— Aidez-moi, le supplia-t-elle. Tirez-moi de là !

— Lâchez la couverture.

— J'ai trop froid. Je vous en prie, tirez-moi !

Il posa la torche par terre.

— Donnez-moi la main, ordonna-t-il.

Il se pencha vers elle, ombre sans visage étendant un tentacule.

Ça y est. Il est assez près.

La tête de l'homme était juste au-dessus de celle de Mattie, à sa portée. Un instant, elle hésita, rebutée par ce qu'elle s'apprêtait à faire.

— Me faites pas perdre mon temps ! gronda-t-il. Remuez-vous !

Soudain, ce fut le visage de Dwayne qu'elle imagina, penché au-dessus d'elle. La voix de Dwayne qui la tançait, méprisante. « Tout est question d'image, Mattie, regarde-toi ! » Mattie la grosse vache, accrochée à son échelle, trop effrayée pour sauver sa peau, trop effrayée pour sauver son bébé. « Tu n'es plus assez bonne pour moi. »

Si, je suis assez bonne. SI !

Elle lâcha la couverture qui glissa de ses épaules, révélant ce qu'elle cachait dessous : une de ses chaussettes, déformée par les huit piles de la lampe électrique. Mattie leva le bras, balança la chaussette comme une masse d'armes avec l'énergie de la rage. Un coup maladroit, presque au hasard, mais elle entendit un *woump* satisfaisant lorsque les piles heurtèrent le crâne.

L'ombre tituba, bascula sur le côté.

En quelques secondes, Mattie grimpa l'échelle, sortit du trou. La terreur ne vous ralentit pas, elle aiguise vos sens, elle vous rend vive comme une gazelle. Dès que son pied toucha le sol, Mattie nota une dizaine de détails. Un quartier de lune la lorgnant de derrière des branches qui s'arquaient dans le ciel. Une odeur de terre et de feuilles mouillées. Et des arbres, des arbres partout, un cercle de hautes sentinelles qui lui cachaient tout, excepté une coupole d'étoiles, là-haut.

Je suis dans une forêt.

D'un regard circulaire, elle enregistra tout cela, prit sa décision en un quart de seconde et s'élança vers ce qui semblait être une trouée entre les arbres. Elle se retrouva soudain dévalant une ravine escarpée, traversant des ronciers, écartant de jeunes pousses qui ne se rompaient pas mais revenaient lui fouetter le visage pour se venger.

Elle atterrit à quatre pattes. Se releva aussitôt et se remit à courir, boitant à présent, la cheville droite tordue, douloureuse.

Je fais trop de bruit, pensa-t-elle, un vrai éléphant. Ne t'arrête pas, ne t'arrête pas, il est peut-être juste derrière toi.

Mais elle était aveugle dans ces bois, avec en tout et pour tout les étoiles et ce pitoyable semblant de lune pour lui montrer le chemin. Pas de lumière, pas de repères. Aucune idée de l'endroit où elle était ni de la direction à prendre pour trouver de l'aide. Elle était aussi totalement perdue qu'un voyageur égaré dans un cauchemar. Elle se fraya un chemin dans les broussailles, descendant instinctivement la pente, laissant la gravité décider du chemin qu'elle devait suivre. Les montagnes mènent à des vallées, les vallées à des cours d'eau, les cours d'eau à des gens. Cela semblait encourageant, mais était-ce vrai ? Déjà, ses genoux se raidissaient, conséquence de la chute qu'elle avait faite. Si elle tombait encore, elle ne serait peut-être plus capable de se relever.

Une autre douleur la saisit, la fit s'arrêter, le souffle coupé. Une contraction. Pliée en deux, elle attendit que ça passe. Quand elle put enfin se redresser, elle était trempée de sueur.

Entendant un bruissement derrière elle, elle se retourna, se retrouva face à un mur d'ombre impénétrable. Elle sentait le mal approcher. L'instant d'après, elle courait, giflée par les branches tandis que la panique lui criait : « Plus vite, plus vite ! »

Elle trébucha dans la pente et serait tombée sur le ventre si elle ne s'était rattrapée à un petit arbre.

Mon pauvre bébé, j'ai failli t'écraser !

Elle n'entendait pas de bruit de poursuite mais savait qu'il devait être derrière elle. Sous l'emprise de la terreur, elle continuait à fuir à travers un entrelacs de branches.

Soudain les arbres disparurent comme par magie. Mattie traversa un dernier roncier puis ses pieds claquèrent sur de la terre battue. Hébétée, hors d'haleine, elle fit courir son regard sur des reflets de clair de lune ondulants. Un lac. Une route.

Au loin, sur un promontoire, la silhouette d'une petite cabane.

Mattie fit quelques pas et s'arrêta, grogna quand une nouvelle contraction la serra dans son poing, si fort qu'elle ne parvenait plus à respirer. Elle ne put que s'accroupir sur la route, la gorge envahie par la nausée. Elle entendit le clapotis de l'eau sur la berge, le cri d'un oiseau au-dessus du lac. Un vertige la saisit, menaçant de la faire tomber à genoux.

Pas ici ! Ne t'arrête pas sur la route, il va te voir !

Elle avança d'un pas chancelant tandis que la contraction faiblissait. Se força à marcher vers la cabane, obscur espoir. Elle se remit à courir, sentant un élancement dans son genou chaque fois que sa chaussure touchait le sol. Plus vite, s'exhorta-t-elle. Il peut te voir devant les reflets du lac. Cours avant qu'une contraction ne t'arrête. Combien de minutes avant la prochaine ? Cinq, dix ?

La cabane paraissait si loin.

Elle courait à la limite de ses forces, agitant les jambes, vidant et emplissant ses poumons dans un rugissement. L'espoir lui donnait de l'énergie.

Je vais vivre. Je vais vivre.

Les fenêtres de la cabane étaient noires. Mattie frappa quand même à la porte, n'osa pas crier de peur que sa voix ne porte jusqu'à la route. Pas de réponse.

Elle n'hésita qu'une seconde.

Ça suffit d'être bien sage, casse le carreau !

Elle ramassa une pierre près de la porte de devant, l'abattit sur une vitre et un bruit de verre brisé rompit le silence de la nuit. Avec la pierre, elle fit tomber les éclats restés sur le châssis, passa le bras à l'intérieur et ouvrit la porte.

Une effraction, maintenant. Allez, GI Jane !

L'intérieur sentait le cèdre et le renfermé. Une maison de vacances inoccupée et négligée depuis trop longtemps. Le verre crissa sous ses semelles tandis qu'elle cherchait l'interrupteur.

Tout de suite après avoir allumé, elle se dit : Il verra la lumière. Trop tard, maintenant. Trouve un téléphone.

Elle parcourut la pièce des yeux, vit une cheminée, une pile de bûches, des fauteuils tendus de tissu écossais… Pas le moindre téléphone.

Elle se rua dans la cuisine, repéra un appareil sur le comptoir, décrocha et s'apprêtait à composer le numéro de la police quand elle se rendit compte qu'il n'y avait pas de tonalité. La ligne était coupée.

Dans la salle de séjour, du verre cassé jonchait le sol.

Il est dans la maison. Sauve-toi. Sauve-toi.

Mattie ressortit par la porte de la cuisine, la referma doucement derrière elle. Se retrouva dans un petit garage. Le clair de lune pénétrant par l'unique fenêtre donnait juste assez de lumière pour lui permettre de distinguer la forme basse d'un bateau niché au creux de sa remorque. Aucun autre endroit où se cacher. Elle s'éloigna de la porte de la cuisine, recula dans l'ombre. Son épaule heurta une étagère, fit tinter du métal, libérant une odeur de vieille poussière. Mattie chercha une arme à tâtons sur l'étagère, sentit des boîtes au couvercle collé par de la peinture, des pinceaux raides de laque. Puis ses doigts se refermèrent sur un tournevis. Pitoyable, comme arme, peut-être un poil plus mortel qu'une lime à ongles…

La lumière ondula sous la porte de la cuisine. Une ombre bougea le long du rai. S'arrêta.

La respiration de Mattie aussi. Le cœur battant dans la gorge, elle recula vers la porte à bascule du garage. Elle n'avait plus le choix.

Elle tendit la main vers la poignée, l'abaissa. La porte glissa sur ses rails en grinçant comme pour annoncer : « Elle est là, elle est là ! »

Au moment où la porte de la cuisine s'ouvrait, Mattie passa sous celle du garage et s'enfuit dans la nuit. Elle savait qu'il pouvait la voir le long de cette berge impitoyablement exposée. Elle savait qu'elle n'arriverait pas à le distancer. Elle courait quand même le long du lac argenté par la lune, les chaussures aspirées par la boue. Elle entendit son poursuivant se rapprocher en traversant les jonchères.

Nage, se dit-elle. Jette-toi dans le lac. Elle se tourna vers l'eau.

Et se plia en deux quand une nouvelle contraction la transperça. Une douleur comme elle n'en avait jamais éprouvé. Elle tomba à genoux dans une dizaine de centimètres d'eau tandis que la douleur croissait, la serrant si fort dans ses mâchoires qu'un moment elle ne vit plus que du noir et se sentit verser sur le côté. Un goût de boue envahit sa bouche. Toussant et gigotant, elle se mit sur le dos, aussi impuissante qu'une tortue retournée. La contraction mourut. Les étoiles devinrent plus brillantes dans le ciel. L'eau lui caressait les cheveux, léchait ses joues. Pas du tout froide, chaude comme un bain. Elle entendit le bruit des pas de l'homme dans l'eau, le craquement des joncs qui s'écartèrent.

Tout à coup, il fut là, debout près d'elle, se dessinant sur le ciel. Venu réclamer sa proie. La prendre.

Il s'agenouilla près d'elle et les reflets de l'eau firent luire dans ses yeux des points de lumière. Ce qu'il tenait dans sa main luisait aussi : la bande argentée d'un couteau. Il semblait savoir, en se penchant vers le corps de Mattie, qu'elle était épuisée. Que son âme n'attendait que d'être libérée d'une coquille sans force.

Il saisit la ceinture du pantalon de grossesse et l'abaissa, révélant le dôme blanc du ventre. Mattie ne bougeait toujours pas, comme en état de catatonie. Déjà vaincue. Déjà morte ?

Il plaça une main sur l'abdomen ; de l'autre, il dirigea sa lame vers la chair nue pour la première incision.

De l'eau jaillit en une gerbe d'argent quand la main de Mattie s'arracha soudain à la boue, la pointe du tournevis dirigée sur le visage de l'homme. Les muscles raides de fureur, elle frappa, de toutes ses forces. La pitoyable petite arme s'enfonça avec une précision mortelle dans l'œil gauche.

Ça, c'est pour moi, connard !

Et ça, c'est pour mon bébé !

Il s'effondra, sans prononcer un mot.

Un moment, elle fut incapable de bouger. L'homme était tombé en travers de ses cuisses et elle sentait la chaleur du sang qui imprégnait ses vêtements. Les morts sont lourds, bien plus lourds que les vivants. Mattie poussa, grognant sous l'effort, révulsée par le contact. Elle réussit enfin à le faire rouler sur le côté et il retomba sur le dos parmi les joncs.

Mattie se mit péniblement debout, remonta la berge d'un pas chancelant. Loin de l'eau, loin du sang. Elle s'écroula un peu plus haut sur une étendue d'herbe et y demeura tandis qu'une nouvelle contraction la saisissait, puis une autre, et encore une autre. La vision troublée par la souffrance, elle regarda le quartier de lune traverser le ciel. Les étoiles pâlirent, une lueur rose s'insinua dans le ciel, à l'est.

Lorsque le soleil apparut au-dessus de l'horizon, Mattie Purvis accueillit sa fille dans ce monde.

30

Des vautours traçaient dans le ciel des cercles paresseux, hérauts aux ailes noires annonçant une charogne fraîche. Les morts n'échappent pas longtemps à l'attention de la nature. L'odeur de décomposition attire les mouches à viande et les scarabées, les corbeaux et les rongeurs, qui convergent tous vers le festin de la Mort.

En quoi suis-je différente ? se demanda Maura en descendant la pente herbeuse en direction de l'eau.

Elle aussi était attirée par les morts ; elle aussi fouillait et tâtait la chair froide. Le lieu était superbe pour une tâche aussi sinistre. Un ciel bleu sans nuages, un lac de verre argenté. Là, au bord de l'eau, une bâche blanche recouvrait ce dont les vautours tournoyant dans le ciel auraient tant aimé faire un festin.

Jane Rizzoli, qui se tenait un peu plus loin avec Barry Frost et deux inspecteurs de la police de l'État du Massachusetts, vint à la rencontre de Maura.

— Le corps gisait dans quelques centimètres d'eau, là-bas dans les joncs. On l'a tiré sur la rive. Je te dis ça simplement pour que tu saches qu'on l'a bougé.

La légiste baissa les yeux vers le cadavre mais ne le toucha pas. Elle n'était pas tout à fait prête à affronter ce qu'il y avait sous le plastique.

— Comment va la femme ?

— Je l'ai vue aux urgences. Elle est un peu sonnée, mais ça ira. Et le bébé se porte bien.

Rizzoli tendit le bras vers un endroit de la berge où poussaient des touffes d'herbe duveteuses.

— Elle a accouché là. Elle s'est débrouillée toute seule. Quand le garde forestier est passé en voiture, vers sept heures, il l'a trouvée assise au bord de la route, en train d'allaiter son bébé.

Maura remonta la berge du regard et pensa à la femme en travail, seule sous le ciel, à ses cris de souffrance que personne n'entendait tandis qu'à vingt mètres d'elle un cadavre se refroidissait et se raidissait.

— Où l'avait-il enfermée ?

— Dans une fosse, à trois kilomètres d'ici.

Maura fronça les sourcils.

— Elle a fait tout ce chemin à pied ?

— Ouais. Tu l'imagines courant dans le noir, entre les arbres ? Avec des contractions, en plus. Elle a dévalé cette pente en sortant du bois.

— Non, je n'arrive pas à l'imaginer.

— Tu devrais voir la caisse dans laquelle il l'avait mise. Un cercueil, quasiment. Elle est restée enterrée vivante une semaine ! Je ne sais pas comment elle n'est pas devenue folle.

Maura songea à la jeune Alice Rose emprisonnée dans un trou, des années plus tôt. La seule nuit de désespoir et de ténèbres qu'elle y avait passée l'avait hantée pendant le reste de sa courte vie et avait fini par la tuer. Mattie Purvis, elle, était sortie de sa prison non seulement saine d'esprit mais prête à se battre. À survivre.

— On a retrouvé la fourgonnette blanche, dit Rizzoli.

— Où ça ?

— Elle était garée sur l'une des voies de maintenance, à trente, quarante mètres de la fosse où il avait enterré la femme.

— Vous avez trouvé des restes ? Il doit y avoir des corps enfouis à proximité.

— On commence juste les recherches. Ça va prendre un moment pour fouiller toute cette colline.

— Tant d'années, tant de femmes disparues. L'une d'elles pourrait être…

Maura s'interrompit, regarda les arbres étagés sur la pente.

L'une d'elles pourrait être ma mère. Je n'ai peut-être pas du sang de monstre dans les veines. Ma vraie mère est peut-être morte depuis des années et enterrée quelque part dans ce bois.

— Avant de te mettre à échafauder des hypothèses, tu devrais voir le corps, conseilla Rizzoli.

Maura plissa le front, baissa les yeux vers le corps étendu à ses pieds. S'agenouilla, tendit la main vers un coin de la bâche.

— Je dois te prévenir…

— Oui ?

— Ce n'est pas ce à quoi tu t'attends.

Maura hésita, la main suspendue au-dessus du plastique blanc. Des insectes bourdonnaient, avides de viande fraîche. Elle prit sa respiration et souleva la bâche.

Un moment, elle demeura silencieuse en fixant le visage qu'elle venait de révéler. Ce qui la stupéfiait, ce n'était pas l'œil crevé, ni le manche du tournevis enfoncé jusqu'à l'orbite. Ce n'était qu'un détail macabre à noter, à classer mentalement, comme elle l'aurait fait d'un rapport dicté. Non, c'était le visage lui-même qui la sidérait, qui l'horrifiait.

— Il est trop jeune, murmura-t-elle. Cet homme est trop jeune pour être Elijah Lank.

— Je lui donne trente, trente-cinq ans.

— Je ne comprends pas…

— Tu ne vois pas ? fit Rizzoli. Cheveux bruns, yeux verts…

Comme les miens.

— D'accord, il y a un million de types avec des yeux et des cheveux comme ça. Mais cette ressemblance… Frost l'a remarquée, lui aussi. On l'a tous remarquée.

Maura rabattit le plastique sur le corps et recula, fuyant la vérité indéniable lue sur le visage du mort.

— Le Dr Bristol est en route, dit Frost. On a pensé que vous préféreriez ne pas être chargée de l'autopsie.

— Pourquoi m'avez-vous appelée, alors ?

— Parce que tu as demandé qu'on te tienne au courant, répondit Rizzoli. Parce que je t'ai promis de le faire. Et parce que… parce que tu aurais appris tôt ou tard qui était cet homme.

— Mais on ne le sait pas, répliqua Maura. Tu crois déceler une ressemblance, ce n'est pas une preuve…

— On a appris autre chose, ce matin.

— Quoi ?

— Pour retrouver la trace d'Elijah Lank, on a cherché partout où son nom pourrait apparaître : arrestation pour un délit mineur, contraventions, etc. Ce matin, on a reçu un fax d'un employé communal de

Caroline du Nord. Un certificat de décès. Elijah Lank est mort il y a huit ans.

— Il y a huit ans ? Alors, il n'était pas avec Amalthea quand elle a tué Theresa et Nikki Wells…

— Non. Amalthea opérait avec un nouveau complice. Quelqu'un qui avait remplacé Elijah dans l'entreprise familiale.

Maura se retourna et contempla le lac, dont les eaux brillaient d'un éclat aveuglant. Je ne veux pas entendre la suite, pensa-t-elle. Je ne veux pas savoir.

— Il y a huit ans, Elijah est mort d'une crise cardiaque à l'hôpital de Greenville, continua Rizzoli. Il s'était présenté aux urgences en se plaignant d'une douleur dans la poitrine. D'après le dossier, sa famille l'accompagnait.

Sa famille.

— Sa femme, Amalthea, précisa Rizzoli. Et leur fils Samuel.

Maura prit une profonde inspiration, sentit à la fois l'odeur de l'été et celle du cadavre. La vie et la mort mêlées dans une même fragrance.

— Je suis désolée, dit Rizzoli, il fallait que tu saches. Il y a encore une chance que nous nous soyons trompés, sur ce type. Il n'est peut-être pas leur fils.

Ils ne s'étaient pas trompés, Maura le savait. Je l'ai su quand j'ai vu son visage.

Quand Rizzoli et Frost entrèrent au J. P. Doyle's, ce soir-là, les flics qui se tenaient au comptoir les accueillirent par une salve d'applaudissements qui la firent rougir. Même les gars qui ne l'appréciaient pas particulièrement claquaient des mains pour saluer son succès, annoncé au bulletin d'informations de dix-huit heures par le téléviseur installé au-dessus du bar. Tous les flics se mirent à taper du pied en chœur tandis que Rizzoli et Frost s'approchaient du comptoir sur lequel le barman, radieux, avait déjà posé deux verres. Pour Frost, un whisky et pour Rizzoli…

Un grand verre de lait.

Sous les rires, Frost se pencha et murmura à l'oreille de sa collègue :

— J'ai l'estomac un peu retourné. On change ?

Le plus drôle, c'était que Frost aimait vraiment le lait. Rizzoli fit glisser son verre devant lui et demanda un Coca au barman.

Les policiers défilèrent pour leur serrer la main et leur taper dans le dos pendant qu'ils grignotaient des cacahuètes en sirotant leurs boissons. Rizzoli regrettait son Adams habituelle, elle lui manquait. Beaucoup de choses lui manquaient, ce soir : son mari, sa bière. Sa taille. C'était quand même une bonne journée. C'est toujours une bonne journée quand on coince un criminel, pensa-t-elle.

— Hé, Rizzoli ! Tu sais à combien on en est, pour les paris ? Deux cents dollars pour une fille, cent vingt pour un garçon.

Tournant la tête, elle vit les inspecteurs Vann et Dunleavy qui se tenaient à côté d'elle, le Hobbit grassouillet et son pote le maigrichon, avec leurs pintes de Guinness.

— Et si j'ai les deux, repartit-elle. Des jumeaux ?

— Hmm, fit Dunleavy, on n'y a pas pensé.

— Qui gagne, dans ce cas-là ?

— Personne, je crois.

— Ou tout le monde ? suggéra Vann.

Les deux hommes ruminèrent un moment la question, Sam et Frodon coincés sur la Montagne Fatale du dilemme.

— Je pense qu'on devrait ajouter une troisième possibilité, dit Vann.

Rizzoli s'esclaffa.

— D'accord, les gars.

— Du beau boulot, cette affaire, la félicita Dunleavy. Attendez, vous allez avoir votre photo dans *People*. Toutes ces femmes zigouillées…

— Vous voulez la vérité ? demanda Rizzoli.

Elle soupira, posa son Coca et avoua :

— Ce n'est pas à nous que revient le mérite.

— Non ?

— C'est à la victime, dit Frost.

— Une femme ordinaire, une simple ménagère, enchaîna Rizzoli. Terrifiée et enceinte jusqu'au cou. Il ne lui a pas fallu un revolver ou une matraque, rien qu'une chaussette pleine de piles.

À la télévision, le bulletin d'informations locales était terminé et le barman zappa sur HBO. Un film montrant des femmes en jupe courte. Des femmes qui avaient une taille.

— Et les Black Talon ? Comment elles collent avec le reste ? voulut savoir Dunleavy.

Rizzoli but une gorgée, garda un moment le silence. Puis lâcha :

— Ça, on ne le sait pas encore.

— Vous avez retrouvé le flingue ?

Elle sentit le regard de Frost sur elle. C'était le détail qui les perturbait, tous les deux. On n'avait pas retrouvé de pistolet dans la camionnette. Il y avait des cordes et des couteaux couverts de sang séché. Des calepins soigneusement tenus, avec les noms et numéros de téléphone de neuf autres vendeurs de bébés à travers tout le pays : Van Gates n'avait pas été le seul intermédiaire. Il y avait un carnet de comptes récapitulant les versements en espèces faits aux Lank, une mine d'informations qui occuperait des enquêteurs pendant un bon moment. Mais l'arme qui avait tué Anna Leoni n'était pas dans la fourgonnette.

— Oh ! vous finirez par mettre la main dessus ! prédit Dunleavy. À moins qu'il ne s'en soit débarrassé.

À moins que quelque chose ne nous échappe encore.

Il faisait nuit quand Rizzoli et Frost quittèrent le Doyle's. Au lieu de rentrer chez elle, Rizzoli retourna à Schroeder Plaza. La conversation avec Vann et Dunleavy pesait encore dans son esprit quand elle s'assit derrière son bureau recouvert d'une montagne de dossiers. Au sommet se trouvaient ceux du FRC, des rapports sur des femmes disparues couvrant plusieurs dizaines d'années, rassemblés pour la traque de la Bête. C'était cependant le meurtre d'Anna Leoni qui avait déclenché les recherches, comme une pierre lâchée dans l'eau fait naître des cercles de plus en plus grands. Le meurtre d'Anna les avait conduits à Amalthea, et pour finir à la Bête… mais la mort d'Anna restait une énigme.

Rizzoli souleva les dossiers du FRC pour exhumer celui d'Anna Leoni. Bien qu'elle eût lu et relu tout ce qu'il contenait, elle le feuilleta de nouveau, parcourut les déclarations des témoins, le rapport d'autopsie, les rapports sur les cheveux, poils et fibres, sur les empreintes digitales et les analyses d'ADN. Quand elle arriva au rapport balistique, son regard s'attarda sur les mots *Black Talon*. Elle se rappela la forme en étoile de la balle sur la radio du crâne d'Anna Leoni. Les dégâts que le projectile avait faits dans son cerveau.

Où était passée l'arme qui avait tiré cette Black Talon ?

Rizzoli referma le classeur et baissa les yeux vers la caisse en carton qui se trouvait au pied de son bureau depuis une semaine : les dossiers que Vann et Dunleavy lui avaient confiés concernant le meurtre de Vassili Titov, seule autre victime d'une Black Talon dans la région de Boston au cours des cinq dernières années.

Elle tira les dossiers de la caisse, les posa sur son bureau, soupira en voyant la hauteur de la pile. Même le « tout cuit » engendre des kilos de paperasse. Vann et Dunleavy lui avaient résumé l'affaire et Rizzoli avait suffisamment pris connaissance de leurs dossiers pour se persuader qu'ils avaient effectivement arrêté le coupable. Le procès et la condamnation ultérieurs d'Antonin Leonov n'avaient fait que confirmer cette conviction. Elle s'apprêtait à se plonger dans les détails d'une affaire qui ne laissait aucun doute sur la culpabilité de l'homme arrêté.

Le rapport final de Dunleavy était complet et convaincant. Leonov était placé sous surveillance depuis une semaine en prévision d'une livraison d'héroïne tadjik. Sous le regard des deux inspecteurs en planque, Leonov s'était garé devant chez Titov, il avait frappé à la porte, on lui avait ouvert. Quelques instants plus tard, deux coups de feu avaient retenti dans le bâtiment. Leonov était ressorti, il était monté dans sa voiture et s'apprêtait à démarrer quand Vann et Dunleavy l'avaient serré. Titov gisait mort dans sa cuisine, deux Black Talon dans le cerveau. Le service balistique avait confirmé plus tard que les deux balles provenaient du pistolet de Leonov.

Du tout cuit. Rizzoli ne parvenait pas à établir un rapport entre la mort de Titov et celle d'Anna Leoni, hormis l'utilisation dans les deux cas de Black Talon. Des balles de plus en plus rares, mais pas assez pour constituer un vrai lien entre les deux meurtres.

Elle continua à parcourir les dossiers tout en dînant. Quand elle arriva au dernier, elle se sentait tellement fatiguée qu'elle faillit renoncer à le lire.

Non, je finis, se dit-elle, je remets le tout dans le carton et basta.

En ouvrant le classeur, elle découvrit un rapport de perquisition de l'entrepôt d'Antonin Leonov. Résumé de l'opération par l'inspecteur Vann, identité des employés interpellés et liste de tous les objets saisis : casiers à bouteilles, registres comptables, billets... Elle parcourut les noms des officiers de police ayant participé à l'opération. Dix flics de Boston. Ses yeux s'arrêtèrent sur un nom qu'elle n'avait pas remarqué quand elle avait lu le rapport, une semaine plus tôt.

Simple coïncidence. Ça ne signifie rien, sinon que...

Elle réfléchit un moment, se rappela une descente à laquelle elle avait pris part lorsqu'elle n'était qu'un jeune agent en tenue. Beaucoup de bruit, d'excitation. Et de confusion, quand une dizaine de flics shootés à l'adrénaline déboulent dans un bâtiment suspect. Tous sont nerveux, tous ne pensent qu'à leur peau et ne remarquent pas vraiment ce que fait le collègue. Ce qu'il glisse dans sa poche. Du liquide, de la dope. Une boîte de balles dont la disparition passera inaperçue. On est toujours tenté d'emporter un souvenir. Un souvenir qui pourra se révéler utile plus tard.

Rizzoli décrocha le téléphone et appela Frost.

31

Les morts ne sont pas une compagnie agréable.

Assise devant son microscope, Maura examinait des échantillons de poumon, de foie et de pancréas, minces lamelles provenant du corps d'un suicidé, placées sous une plaque de verre et auxquelles une préparation d'hématoxyline-éosine donnait de joyeuses teintes roses et violettes. Excepté le tintement occasionnel du verre et le faible sifflement de la climatisation, le bâtiment était silencieux. Il n'était pas vide, toutefois. En bas, dans la chambre froide, une demi-douzaine de visiteurs muets gisaient dans leur linceul à fermeture éclair. Des hôtes peu exigeants, qui avaient tous une histoire à raconter, mais uniquement à ceux qui étaient prêts à inciser et à sonder.

Le téléphone sonna sur son bureau, Maura laissa le répondeur s'en occuper.

Personne ici, sauf les morts. Et moi.

L'histoire qu'elle voyait dans l'oculaire de son microscope n'était pas nouvelle. De jeunes organes, des tissus sains. Un corps destiné à vivre de nombreuses années de plus si l'âme l'avait souhaité, si seulement une voix intérieure avait murmuré à l'homme désespéré : *Attends, les peines de cœur ne durent qu'un temps. Ton chagrin passera et tu trouveras un jour une autre fille à aimer.*

Après en avoir terminé avec la dernière lamelle, Maura la remit dans la boîte, resta un moment sans bouger, songeant non à ce qu'elle venait d'examiner mais à l'image d'un homme jeune aux cheveux bruns et aux yeux verts. Elle n'avait pas assisté à son autopsie. Dans l'après-midi, tandis que le Dr Bristol le disséquait, elle était restée en haut dans son bureau. Mais alors même qu'elle dictait ses rapports, elle avait pensé à cet homme. Est-ce que je veux vraiment savoir qui il est ? Elle n'avait pas encore pris sa décision. Au moment où elle rassemblait ses affaires pour partir, elle hésitait encore.

Le téléphone sonna de nouveau, elle ne lui jeta même pas un regard.

Elle descendit le couloir silencieux, passa devant des portes closes et des bureaux déserts. Elle se souvint d'un autre soir où, sortant de ce bâtiment vide, elle avait découvert la marque de griffe sur la portière de sa voiture. Son cœur se mit à battre plus vite.

Mais il n'est plus là, maintenant. La Bête est morte.

Elle franchit la porte de derrière, sortit dans la nuit tiède de l'été, s'arrêta sous le réverbère pour scruter la pénombre du parking. Attirés par la lumière, des papillons de nuit tournoyaient autour du réverbère et Maura entendait le battement de leurs ailes contre l'ampoule. Il y eut un autre bruit : un claquement de portière. Une silhouette se dirigea vers elle, prit une forme et des traits en pénétrant dans le cercle de lumière.

Maura poussa un soupir de soulagement quand elle constata que c'était Ballard.

— Vous m'attendiez ?

— J'ai vu votre voiture dans le parking. Je vous ai appelée.

— Après cinq heures, je laisse le répondeur prendre les messages.

— Vous ne répondiez pas non plus sur votre portable.

— Je l'ai fermé. Vous n'avez pas besoin de passer me voir, Rick. Je vais bien.

— Vraiment ?

Elle soupira quand ils se dirigèrent vers sa voiture, leva les yeux vers le ciel où les lumières de la ville faisaient pâlir les étoiles.

— Je dois prendre une décision pour l'analyse d'ADN. Est-ce que je veux ou non savoir la vérité ?

— Si vous n'êtes pas sûre, ne la demandez pas. Peu importe que vous leur soyez apparentée, Amalthea n'a rien à voir avec ce que vous êtes.

— C'est ce que j'aurais dit avant.

Avant de savoir à quelle lignée j'appartiens peut-être. Avant de savoir que je suis peut-être issue d'une famille de monstres.

— Le mal n'est pas héréditaire.

— Ce n'est quand même pas agréable de savoir que je compte peut-être quelques tueurs fous dans ma famille…

Elle ouvrit sa portière, s'installa au volant, mettait le contact quand Ballard passa la tête dans la voiture.

— Maura, dînez avec moi ce soir.

Sans le regarder, elle réfléchit à son invitation, tout en fixant les petites lumières vertes du tableau de bord.

— Hier, vous m'avez posé une question, poursuivit-il. Vous vous demandiez si je m'intéresserais quand même à vous si je n'avais jamais aimé votre sœur. Je ne crois pas que vous m'ayez cru, quand je vous ai répondu.

Cette fois, elle se tourna vers lui.

— Il n'y a aucun moyen de le savoir, non ? Parce que vous l'avez vraiment aimée.

— Alors, donnez-moi une chance de vous connaître, *vous*. Je ne l'ai pas imaginé, là-haut, dans les bois. Vous l'avez senti, je l'ai senti aussi. Il se passait quelque chose entre nous.

Il se pencha vers elle, ajouta à voix basse :

— Ce n'est qu'un dîner, Maura.

Elle pensa aux heures qu'elle venait de passer dans ce bâtiment, avec des morts pour seule compagnie. Ce soir, j'ai envie d'être avec les vivants, pensa-t-elle.

— Le quartier chinois est au bout de la rue, dit-elle. On pourrait y aller.

Il s'assit à côté d'elle et ils se regardèrent un moment. La lumière du réverbère du parking laissait la moitié du visage de Ballard dans l'ombre. Il tendit la main pour caresser la joue de Maura, puis lui entoura les épaules pour la rapprocher de lui mais elle se penchait déjà, faisait la moitié du chemin. Plus que la moitié. La bouche de Rick trouva la sienne et Maura s'entendit soupirer. Elle le sentit l'attirer dans la chaleur de ses bras.

L'explosion la fit sursauter.

La vitre du côté de Ballard se fracassa, des éclats de verre entaillèrent sa joue. Elle ouvrit les yeux. Vit une bouillie sanglante, tout ce qu'il restait du visage de Ballard. Dont le corps s'effondra sur elle, son sang inondant sa poitrine.

— Rick. *Rick !*

Un mouvement à l'extérieur de la voiture attira son regard. Maura leva des yeux abasourdis. Une forme noire émergeait de l'obscurité, se dirigeant droit vers elle.

Pour me tuer.

Démarre. Démarre.

Elle poussa le corps de Rick pour l'écarter du levier de vitesse, mais le sang qui coulait du visage explosé rendait ses mains glissantes. Elle parvint à passer la marche arrière, appuya sur l'accélérateur.

La Lexus jaillit hors de son emplacement.

Le tireur était quelque part derrière, il se rapprochait.

Maura voulut repasser en marche avant mais Ballard était retombé en tas contre elle et ses doigts s'enfoncèrent dans la chair sanglante. Elle réussit à manœuvrer le levier malgré ses sanglots de terreur.

La lunette arrière éclata.

Maura écrasa l'accélérateur, la voiture bondit en avant dans un crissement de pneus. Le tireur lui barrait la sortie du parking, Maura n'avait pas le choix : elle devait passer dans le parking du centre médical universitaire voisin, dont un trottoir seulement la séparait. Elle fonça droit devant elle, se prépara à la secousse. Son menton se releva, ses mâchoires se fermèrent en claquant lorsque ses roues rebondirent sur le béton.

Une troisième balle désintégra le pare-brise.

Maura baissa la tête quand une pluie de morceaux de verre crépita sur le tableau de bord, lui criblant le visage. Elle perdit le contrôle de la Lexus, qui fonça droit sur un lampadaire. Impossible de l'éviter. Elle ferma les yeux juste avant que l'airbag se gonfle, fut renvoyée contre le dossier de son siège.

Lentement, elle rouvrit les yeux, hébétée. Son klaxon mugissait. Il ne s'arrêta pas quand elle leva la tête de l'airbag aplati, ni quand elle poussa sa portière et bascula dehors, sur le trottoir.

Elle se releva, chancelante, le klaxon hurlant dans ses oreilles. Parvint à s'abriter derrière la voiture la plus proche. Les jambes flageolantes, elle se força à remonter la rangée, s'arrêta.

Une chaussée, vaste espace découvert, s'étendait devant elle.

Maura s'agenouilla derrière une roue, risqua un œil à gauche d'un pare-chocs. Sentit son sang se figer dans ses veines quand elle vit la forme noire surgir de l'ombre, avec la détermination d'un robot, et se diriger vers la Lexus emboutie. Elle s'avança dans le cône de lumière projeté par le réverbère.

Maura vit un éclair de cheveux blonds. Une queue de cheval.

La femme ouvrit la portière, se pencha pour regarder le cadavre de Ballard. Se redressa, balaya le parking des yeux.

Maura se baissa de nouveau derrière la roue. Son sang battait à ses tempes, elle respirait par goulées bruyantes, affolées. Elle se tourna vers l'étendue découverte, éclairée par un autre réverbère. Au-delà, de l'autre côté de la rue, brillaient les lettres rouges du panneau *URGENCES* du centre médical. Il suffisait de traverser la chaussée. Le klaxon de la Lexus avait probablement déjà attiré l'attention du personnel.

Si proche. Le salut est si proche.

Le cœur battant, Maura hésitait. Elle avait peur de bouger, et peur de rester au même endroit. Lentement, elle releva la tête.

Des bottes noires étaient plantées de l'autre côté de la voiture.

Cours !

Elle s'élança vers la chaussée. Sans penser à faire des écarts à droite ou à gauche, fuyant simplement droit devant elle dans sa panique. Droit sur le panneau *URGENCES*, qui luisait de l'autre côté de la rue. Je peux y arriver. Je peux…

La balle, telle une bourrade contre son épaule, la projeta en avant, la fit tomber sur le bitume. Maura tenta de se relever, mais son bras gauche s'effondra sous elle. Qu'est-ce qu'il a, mon bras ? se demanda-t-elle. Pourquoi je ne peux plus m'en servir ? Avec un grognement, elle roula sur le dos et vit l'ampoule du réverbère briller au-dessus d'elle.

Le visage de Carmen Ballard apparut.

— Je t'ai déjà tuée une fois, dit-elle. Il faut que je recommence.

— Je vous en supplie. Rick et moi… Nous ne sommes pas…

— Tu n'avais pas le droit de me le prendre. Sale pute !

Carmen braqua sur Maura l'œil noir de son pistolet. Une autre voix s'éleva, une voix d'homme :

— Lâchez votre arme !

Surprise, Carmen cligna des paupières, tourna la tête. À quelques mètres des deux femmes, un vigile de l'hôpital tenait Carmen en joue.

— Vous entendez ? Lâchez votre arme !

Le canon du pistolet de Carmen vacilla. Elle baissa les yeux vers Maura, les ramena sur le vigile, sembla peser le pour et le contre.

— Nous n'étions pas amants, plaida Maura d'une voix si faible qu'elle se demanda si Carmen pouvait l'entendre par-dessus la plainte du klaxon. Anna et lui non plus.

— Tu mens. Tu es exactement comme elle. Il m'a quittée à cause d'elle. Il m'a quittée.

— Ce n'était pas la faute d'Anna…

— Si. Et maintenant, c'est la tienne.

Carmen gardait maintenant les yeux sur Maura. Une voiture s'arrêta dans un couinement de pneus. Une nouvelle voix :

— Inspecteur Ballard ! Lâchez votre arme !

Rizzoli.

Carmen tourna enfin la tête, un dernier regard pour estimer ses chances. Deux armes étaient braquées sur elle, à présent. Elle avait perdu. Quel que soit son choix, sa vie était finie. Quand elle baissa de nouveau les yeux sur elle, Maura put y lire la décision qu'elle venait de prendre. Elle vit le bras de Carmen se raidir, le canon du pistolet s'immobiliser pour le coup final, la main se resserrer sur la crosse…

La détonation fit sursauter Maura. Carmen pivota brusquement sur le côté, vacilla. S'écroula.

Maura entendit des pas, un crescendo de sirènes. Une voix familière qui murmurait :

— Bon Dieu, toubib !

Elle vit le visage de Rizzoli au-dessus d'elle. Dans la rue les lumières palpitaient ; autour d'elle, des ombres approchaient. Des fantômes, prêts à l'accueillir dans leur monde.

32

Elle voyait les choses de l'autre côté, maintenant. En tant que patiente. Les lumières du plafond défilaient au-dessus d'elle tandis que le chariot roulait dans le couloir, poussé par une infirmière à coiffe au regard préoccupé. Les roues grinçaient et l'infirmière haletait un peu quand elle fit passer la civière de l'autre côté des doubles portes, dans la salle d'opération. La lumière y était plus dure, quasi aveuglante, comme dans la salle d'autopsie. Maura ferma les yeux pour s'en protéger.

Tandis que d'autres infirmières la transféraient sur la table, elle songea à Anna, allongée nue sous des lampes identiques, le corps ouvert, exposée devant des inconnus qui la lorgnaient. Elle sentit l'esprit d'Anna flotter au-dessus d'elle et l'observant, comme elle-même l'avait observée.

Ma sœur, se dit-elle quand le pentobarbital coula dans ses veines et que les lumières s'estompèrent. Est-ce que tu m'attends ?

Quand elle se réveilla, ce ne fut pas Anna qu'elle vit, ce fut Jane Rizzoli. Des rais de lumière du jour passaient entre les lattes des persiennes à demi closes, projetant des barres horizontales claires sur le visage de l'inspecteur penchée vers Maura.

— Salut, toubib.

— Salut, murmura la blessée en retour.

— Comment tu te sens ?

— Pas trop bien. Mon bras…

Elle grimaça.

— Ça doit être l'heure de refaire une piqûre, déclara Rizzoli.

Elle tendit le bras vers le bouton d'appel.

— Merci, dit Maura. Merci pour tout.

Silencieuses, les deux femmes regardèrent l'infirmière injecter une dose de morphine dans la perfusion. Le silence se prolongea après le départ de l'infirmière, tandis que l'analgésique faisait son effet magique.

— Rick… commença Maura.

— Je suis désolée, dit Rizzoli. Tu sais qu'il est…

Je sais, pensa Maura, refoulant ses larmes.

— Nous n'avons même pas eu la chance d'essayer…

— Carmen Ballard ne te l'a pas laissée. La marque de griffe sur ta voiture, c'était elle. Pour t'ordonner de ne pas toucher à son mari. Les moustiquaires tailladées, l'oiseau mort dans la boîte aux lettres, toutes les menaces qu'Anna attribuait à Cassell, c'était elle. Pour effrayer Anna et lui faire quitter la ville. Quitter Ballard.

— Mais Anna est revenue à Boston.

— Elle est revenue parce qu'elle avait appris qu'elle avait une sœur.

Moi.

— Carmen découvre que la copine est de retour, poursuivit Rizzoli. Anna avait laissé un message sur le répondeur de Ballard, tu te souviens ? La fille de

Ballard l'entend et prévient sa mère. Tous les espoirs d'une réconciliation s'envolent : l'autre est revenue, elle menace son territoire, sa famille…

Maura se rappela ce que Carmen lui avait dit : « Tu n'avais pas le droit de me le prendre. »

— Charles Cassell m'a fait une réflexion sur l'amour, dit l'inspecteur. Il y a une sorte d'amour qui ne renonce jamais, quoi qu'il arrive. « Jusqu'à ce que la mort nous sépare… » Ça paraît presque romantique, non ? Et puis on pense à tous ceux qui se sont fait tuer parce que l'autre ne voulait pas renoncer.

Maura ferma les yeux, alanguie par l'étreinte de la morphine.

— Comment as-tu compris ? demanda-t-elle. Qu'est-ce qui t'a conduite à Carmen ?

— La Black Talon. La piste que j'aurais dû suivre depuis le début. Mais j'en ai été détournée par les Lank. Par la Bête.

— Moi aussi, murmura Maura, qui sentait la drogue la tirer vers le sommeil. Je crois que je suis prête, Jane. Pour la réponse.

— La réponse à quoi ?

— Amalthea. J'ai besoin de savoir.

— Si elle est ta mère ?

— Oui.

— Même si elle l'est, ça ne signifie rien. Simple lien biologique. Qu'est-ce que tu gagnerais à savoir ?

— La vérité, soupira Maura. Au moins, je connaîtrai la vérité.

La vérité, pensa Rizzoli en retournant à sa voiture, c'est rarement ce que les gens veulent vraiment entendre.

Ne vaudrait-il pas mieux, pour Maura, s'accrocher à l'infime espoir de ne pas être la progéniture de deux monstres ? Maura réclamait les faits et Rizzoli savait qu'ils seraient brutaux. Déjà, les recherches avaient abouti à la découverte des restes de deux femmes enfouis sur la pente boisée, non loin de l'endroit où Mattie Purvis avait été enfermée. Combien d'autres femmes enceintes avaient connu les terreurs de cette caisse ? Combien s'étaient réveillées dans le noir et avaient griffé en hurlant ces parois impénétrables ? Combien avaient compris, comme Mattie, qu'une fin atroce les attendait une fois qu'elles auraient perdu leur utilité d'incubatrice ?

Est-ce que j'aurais survécu à cette horreur ? Je ne connaîtrai jamais la réponse. À moins de me retrouver à mon tour dans une caisse.

Parvenue à sa Subaru garée au parking, elle se surprit à examiner ses quatre pneus pour s'assurer qu'aucun n'était crevé, à inspecter les voitures autour d'elle, à vérifier que personne ne l'épiait.

Voilà ce que ce métier a fait de toi, pensa-t-elle. Tu commences à sentir le mal autour de toi, même quand il n'y est pas.

Elle mit le moteur en marche, resta un moment à l'écouter ronronner tandis que la climatisation refroidissait lentement la voiture. Elle prit son portable dans son sac en se disant : J'ai besoin d'entendre la voix de Gabriel. J'ai besoin de savoir que je ne suis pas Mattie Purvis, que mon mari m'aime encore. Comme je l'aime.

Il répondit à la première sonnerie :

— Agent Dean.

— Salut.

— J'allais justement t'appeler, dit-il avec un rire étonné.

— Tu me manques.

— C'est ce que j'espérais entendre. Je suis en route pour l'aéroport.

— L'aéroport ? Ça veut dire que…

— Je prends l'avion pour Boston. Une soirée avec ton mari, ça te tente ? Tu penses que tu pourrais m'inscrire dans ton agenda ?

— À l'encre indélébile. Rentre à la maison. Je t'en prie, rentre.

Après un silence, il demanda, d'une voix douce :

— Tu vas bien, Jane ?

Des larmes inattendues piquèrent les yeux de Rizzoli.

— Oh ! c'est ces fichues hormones !

Elle s'essuya les yeux en riant.

— Je crois que j'ai besoin de toi auprès de moi.

— Garde précieusement cette pensée en tête. J'arrive.

Rizzoli souriait en roulant vers Natick pour rendre visite à une autre patiente dans un autre hôpital. L'autre survivante d'une tuerie. Deux femmes extraordinaires, pensa-t-elle, et j'ai le privilège de les connaître toutes les deux.

À en juger par les camionnettes de télévision garées dans le parking de l'hôpital et au nombre de reporters massés devant l'entrée du hall, les médias aussi estimaient que Mattie Purvis était une femme qui méritait d'être connue. Rizzoli dut passer entre deux haies de journalistes pour pénétrer dans le bâtiment. L'histoire de la femme enterrée dans une caisse avait déclenché une frénésie médiatique nationale. L'inspecteur eut à montrer sa plaque à deux vigiles différents avant de pouvoir enfin frapper à la porte de la chambre d'hôpital de Mattie. N'obtenant pas de réponse, elle entra.

Le téléviseur était allumé, le son coupé. Des images défilaient sur l'écran, sans que personne les regarde. Allongée dans le lit, les yeux clos, Mattie Purvis ne ressemblait pas du tout à la jeune femme nette et propre de la photo de mariage. Elle avait les lèvres tuméfiées et son visage était une carte géographique d'écorchures et d'hématomes. Un tube à intraveineuse était fixé par du sparadrap à une main aux doigts couverts de croûtes et aux ongles cassés. On aurait dit la patte d'un animal sauvage. Mais le visage de Mattie avait l'expression sereine du sommeil sans cauchemar.

— Madame Purvis ? dit Rizzoli à voix basse.

Mattie ouvrit les yeux, cilla plusieurs fois avant d'accommoder sur la visiteuse.

— Oh, inspecteur, vous êtes revenue ?

— Je suis venue voir comment ça allait aujourd'hui.

Mattie poussa un long soupir.

— Beaucoup mieux. Il est quelle heure ?

— Presque midi.

— J'ai dormi toute la matinée ?

— Vous en avez besoin. Non, ne vous redressez pas, restez tranquille.

— Je suis fatiguée d'être allongée.

Elle repoussa les couvertures et s'assit, ses cheveux tombant en mèches molles et emmêlées.

— J'ai vu votre enfant par la vitre de la nursery. Elle est superbe.

— N'est-ce pas ? dit Mattie, rayonnante. Je vais l'appeler Rose. J'ai toujours aimé ce prénom.

Rose. Rizzoli sentit un frisson la parcourir. Encore une de ces coïncidences inexplicables : *Alice Rose, Rose Purvis*. Une jeune fille morte depuis longtemps, un bébé entamant sa vie. Et cependant un fil ténu reliait ces deux existences par-dessus les années.

— Vous avez encore des questions à me poser ? s'enquit Mattie.

Rizzoli approcha une chaise du lit et s'assit.

— Je vous ai demandé des tas de choses, hier, mais pas comment vous avez fait. Comment vous vous êtes débrouillée.

— Débrouillée ?

— Pour rester vivante. Pour ne pas abandonner.

Le sourire de Mattie mourut. Elle posa sur Rizzoli un regard hanté et murmura :

— Je ne sais pas. Je n'ai jamais pensé que… Je voulais vivre, simplement. Je voulais que mon bébé vive.

Les deux femmes gardèrent un moment le silence, puis Rizzoli reprit :

— Il faut que je vous prévienne, pour les journalistes. Ils vont tous se jeter sur vous. J'ai dû fendre une véritable meute pour entrer. Jusqu'ici, l'hôpital a réussi à les tenir à l'écart, mais quand vous rentrerez chez vous, ce sera une autre histoire. D'autant que…

— D'autant que quoi ?

— Je veux que vous soyez préparée à ce qui vous attend. Ne laissez personne vous forcer à faire quelque chose que vous ne voulez pas.

Mattie fronça les sourcils puis son regard se porta sur le téléviseur muet où passaient maintenant les informations de midi.

— Il est sur toutes les chaînes, dit-elle.

Sur l'écran, Dwayne Purvis se tenait devant une mer de micros. Mattie tendit la main vers la télécommande, remit le son.

« C'est le plus beau jour de ma vie, déclarait Dwayne à la foule de journalistes. J'ai ma fille et ma merveilleuse femme avec moi. J'ai traversé une épreuve indescriptible, un cauchemar dont vous n'avez pas idée. Merci, mon Dieu, merci, pour cette histoire qui finit bien. »

Mattie appuya sur un bouton, mais son regard demeura rivé sur l'écran vide.

— Je n'ai pas l'impression que c'est réel, dit-elle. C'est comme si ça n'était jamais arrivé. Voilà pourquoi je suis si calme : parce que je ne crois pas que j'ai vraiment été dans cette caisse.

— Vous y étiez, pourtant. Et il vous faudra du temps pour le surmonter. Vous aurez peut-être des cauchemars. Des moments où vous revivrez ce drame. En entrant dans une cabine d'ascenseur ou en regardant dans un placard, vous aurez soudain l'impression d'être de nouveau dans cette caisse. Mais peu à peu, vous irez mieux, je vous le promets. Souvenez-vous de ça : on s'en sort.

Mattie la regarda avec des yeux brillants.

— Vous en savez quelque chose.

Oui, pensa Rizzoli en fermant les mains sur les cicatrices de ses paumes, les traces de sa propre épreuve, de son combat pour rester saine d'esprit. Survivre n'est que le premier pas.

On frappa à la porte et Rizzoli se leva quand Dwayne Purvis entra, portant une brassée de roses rouges. Il se dirigea droit vers le chevet de sa femme.

— Salut, trésor. J'aurais voulu venir plus tôt, mais c'est la cohue en bas. Ils veulent tous une interview.

— Nous vous avons vu à la télé, dit Rizzoli.

Elle s'était efforcée de parler d'un ton neutre mais ne pouvait s'empêcher de se rappeler l'interrogatoire au poste de police de Natick.

Oh ! Mattie, se dit-elle, tu mérites mieux que ce type !

Quand il se tourna vers elle, elle remarqua sa chemise sur mesure, sa cravate en soie soigneusement nouée. L'odeur de son après-rasage noyait le parfum des roses.

— Comment j'étais ? demanda-t-il.

Elle lui répondit la vérité :

— Vous aviez l'air d'un vrai pro.

— Ah ouais ? C'est incroyable, toutes ces caméras. Cette histoire met les gens dans un état…

Il revint à sa femme :

— Tu sais, chérie, il faut garder une trace de tout ça. Pour plus tard.

— Qu'est-ce que tu veux dire ?

— Ben, ce moment-ci, par exemple. On devrait prendre une photo. Moi qui t'apporte des fleurs, toi sur ton lit d'hôpital. J'ai déjà des photos de la gosse. J'ai demandé à l'infirmière de l'approcher de la vitre. Mais il nous faudrait des gros plans. La petite dans tes bras, peut-être…

— Elle s'appelle Rose.

— Et on n'en a pas non plus de nous deux ensemble. Il nous en faut absolument. J'ai apporté un appareil photo.

— Je ne suis pas peignée ni rien, Dwayne. Non, je ne veux pas de photos.

— Allez, quoi. Ils en demandent tous.

— Qui ça ? Elles sont pour qui, les photos ?

— On verra plus tard. On prendra notre temps, on examinera toutes les propositions. Cette histoire vaut beaucoup plus avec des photos.

Il tira un appareil d'une de ses poches, le tendit à Rizzoli.

— Tenez, ça vous dérange pas ?

— C'est à votre femme de décider.

— Elle est d'accord, elle est d'accord. Allez-y, prenez-nous.

Dwayne se pencha vers Mattie et lui présenta le bouquet.

— Qu'est-ce que ça donne ? Moi en train de lui offrir des fleurs. Ça fera super, non ?

Il sourit, les dents étincelantes : le tendre époux protégeant sa femme.

Rizzoli regarda Mattie, ne décela pas de protestation dans ses yeux, rien qu'une lueur étrange qu'elle ne parvint pas à interpréter. Elle leva l'appareil, centra le couple dans le viseur et pressa le bouton.

L'obturateur s'ouvrit juste à temps pour capturer l'image de Mattie Purvis abattant le bouquet de roses sur la tête de son mari.

33

Quatre semaines plus tard.

Pas de comédie, cette fois, pas de simulation de folie. Amalthea Lank entra dans la salle d'entretien privée, s'assit à la table, et le regard qu'elle posa sur Maura était clair, parfaitement lucide. Ses cheveux, lissés et coiffés en queue de cheval, mettaient ses traits en évidence.

En notant les pommettes hautes de la prisonnière, son regard direct, Maura se demanda : Pourquoi ai-je refusé de le voir jusqu'ici ? C'est tellement évident. Je regarde mon propre visage dans vingt-cinq ans.

— Je savais que tu reviendrais, dit Amalthea. Et te voilà.

— Vous savez pourquoi je suis venue ?

— Tu as eu les résultats de l'analyse, hein ? Maintenant, tu sais que je disais la vérité. Alors que tu ne voulais pas me croire.

— J'avais besoin de preuves. Les gens mentent tout le temps, pas l'ADN.

— Tu devais quand même connaître la réponse. Avant que le labo t'envoie les résultats.

Amalthea se pencha en avant sur sa chaise et dévisagea sa visiteuse avec un sourire presque intime.

— Tu as la bouche de ton père, Maura. Tu le sais ? Et tu as mes yeux, mes pommettes. C'est Elijah et moi que je vois quand je te regarde. On forme une famille. On a le même sang. Toi, moi, Elijah. Et ton frère. Tu sais que c'était ton frère ?

Maura déglutit péniblement.

— Oui.

Le seul bébé que tu aies gardé. Tu nous as vendues, ma sœur et moi, mais tu as gardé ton fils.

— Tu m'as pas raconté comment il est mort, Samuel. Comment cette femme l'a tué.

— Elle a agi en légitime défense, vous n'avez pas besoin d'en savoir plus. Elle n'a pas eu le choix.

— C'est qui, cette Matilda Purvis ? Parle-moi un peu d'elle.

Maura ne répondit pas.

— J'ai vu sa photo à la télé, elle a rien de spécial. Je me demande comment elle a réussi à…

— Les gens font n'importe quoi pour survivre.

— Elle habite où ? Dans quelle rue ? À la télé, ils ont dit qu'elle est de Natick…

Maura sonda les yeux sombres de sa mère et éprouva une soudaine appréhension. Non pour elle-même, mais pour Mattie Purvis.

— Pourquoi posez-vous ces questions ?

— J'ai le droit de savoir. En tant que mère.

Maura faillit s'esclaffer.

— En tant que mère ? Vous pensez vraiment mériter ce nom ?

— Je suis la mère de Samuel. Et tu es sa sœur. Nous avons le droit de savoir. Nous sommes sa famille. Rien n'est plus fort que le sang.

Maura fixait ces yeux si étrangement semblables aux siens et y voyait briller la même intelligence. Mais une intelligence dévoyée, un reflet déformé dans un miroir fendu.

— Le sang ne signifie rien, déclara-t-elle.

— Alors, pourquoi tu es venue ?

— Je suis venue parce que je voulais vous voir une dernière fois. Et m'en aller. Parce que j'ai décidé, quoi que l'ADN puisse dire, que vous n'êtes pas ma mère.

— Qui est-ce, alors ?

— La femme qui m'a donné son amour. Vous, vous ne savez pas aimer.

— J'ai aimé ton frère. Je pourrais t'aimer.

Amalthea tendit le bras par-dessus la table pour toucher la joue de Maura. Une caresse aussi douce, aussi tendre que celle de la main d'une vraie mère.

— Donne-moi une chance, murmura-t-elle.

— Adieu, Amalthea.

Maura se leva, pressa sur le bouton pour appeler la surveillante.

— J'ai terminé, dit-elle dans la grille de l'interphone.

— Tu reviendras, prédit la prisonnière.

Maura ne la regarda pas, ne lui lança même pas un coup d'œil par-dessus son épaule en quittant la pièce. En entendant Amalthea lui crier :

— Maura ! Tu reviendras !

Dans le vestiaire des visiteurs, Maura récupéra son sac à main, son permis de conduire, ses cartes de crédit. Les preuves de son identité. Mais je n'ai pas besoin de ça pour savoir qui je suis, pensa-t-elle.

Et qui je ne suis pas.

Dehors, dans la chaleur d'un après-midi d'été, elle fit halte pour prendre une longue inspiration, sentit l'air purifier ses poumons, chasser la salissure de la prison. Elle sentit aussi le poison d'Amalthea Lank sortir de sa vie.

Dans ses yeux, dans ses traits, elle portait la trace de son ascendance. Dans ses veines coulait le sang de meurtriers. Mais le mal n'est pas héréditaire. Si Maura l'avait en puissance dans ses gènes, tous les autres êtres humains aussi.

En cela, je ne suis pas différente. Nous descendons tous de monstres.

Elle s'éloigna de ce bâtiment d'âmes captives. Non loin l'attendaient sa voiture et le chemin de sa maison. Elle n'eut pas un regard en arrière.

Remerciements

Écrire est un travail solitaire mais aucun écrivain ne travaille jamais vraiment seul. J'ai le privilège d'être aidée et soutenue par Linda Marrow et Gina Centrello à Ballantine Books, Meg Ruley, Jane Berkey, Don Cleary, et la formidable équipe de l'agence Jane Rotrosen, Selina Walker, à Transworld, et surtout mon mari Jacob.

Merci à tous !